# À PROPOS DE NANCY KILPATRICK...

« NANCY KILPATRICK EST LA
"REINE DES DAMNÉES" CANADIENNE. »
*The Ottawa Citizen*

« L'ÉCRITURE DE NANCY KILPATRICK EST À LA
FOIS ÉLOQUENTE ET ÉROTIQUE — SES HISTOIRES
SÉDUISENT LE LECTEUR GRÂCE À L'ATTRACTION
RÉCIPROQUE DE L'EFFROI ET DU DÉSIR. »
*Stephen Jones*, éditeur de *Dark Terrors*

« KILPATRICK EST UN DE CES RARES AUTEURS
CAPABLE DE RAPPROCHER LES GENRES
ET DE LE FAIRE EFFICACEMENT. »
*The Sudbury Star*

« LAISSEZ NANCY KILPATRICK VOUS GUIDER
À TRAVERS SON UNIVERS TORTURÉ PAR
LE SEXE ET LA PASSION, LA FAIM DÉVORANTE ET
LE SANG, LES ÂMES DAMNÉES
ET LES TORRIDES NUITS DE VELOURS. »
*Karen E. Taylor*

« LES AMATEURS D'HISTOIRES DE VAMPIRES
ONT TROUVÉ UNE NOUVELLE DÉESSE
EN NANCY KILPATRICK. »
*Karl Edward Wagner*

« NANCY KILPATRICK EST UNE AUDACIEUSE
ÉCRIVAINE DE L'HORREUR ÉROTIQUE. »
*Poppy Z. Brite*

# ... ET DE *LA MORT TOUT PRÈS*

« NANCY KILPATRICK EST ICI
AU SOMMET DE SON ART. »
**Parsec**

« *LA MORT TOUT PRÈS* SE PRÉSENTE
COMME UNE FASCINANTE "DANSE MACABRE"
OÙ LA PASSION ET L'HORREUR
NE SE DÉMENTENT JAMAIS. »
**Karl Edward Wagner**

« L'ATMOSPHÈRE TENDUE ALLIE
LE SCABREUX ET LA ROMANCE
EN UNE UNIQUE POÉSIE
DE L'AMOUR... DU DÉSIR...
ET PARFOIS AUSSI
D'UNE TERRIBLE VIOLENCE. »
**Ron Dee**

« [*LA MORT TOUT PRÈS*] ... OFFRE TOUT
CE QUE VOUS DÉSIREZ DANS UN ROMAN
VAMPIRIQUE : VIVE ÉMOTION, SUSPENSE,
TORRIDE ET NOIRE SENSUALITÉ,
RÉVÉLATIONS SUR LA MORT ET L'APRÈS-MORT. »
**Rick Hautala**

# RENAISSANCE
## (LE POUVOIR DU SANG −3)

# DE LA MÊME AUTEURE

*As One Dead* [coll. D. Bassingwaithe], White Wolf,
   Vampire : The Masquerade, 1996.


Série « *Power of the Blood* »

*Child of the Night*, Raven, 1996 ; Pumpkin, 1998.
   *L'Enfant de la nuit*. Roman. *(Le Pouvoir du sang -1)*
      Beauport : Alire, Romans 046, 2001.

*Near Death*, Pocket, 1994 ; Pumpkin, 1998.
   *La Mort tout près*. Roman. *(Le Pouvoir du sang -2)*
      Beauport : Alire, Romans 049, 2001.

*Reborn*, Pumpkin, 1998.
   *Renaissance*. Roman. *(Le Pouvoir du sang -3)*
      Beauport : Alire, Romans 053, 2002.

*Boodlover*, Baskerville, 2000.
   *La Passion du sang*. Roman. *(Le Pouvoir du sang -4)*
      Beauport : Alire. (Automne 2002)

# RENAISSANCE
## (LE POUVOIR DU SANG –3)

## NANCY KILPATRICK

traduit de l'anglais
par
SYLVIE BÉRARD et SUZANNE GRENIER

**ALIRE**

Illustration de couverture
JACQUES LAMONTAGNE

Photographie
HUGUES LEBLANC

Diffusion et distribution pour le Canada
**Québec Livres**
2185, autoroute des Laurentides, Laval (Québec) H7S 1Z6
Tél. : 450-687-1210   Fax : 450-687-1331

Diffusion et distribution pour la France
**D.E.Q.** (Diffusion de l'Édition Québécoise)
30, rue Gay Lussac, 75005 Paris
Tél. : 01.43.54.49.02   Fax : 01.43.54.39.15
Courriel : liquebec@noos.fr

Pour toute information supplémentaire
**LES ÉDITIONS ALIRE INC.**
C. P. 67, Succ. B, Québec (Qc) Canada G1K 7A1
Tél. : 418-667-8314   Fax : 418-667-5348
Courriel : alire@alire.com
Internet : www.alire.com

Les Éditions Alire inc. bénéficient des programmes d'aide à l'édition
de la Société de développement des entreprises culturelles du Québec
(SODEC), du Conseil des Arts du Canada (CAC) et reconnaissent l'aide
financière du gouvernement du Canada par l'entremise du
Programme d'aide au développement de l'industrie de l'édition
(PADIÉ) pour leurs activités d'édition.
Les Éditions Alire inc. ont aussi droit au Programme de crédit d'impôt
pour l'édition de livres du gouvernement du Québec.

Dépôt légal : 2ᵉ trimestre 2002
Bibliothèque nationale du Québec
Bibliothèque nationale du Canada

À la mémoire de
Fabrice Dulac
6 mars 1964 — 13 mars 2002

*L'espoir est un rêve éveillé*
Aristote

## ROSE NOIRE

Toi qui marches parmi les ombres
Fleur fanée comme cœur
Je suis là
J'attends tes baisers froids
J'ai faim de mort
Est-ce que tu m'entends
Sens-tu mon âme
J'ai si peur de toi, de moi
Dans la nuit, je fuis
La pluie contre mon visage
Et tu apparais à mon cou
Doigts avides sur ma poitrine
Mes mamelons, pétales sanglants
Tire-moi vers l'intérieur de tes ailes
Dévore-moi, vide-moi
Laisse-moi flotter comme ton fantôme
Toi qui marches avec les ombres
Je serai ta fleur qui fane entre tes bras
Mes ongles, les épines qui raclent ton dos
Je suis là
Avide de tes lèvres
Assoiffée de ton amour
Je suis là
Est-ce que tu m'entends...

Fabrice Dulac

# TABLE DES MATIÈRES

*Il ne vit pas longtemps
celui qui se bat contre les immortels...*

Homère

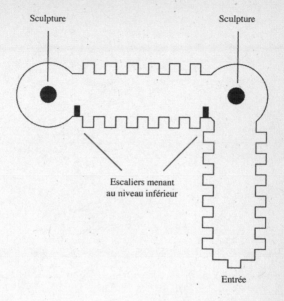

Sculpture

Sculpture

Escaliers menant
au niveau inférieur

Entrée

## LE COLUMBARIUM

Ce plan montre la structure générale du Columbarium. La première section, celle du corridor auquel on accède par l'entrée, est construite sur un seul niveau. Le reste de l'édifice comporte deux étages. La sortie se trouve à l'extrême gauche du niveau inférieur, près des escaliers. Chaque indentation des corridors correspond à une fenêtre. Le toit et les sections extérieures sont disposés en terrasse et encastrés dans le flanc de la colline.

# PREMIÈRE PARTIE

*Pour chaque problème complexe il existe une*
*solution simple, claire et mauvaise.*

H.L. Mencken

# CHAPITRE 1

Des réverbères à dôme jetaient une lumière ambrée et créaient une ambiance début de siècle. Du moins, c'était ainsi que Michel s'imaginait les lieux cent ans plus tôt. Des films d'époque, des photographies sépia lui en avaient donné un aperçu. Mais il était sur cette Terre depuis moins de deux décennies, contrairement à sa tante Chloé qui sillonnait la planète depuis plus d'un siècle.

Michel et Chloé gravissaient en silence les rues tortueuses qui menaient au sommet de la montagne. Ils parvinrent finalement à une bifurcation : on pouvait aller à gauche ou à droite. En face d'eux se dressait la grille en fer forgé du petit cimetière juif. Ainsi protégée, cette nécropole s'étendait en retrait des autres cimetières de la montagne.

Lorsqu'ils passèrent devant la grille verrouillée, Michel posa un moment son regard sur les pierres tombales modernes et épurées, si blanches, si peu élevées. Ce cimetière ne comptait pratiquement aucun monument. Aucun caveau. Il y était entré plusieurs fois et, bien que certaines inscriptions l'eussent touché, le cimetière dans son ensemble ne l'inspirait nullement.

Ils se dirigèrent à droite et, un peu plus haut sur le flanc de la montagne, aboutirent à l'endroit où le chemin s'arrêtait, sous l'arc de pierre de l'entrée du Mount Royal Cemetery. De ce point de vue, Michel ne pouvait apercevoir l'énorme croix illuminée, visible d'à peu près partout, ailleurs, dans la ville de Montréal. Les croix n'avaient aucun effet sur ceux de son espèce, quoiqu'en prétendissent les légendes colportées par les mortels. Mais il faut dire qu'une si grande partie de la littérature représentant les vampires était fausse. Et non sans drôlerie. Ces ingrédients, supposait-il, devaient en faire des lectures distrayantes pour quelques personnes. Des personnes qu'il aurait sans doute trouvées lui-même fort peu intéressantes.

La grande enceinte en pierre et en fer de style gothique interdisait la circulation automobile dès le coucher du soleil, mais, par bonheur, une petite entrée réservée aux piétons restait ouverte. Ils entrèrent par cet endroit, passant près de la maison du gardien du cimetière. Michel perçut que l'homme était absorbé dans sa lecture et qu'il ne se souciait guère des deux créatures qui se glissaient illégalement dans le cimetière après les heures d'ouverture.

Le cimetière – qu'on appelait le « cimetière anglais » même si des Français s'y trouvaient aussi enterrés – paraissait relativement bien entretenu. La pelouse venait d'être tondue, suffisamment d'espace séparait les tombes. Aucune section en retrait des autres, peu de pierres tombales excentriques. Oh, il y avait bien ce monument au bout de la surface gazonnée, là où s'alignaient les premières tombes. Michel et Chloé s'arrêtèrent pour lire ce qui y était inscrit.

### THOS. LETT HACKETT, L.O.A[1]
*qui fut assassiné de façon barbare*
*dans le square Victoria*

---

[1]    NDT : La L.O.A (Loyal Orange Association), fondée au Canada en 1830 mais tirant ses origines de l'ordre orangiste britannique, vise entre autres la promotion et l'extension de la conception protestante de la religion chrétienne.

> *alors qu'il revenait tranquillement*
> *de l'Office divin le 12 juillet 1877.*
> *Ce monument fut érigé par les Orangistes*
> *et les Protestants de la Confédération*
> *pour rendre hommage à sa mémoire*
> *et pour signifier leur haine envers ses meurtriers.*

« Crois-tu que c'était un meurtre politique ? demanda Michel.

— Peut-être bien, répondit Chloé. Si l'on considère la date de l'événement.

— Peut-être aussi qu'il s'est battu à la sortie d'un bar, lança Michel en riant. Mais une chose est sûre : ceux qui ont fait ériger ce monument ont essayé de convaincre tout le monde que la victime était une sorte de martyr.

— Les mortels ont besoin de trouver un sens à la mort. Nous ne sommes pas si différents d'eux. »

Ils suivirent le large chemin qui montait vers le sommet de la montagne. Sur leur gauche, au loin, près des arbres, Michel remarqua l'énorme caveau des Molson – la famille qui possédait la brasserie du même nom. La construction occupait une vaste étendue, et Michel s'en était quelquefois approché en passant par le bosquet, de l'autre côté.

Un peu plus loin se dressait le monument de la famille McArthur, un édifice en pierres blanches, roses et beiges, véritable temple en miniature dont les quatre piliers supportaient un toit pointu et des hauts-reliefs. Trois anges de taille humaine étaient appuyés contre les piliers – le quatrième devait avoir été dérobé ou endommagé plusieurs années auparavant. Un siècle de pollution leur avait donné leur couleur noire actuelle, et celle-ci convenait parfaitement à Michel. Décidément, l'endroit ne manquait pas d'attractions. Un jour où il était venu seul, il s'était appuyé contre le pilier dénudé, en prétendant être l'ange manquant.

« L'ange de la mort », avait-il crié d'une voix macabre. Puis il avait levé les bras, paumes vers le ciel. Ensuite, il s'était laissé tomber face contre terre sur l'herbe douce.

Tandis qu'ils avançaient toujours, il distingua l'étrange monument qui lui rappelait ces boîtes rectangulaires où on inhumait les papes, les cardinaux et autres hommes d'Église, dans les cathédrales européennes. Ces blocs de marbre étaient habituellement très ornementés. Il en avait vu quelques-uns en fer, rongés par la rouille avec le temps. Une barrière de maillons métalliques entourait souvent ces tombeaux.

Michel et Chloé avaient choisi l'entrée est du cimetière, non pas en raison de sa proximité avec leur résidence de Westmount, mais parce qu'ils avaient flâné dans la ville une bonne partie de la nuit et fini par faire le tour de la montagne. Ils pouvaient se le permettre. Le soleil ne se lèverait que dans plusieurs heures. À l'aube, Chloé devrait aller dormir, mais Michel pouvait encore supporter les rayons solaires, quoiqu'il ne les tolérât pas aussi bien que lorsqu'il était enfant.

La nouvelle lune était haute, suspendue dans le limpide ciel d'automne. Elle baignait le sol d'une lumière blanche et, ainsi éclairées, les pierres semblaient avoir été blanchies à la chaux. Ils cheminaient dans un silence complice, se déplaçant intuitivement le long du chemin principal. Parvenus à un croisement, synchronisés par leur instinct, ils empruntèrent sans hésiter un sentier secondaire, comme s'ils savaient où ils allaient.

« J'ai lu que, en ce moment, il y a plus de gens en vie que de gens qui sont morts durant toute l'histoire de la Terre. J'ai refait les calculs et je crois que c'est vrai », dit Michel.

Du coin de l'œil, il perçut un mouvement. Un renard roux se faufilait entre les tombes. Les muscles sinueux de l'animal glissaient sous son pelage. Ses yeux luisirent d'un éclair rouge quand il les aperçut. Il se figea, conscient de la présence de prédateurs. Michel ne lui aurait jamais fait de mal, pas plus que Chloé, mais ils en avaient le pouvoir, et le renard le savait. Avec les animaux, les bonnes intentions ont leurs limites, avait dit un jour Chloé, et Michel lui donnait raison.

Michel perçut la proximité de mortels. C'était comme si une énergie étrange avait changé l'air, de manière matérielle mais impalpable, le rendant plus solide et le chargeant d'électricité. Avec sa vision nocturne aiguisée, il balaya du regard la colline qui s'étendait derrière le renard. Là! Sur une pierre tombale bordée sur trois côtés par les arbres, était assis un couple. Non, la créature de sexe féminin était assise, ou plutôt étendue sur le dessus de la pierre tombale. Un individu de sexe masculin se tenait debout entre ses jambes ouvertes. Ils étaient nus. Michel réalisa ce qui se passait, et cela l'emplit d'une curiosité sans borne. Son ouïe affûtée capta leur respiration rapide, le bruit de glissement que faisaient leurs corps unis en une passion sauvage. L'homme bougeait à un rythme régulier. La femme gémissait doucement. Puis, l'odeur atteignit Michel, le figeant sur place : du sang. Le liquide menstruel de la femme. Libéré à chaque coup de rein, il coulait le long du monument funéraire, colorant d'un rouge éclatant la pierre et ce qui y était gravé !

Soudain, le renard détala et se fondit dans la nuit. Michel entendit un craquement lorsque ses griffes agrippèrent une branche. L'animal semblait anxieux d'installer une distance sécuritaire entre lui et les créatures qu'il avait croisées. Il ne craignait pas les mortels en train de forniquer, mais bien Michel et Chloé.

Chloé avait tourné légèrement la tête pour observer l'animal, et aussi le couple. « Le sexe et la mort, dit-elle à voix basse. Les mortels raffolent de cette combinaison. J'imagine que nous ne sommes pas si différents d'eux sous cet aspect non plus. »

Les mortels ne prêtaient attention ni au renard ni aux créatures qui s'approchaient dans le sentier. Celles-ci possédaient pourtant le pouvoir de les transformer en habitants permanents de ce lieu où ils étaient venus trouver un peu d'intimité.

Un sourire s'esquissa sur les lèvres charnues de Chloé, si semblables à celles de Michel. Ce dernier observa le profil de sa tante, dont les cheveux blancs brillaient d'un éclat argenté sous la lueur de la lune. C'était une femme saisissante. En fait, toutes les femelles de son espèce se révélaient séduisantes – une qualité, se disait-il, que leur nature leur commandait de conserver quel qu'ait été leur âge au moment de leur transformation. Une question de survie, sans doute. Non seulement de telles créatures captivaient-elles les mortels, mais elles étaient fascinantes les unes pour les autres. À ce qu'il en savait, cette caractéristique avait une utilité offensive et défensive, puisque ceux de son espèce représentaient une menace les uns envers les autres – une réalité dont il n'avait toutefois qu'une idée encore imprécise.

Chloé possédait les mêmes traits gaulois que le père de Michel, une physionomie dont il avait lui-même hérité – menton volontaire, nez allongé, expressifs yeux en amande. Gerlinde affirmait qu'ils ressemblaient tous aux modèles qui avaient servi aux peintres de la Renaissance. Ayant vu déjà un certain nombre d'œuvres d'art, Michel ne pouvait que le reconnaître.

« La pauvre Terre doit soutenir plus de vie qu'elle ne l'a jamais fait », dit enfin Chloé, le faisant sursauter. Il avait oublié qu'il avait lui-même amené le sujet quelques minutes auparavant. « Cela me fascine toujours. La Grande Mère, notre mère à tous, accomplit un geste noble en subvenant aux besoins de chacun. Mais je me demande si son lait n'est pas en train de se tarir. »

Ils gravirent la petite colline et dépassèrent les tombes des enfants, qui s'étalaient sur leur gauche. Le sol était constellé de minuscules pierres tombales destinées aux petits occupants qui gisaient six pieds sous terre. Sur ces monuments, de simples inscriptions – des noms, des dates, parfois une citation tirée de la Bible –, souvent ornées d'une image gravée dans la pierre. Les jeunes agneaux et les chérubins joufflus avaient la faveur. Quelqu'un avait déposé une licorne jouet contre l'une des pierres.

Michel se demanda à quoi mourir pouvait ressembler. Lui ne mourrait jamais. Il le savait, à présent. Il avait pris sa décision, du moins en avait-il le sentiment la plupart du temps. Cependant, il ne croyait pas encore tout à fait qu'un choix mental pouvait changer quelque chose. Il ne s'agissait pas d'une réelle décision, de toute façon. Avait-il, en effet, vraiment le choix ? Vieillir et mourir, et devenir étranger à ses parents et à tous les autres membres de sa communauté ? Ou être pour toujours des leurs et continuer à embrasser les richesses de leur monde ? Pour toujours ou, du moins, aussi longtemps que parvenaient à survivre ceux de leur espèce. Personne n'était encore arrivé à mesurer leur longévité, mais le plus vieux dont ils connaissaient l'existence avait maintenant plus de sept cents ans. Michel arrivait à peine à se figurer une telle durée. Il ne respirait que depuis quinze ans.

Mais les choses étaient en train de changer. Luimême changeait, et cela le déconcertait. Il tolérait encore le monde de la lumière, mais, visiblement, il n'en avait plus pour longtemps. Sa peau était devenue de plus en plus sensible à mesure qu'il avait réduit sa consommation de nourriture solide et s'était mis à dépendre toujours davantage du sang. Il arrivait mal à imaginer une vie où il ne pourrait plus jamais regarder le ciel bleu ni contempler le soleil éclatant. Pourtant, tous ses proches avaient survécu tout ce temps loin de la lumière du jour. Il se demandait si cela lui manquerait. Les autres devaient être nostalgiques, car, parfois, il les entendait parler du soleil avec le même ton révérencieux que les prêtres et les rabbins prennent lorsqu'ils parlent de Dieu, ou bien les bouddhistes lorsqu'ils évoquent Bouddha, ou encore les musulmans lorsqu'ils prononcent le nom d'Allah. Pour son espèce, le soleil était devenu le saint des saints, une chose irrémédiablement impossible à atteindre et pourtant éminemment désirable. Il avait du mal à s'imaginer éprouvant les mêmes sentiments. Malgré tout, il ne voyait pas comment il pourrait en être autrement pour lui une fois qu'il serait privé de la lumière du soleil de manière permanente.

Les jours de Michel étaient encore remplis de mortels. Leur présence autour de lui le faisait parfois suffoquer. Il palpait presque leurs odeurs, tout comme il goûtait le parfum ambiant de leurs corps ou le souffle qui sortait de leurs narines. Déjà, il sentait en lui le battement de leurs cœurs, telles les vibrations de tambours éternels. Il observait, entendait l'air s'infiltrant dans leurs poumons poreux, prêtait l'oreille au son de leurs fluides digestifs qui gargouillaient dans leurs estomacs et leurs intestins. Parfois, le stimulus lui était intolérable. Sa mère lui avait dit qu'il s'habituerait à une telle surcharge sensorielle et apprendrait à s'en couper, sauf lorsqu'il chasserait – expérience qu'il ne connaissait pas encore. Peut-être était-ce vrai. Ou peut-être pas. Présentement, il avait l'impression que cela n'aurait jamais de fin. Même en ce moment, bien que lui et Chloé se fussent un peu éloignés, il entendait toujours la respiration saccadée, les sons humides que produisaient les deux personnes sur la colline à mesure qu'elles s'entraînaient mutuellement vers l'orgasme. La force de l'émotion l'excitait et le terrifiait tout à la fois. Enfin, il les entendit éclater de rire et s'embrasser dans un élan commun.

Il devait s'avouer qu'il trouvait les mortels fascinants. Ceux-ci vivaient comme si leur vie devait durer toujours, même s'il n'en était rien. Il se demandait comment fonctionnait leur esprit, comment ils pouvaient faire abstraction de la mort jusqu'au moment où, au seuil du trépas, ils se voyaient forcés de faire le grand saut en tremblant. Ils étaient un mystère pour lui. Et il y en avait quelques-uns – parmi sa génération – qu'il trouvait incroyablement émouvants. La plupart des jeunes lui paraissaient toutefois franchement consternants. Ils agissaient de façon stupide et avaient adopté des attitudes grotesques et factices qui l'offensaient. Leurs banales préoccupations se rapprochaient très peu des siennes. Ses facultés supérieures à la moyenne s'étaient étendues et développées depuis sa naissance. Il n'y pouvait rien, il était ainsi. Le monde auquel ceux de son espèce appartenaient, les porteurs de sang osaient à peine y rêver. Lui, il y vivait. Constamment. C'était sa réalité. Et aucun livre ni aucun film à propos de ce qu'ils nommaient « vampires » n'arrivait un tant soit peu à rendre compte de son expérience. Alors, comment ces mortels pourraient-ils avoir quelque rapport avec lui ?

Le pire dans le fait de devoir frayer avec les mortels était dû aux changements qui s'opéraient en lui. Désormais, il se sentait attiré pour des raisons différentes. Il avait de plus en plus conscience de leur énergie sexuelle et, concurremment, de la *vita* pulsée dans leurs veines. Il les percevait comme une nourriture fraîche et succulente, qui à la fois l'excitait et le troublait. Il devait encore apprendre à gérer ces deux appétits conflictuels qui, de plus en plus, régnaient sur chaque instant de sa vie. Son père lui disait de patienter. Il était encore un adolescent. Il arriverait à contrôler ses passions avec le temps, et lorsqu'il commencerait à tirer le sang directement des veines des humains, cela l'aiderait à se maîtriser. Ces paroles apaisantes ne rassuraient guère Michel. Après tout, ni ses parents ni aucun membre de sa communauté n'était passé par ce qu'il traversait présentement. Aucun d'eux n'était entré dans cette existence dès la naissance, tous avaient été créés à un moment ou à un autre de leur vie. Ses sentiments ambivalents le propulsaient à de tels extrêmes que, la plupart du temps, tout ce dont il avait envie, c'était de courir se terrer quelque part. À l'abri de tout. Et de tous. En particulier de lui-même.

Ils atteignirent la clôture basse qui séparait les deux cimetières principaux – quelqu'un avait encore laissé ouverte l'étroite barrière. À cet endroit, des deux côtés de la clôture, il y avait les tombes réservées aux militaires, marquées par des pierres uniformes, minces et arrondies, d'un blanc éclatant et gravées d'une croix. Plantés dans le sol, de petits drapeaux portant l'emblème de la feuille d'érable rendaient hommage à chaque soldat.

Plus haut sur la colline, leur apparut la chapelle qui abritait les urnes contenant les cendres des défunts. L'édifice accueillait une série de tiroirs dont les poignées étaient ornées de fleurs moribondes ; des lampes funéraires multicolores s'alignaient sur le sol. Il y avait aussi parfois des photographies de la personne décédée. Michel n'aimait pas trop cet édifice, mais le préférait encore aux voûtes sépulcrales. Ces voûtes où l'air manquait, si modernes et si hideusement médicales qu'elles ressemblaient à un laboratoire souterrain aseptisé, où les morts n'étaient pas vraiment morts, mais simplement rangés jusqu'à ce qu'une personne insouciante s'aventurât en ces lieux… Peut-être avait-il vu trop de films d'horreur, mais cet endroit-là lui donnait la chair de poule. Si jamais il venait à mourir, il espérait vivement que ses restes ne seraient jamais stockés dans un lieu aussi répugnant.

Ils se trouvaient à présent dans le cimetière français Notre-Dame-des-Neiges, communément appelé le cimetière Côte-des-Neiges. Des pierres tombales datant du début du XIX$^e$ siècle s'entassaient sur le terrain en pente. Par quelque phénomène cellulaire peut-être, il se détendit instantanément et se sentit « chez lui », membre d'une communauté. Ses ancêtres culturels reposaient ici, et cela avait pour lui quelque chose de réconfortant et de rassurant.

Des lumières provenant de lampadaires et de lanternes constellaient l'étendue vallonnée remplie à pleine capacité. Jetant leur lueur spectrale, ces balises semblaient faire signe aux visiteurs nocturnes de s'approcher par ici ou d'aller par là. Diverses structures et des matériaux variés avaient été utilisés durant près de deux siècles, et à la vision familièrement chaotique de toutes ces tombes encerclant les arbres, Michel éprouva un sentiment d'appartenance à ces lieux.

« Crois-tu que j'ai une tendance morbide ? » demanda-t-il soudain à sa tante.

Chloé le serra brièvement dans ses bras. « Pas plus morbide que moi. Ce cimetière est si agréable et si paisible. Qu'est-ce qui te fait dire cela ?

— Eh bien, ils sont tous morts. Mais je me sens bien ici. As-tu peur de la mort ? »

Chloé parut soudain mélancolique. « Michel, je suis déjà passée par là. Nous sommes tous passés par là.

— Pas moi.

— Non, pas toi. Mais tu es exceptionnel. »

Il détestait les entendre dire cela. Juste parce qu'il était le seul à être né d'un mâle de leur espèce et d'une femme mortelle – du moins, sa mère l'était alors, mais son père en avait ensuite fait l'une des leurs…

— Nous avons tous connu la mort, Michel. C'est un processus miraculeux. Naître, vivre, mourir, puis renaître. »

Il était né, et vivait sa vie. Mais il ne mourrait pas. Quelque chose là-dedans lui paraissait si étrange. Si aberrant. La plupart du temps, il en acceptait l'idée, mais, parfois, il se sentait un peu… floué. Et seul. Était-il l'unique créature sur cette Terre qui ne mourrait jamais ? Comment cela était-il possible ? « Mais au moment de mourir… avais-tu peur ?

— Oui. Je suppose que tout le monde a peur. Et dans mon cas, cela s'est produit si soudainement, l'attaque… »

Elle n'en avait jamais vraiment parlé, mais Michel savait plus ou moins ce qui s'était produit. Sa tante, David, Karl et quelques autres avaient été transformés par une créature de leur espèce qu'ils appelaient Antoine. Il était, disaient-ils, complètement fou. Michel l'avait vu une fois, en pleine action. Il n'avait que dix ans à l'époque, mais, tel un cauchemar terrifiant imprégné dans sa mémoire, cela l'avait profondément marqué. Il n'aimait pas repenser à l'époque où on l'avait kidnappé.

« Est-ce que tu peux me raconter ce qui s'est passé ? Quand Antoine t'a transformée ? Comment c'était. »

Chloé regarda droit devant elle un moment. « Laisse-moi y penser. »

Ils gravirent une autre colline et empruntèrent un sentier plus étroit, en direction des gigantesques caveaux piqués à flanc de coteau. Seules les portes et les façades en étaient exposées. Michel s'arrêta devant une porte plus ouvragée que les autres – un grillage métallique aux arabesques complexes. À l'intérieur, une bonne demi-douzaine de cercueils poussiéreux s'empilaient les uns sur les autres, le tout reposant sur de lourdes tiges en métal. Dans un coin, près de la prise d'air percée dans le toit, trois cercueils de bébés avaient été entreposés au petit bonheur, minuscules caisses de bois noir en forme de V tronqué et munies de poignées en métal travaillé, chacune unique parmi les autres. Chacun avait connu la mort. Tous, autant qu'ils étaient. Pourtant, lui, il ne mourrait jamais…

Michel aimait scruter l'intérieur des caveaux. Le parfum de terre ferreuse l'attirait. Cela lui rappelait un peu le goût du sang. Il y avait aussi l'odeur de la décomposition, car on n'avait pas encore perfectionné les techniques d'embaumement au moment où la plupart de ces gens étaient morts. Cela devait être un peu comme voyager dans le temps, songea-t-il, et humer les senteurs d'une autre époque, l'arôme du temps comprimé dans un espace réduit.

Le caveau suivant était protégé par une lourde porte en fer percée de petits orifices pareils à des trous de balles. Grâce à sa vue perçante, il pouvait clairement apercevoir par ces ouvertures ce qui se trouvait de l'autre côté, dans la pénombre. Un vieux prie-Dieu effondré, avec ses appui-bras placés très haut sur le dossier et son siège presque au ras du sol, son recouvrement moisi et sa bourre de paille pourrie depuis longtemps… Une jolie lanterne en laiton et en verre était posée sur un des cercueils. Depuis combien d'années ? se demandait-il. Qui l'avait posée là ? Qui avait coutume de s'agenouiller à ce fauteuil, et qui cette personne pleurait-elle ? Combien d'années ces fleurs maintenant séchées avaient-elle passées sur ce cercueil en métal à présent rouillé ? Combien de temps ce cru-

cifix en argent avait-il été accroché au mur du fond
où il accumulait la poussière des ans ? Gravé dans la
pierre au-dessus de la porte se lisait le nom Leblanc.
Qui était venu ici, portant le deuil des Leblanc ? Y
venait-on encore ? Qu'éprouvait-on à la perte d'un
être cher ?

Il n'avait jamais pleuré personne, car aucun de ses
proches n'était jamais mort. Cela était arrivé en fait à
une seule personne de sa connaissance – une femme
parmi ses ravisseurs. Il avait été témoin de sa mort,
mais ne se sentait pas touché. Pourtant, tous les autres
de son espèce avaient vécu cet événement de façon
particulière, de façon physique, une expérience qu'il
ne pouvait partager. Son monde lui paraissait petit et
il avait hâte de passer à l'exploration de royaumes
plus vastes de la réalité physiologique et affective. Il
avait le sentiment que quelque chose se trouvait au-
delà de ce qu'il savait. Il en entendait l'appel, comme
celui d'une sirène tentant de le charmer. Il ne se souciait
guère qu'il s'agît de la vie ou de la mort – le fait de ne
pas savoir où cela le mènerait rendait le tout encore
plus excitant. Son seul désir, son seul besoin, c'était de
s'abandonner à ce chant comme à l'appel de son propre
cœur. L'ignorer ne pourrait que lui porter malheur.

Ils avaient parcouru à peu près toutes les voies
principales qui traversaient le cimetière, descendant
dans un sens et puis dans l'autre. Tant de tombes. Tant
de morts.

« Par ici », dit Chloé. Il savait où elle les conduisait.
Une petite diversion. En direction du monument des
Cotroni, une grosse sculpture blanche représentant un
ange en train de baiser la tête d'un personnage allongé.
La scène était on ne peut plus adorable, et c'était
celle que Chloé préférait dans tout le cimetière.

Ils s'arrêtèrent devant la structure de marbre aux
lignes incroyablement fluides représentant un geste
très touchant.

« J'étais seule, bien sûr », dit soudain Chloé.

Michel se demanda de quoi elle voulait parler, puis il comprit : elle évoquait sa rencontre avec Antoine.

« Il est venu vers moi une nuit, dans ma chambre. Pourquoi moi, pourquoi dans ce petit village près de Bordeaux, pourquoi à ce moment-là… ? Je me suis toujours demandé en vertu de quel karma tordu j'avais dû subir cela, mais je ne trouverai jamais réponses à de telles questions. Je ne le connaissais pas. Il ne me connaissait pas. Pour autant que je sache, il n'y avait aucune raison pour que ce soit moi plutôt qu'une autre. »

Elle resta silencieuse un long moment et Michel se demanda comment l'inviter à poursuivre. « Je sais que ceux de notre espèce séduisent souvent les mortels.

— Ce n'était pas de la séduction ! coupa-t-elle d'un ton sans équivoque. C'était une agression !

— Je suis désolé. Je ne voulais pas te troubler.

— Ce n'est pas toi qui me troubles, Michel. C'est cet incident qui me bouleverse toujours, même près de deux cents ans plus tard. La violence pure… la malveillance de ce geste… C'est quelque chose qui ne me quittera jamais. Il a mis mon corps en pièces, comme un animal enragé. Il m'a laissée avec la moitié du cou lacéré. Un de mes seins a été pratiquement arraché. La chair de mes bras et de mes jambes, et mon sexe en particulier… comme s'il vouait une haine singulière aux femmes. Maintenant, évidemment, après en avoir parlé avec Karl et David, je sais que ce n'était pas le cas. D'autres ont été transformés par lui, il y a plusieurs siècles, et Antoine était sans doute différent à l'époque. Moins barbare, quoique aussi pervers. »

Michel pouvait ressentir la terreur et la fureur de Chloé. Il passa un bras autour de son épaule et, sentant les vibrations qui émanaient du corps de sa tante, il eut une grande envie de la protéger. Il imaginait avec peine la violence qu'elle avait subie. Sa brève rencontre avec Antoine lui avait laissé l'image d'un être dérangé. Pourtant, il n'avait eu aucun contact direct avec lui après avoir été kidnappé dans le parc. Mais il revoyait le trajet dans la fourgonnette. Puis, la scène qui s'était déroulée dans la gare. Et ensuite, David. Durant tout ce temps, Antoine avait été un personnage silencieux, régnant en arrière-plan. Il parlait peu, mais il dégageait une mauvaise énergie qui avait incité Michel à s'en tenir loin.

Et puis, il y avait eu la nuit à Fire Island. Antoine se trouvait là, les menaçant avec ses soldats, et Julien avait dirigé les parents de Michel et les autres comme une petite armée, et Michel avait dû les accompagner, car ils ne pouvaient le laisser seul. Cela paraissait si loin maintenant, et les détails s'étaient estompés dans sa mémoire. Il se rappelait seulement que tous ces événements avaient gravité autour de lui et que cela était lié à un certain pouvoir qu'Antoine voulait lui soutirer. Un pouvoir dont Michel ne pouvait comprendre la nature, parce qu'il n'arrivait pas à le percevoir en lui-même. Sa mère, son père et les autres semblaient toutefois s'entendre pour dire qu'il le possédait.

Chloé se détendit un peu. Elle prit la main de Michel et la tapota, puis elle posa la tête sur son épaule. « La terreur que j'ai ressentie quand il m'a prise si brutalement n'était rien en regard de mon réveil. J'étais seule. Dans mon cercueil. Six pieds sous terre. Bien sûr, personne n'aurait pu le prévoir, puisque, à strictement parler et selon les critères habituels, je n'étais pas en vie. Mais manifestement, je n'étais pas morte. »

Michel fut horrifié. « Je ne savais pas qu'on t'avait enterrée vivante.

— Oui. »

Un frisson le parcourut à la seule idée de ce qu'elle avait dû éprouver à ce moment-là.

« À cette époque, dans la région où j'habitais, on avait coutume de suspendre une cloche au-dessus de la tombe et de laisser courir une chaîne dans la terre jusqu'au cercueil – à l'intention des défunts qui n'auraient pas été vraiment morts, pour qu'ils puissent sonner la cloche et être exhumés.

— Est-ce que tu as agité la cloche ?

— Mon corps était si mutilé que, dans l'esprit de mes proches, j'étais morte, cela ne faisait pas de doute. Ils n'ont pas pris la peine d'installer une cloche.

— Comment as-tu réussi à sortir de ta tombe ?

— De la manière la plus traditionnelle. » Chloé se tourna légèrement et avança de quelques pas, rompant le contact avec Michel. Elle posa la main sur la tête de l'ange. « Je suis sortie en creusant la terre avec mes doigts.

— Wow !

— Les cercueils étaient encore en bois, à l'époque. Et, contrairement à aujourd'hui, on remplissait le trou à la pelle. Les corps n'étaient pas embaumés, évidemment. Et, par bonheur, il avait plu. Il n'était pas facile de creuser dans la boue, mais cela aurait été pire dans un sol sec et compact. J'ai dû y mettre un bon deux jours. Quand j'ai enfin atteint la surface, à moitié démente, affamée, ignorant encore ce que j'étais devenue, il a fallu que je m'enfouisse de nouveau sous la terre, car le soleil me brûlait la peau. J'ai ainsi attendu qu'un voile d'obscurité me permette de m'extirper complètement du sol.

— Mais tu aimes les cimetières ! » s'exclama Michel. Il n'en voyait nullement la raison.

« Je suppose qu'on est toujours attiré par l'endroit qui nous a le plus traumatisé. Comme l'a dit Carl Jung, nos blessures les plus profondes sont nos plus

grandes bénédictions et le lieu de toutes nos gué-
risons. Viens. » À la grande déception de Michel, ils
redescendirent la colline.

« Lorsque je suis ressortie à l'air libre, je suis rentrée chez moi, naturellement. Où va-t-on quand on
est de retour du royaume des morts ? La plupart de
mes enfants étaient déjà adultes et mariés. Ils m'ont
accueillie, bien sûr, réjouis de constater qu'on avait
fait erreur en me déclarant morte. Mais ils étaient visiblement troublés. Les blessures profondes qu'Antoine
m'avait infligées guérissaient très rapidement – on
croyait que j'avais été attaquée par un loup, car ils
étaient encore très nombreux à l'époque en Europe.
Les loups de ce temps-là étaient plus gros, plus féroces
que ceux d'aujourd'hui. Ils sont à l'origine des légendes
sur les loups-garous.

« Ma fille aînée et son époux m'ont donné une
chambre. M'imaginant épuisée, ils m'ont laissée
dormir plusieurs jours. Chaque nuit, en catimini, je
me levais et errais sans bruit dans la maison, les
observant, eux et leurs enfants – mes petits-enfants –
qui dormaient. Tenaillée par une faim que j'arrivais
encore mal à définir, mais que, instinctivement, je
savais être une menace pour ma famille.

« Tu sais comment nous considérons les mortels.
À quel point nous sentons leur sang, l'entendons pulser
dans leurs artères, humons avec acuité sa fragrance
cuivrée avant même que la veine ne soit percée. Je
ressentais tout cela de plus en plus cruellement. Je ne
m'étais pas encore nourrie. J'étais faible, mais la faim
est devenue une obsession et j'ai dû réunir toutes mes
forces pour ne pas succomber. Enfin, au bout d'une
semaine, je me suis enfuie. Il n'y avait pas d'autre
solution. Je n'avais aucune idée de ce que j'étais, mais
je savais que je représentais un danger pour ceux que
j'aimais.

— Où allons-nous ? » demanda Michel, tout en ayant le sentiment de l'avoir deviné. Ils marchaient en direction du Columbarium, les voûtes souterraines modernes. L'endroit lui donnait la chair de poule. Pour une raison ou une autre, Chloé voulait toujours passer par cet endroit. Il ignorait pourquoi et ne voulait pas le savoir, mais dès que l'entrée fut dans son champ de vision, il s'arma de courage devant ce qui s'annonçait comme une expérience désagréable.

« Je veux juste vérifier s'il y a eu de nouveaux enterrements, dit-elle. Et m'assurer qu'il y a toujours des espaces libres.

— Mais pourquoi ?

— On ne sait jamais à quel moment on aura besoin d'une demeure éternelle pour un être cher.

— Comment peux-tu supporter cet endroit ? demanda-t-il. Il me fait peur, comme s'il sortait tout droit d'un film d'horreur. »

Elle le regarda et éclata de rire. « Je suis tellement plus vieille que toi ! J'imagine que l'intensité de l'espace comprimé sous terre m'impose un certain respect. Et cela me rappelle mon propre enterrement.

— Alors pourquoi entrer là-dedans ?

— Peut-être que je m'efforce de revivre tout cela. De trouver une façon de me débarrasser de ces souvenirs. »

En théorie, il comprenait, mais ses émotions refusaient de suivre. La dernière chose qu'il souhaitait, c'était bien revivre quoi que ce fût de douloureux. Peut-être que, en vieillissant, les gens changeaient. Peut-être qu'ils voulaient affronter les choses qui les effrayaient. Il n'en était pas certain. Par contre, cela ne faisait assurément pas partie de ses projets à lui !

« Michel, pourquoi tu ne vas pas faire un tour ? Tu n'auras qu'à m'attendre à la sortie. »

Sa proposition le soulagea grandement.

Le Columbarium évoquait un peu pour lui une station spatiale, une station qu'il ne lui plaisait pas de visiter sans s'y être préparé mentalement. Karl l'avait initié aux sciences et Michel était depuis plusieurs années un fan de *Star Trek*. Il ne s'amusait plus avec ce jouet, bien sûr, mais il conservait toujours précieusement le phaseur que Karl lui avait acheté lorsqu'il était enfant. À l'époque, il l'avait donné à sa mère lors d'un rituel au cours duquel tous les autres lui avaient présenté, eux aussi, une offrande. Par la suite, elle lui avait dit qu'elle désirait le lui prêter – un prêt à long terme – et il l'avait accroché au mur de sa chambre.

Il associait mentalement le Columbarium à L2 – le point Lagrange 2, là où l'on pourrait construire un jour une station orbitale. Structure à deux niveaux, l'édifice était bâti à flanc de colline, afin, soutenait Chloé, de tirer le meilleur parti de l'espace disponible. La forme en était plutôt sommaire : deux rectangles d'égales dimensions se rejoignaient pour former un L. À la jonction des deux sections, de même qu'à l'extrémité où se trouvait la sortie, il y avait un espace circulaire. Michel avait eu l'occasion d'examiner un plan de l'intérieur de la construction et il se la représentait depuis comme deux clés disposées à angle droit. Cette image lui convenait du fait surtout que six couloirs peu profonds venaient denteler, des deux côtés, chacun des corridors. Il se demandait si l'architecte ne s'était pas un peu amusé à pousser l'image : voilà les deux clés qui ouvrent les portes du paradis !

Encastré dans une gigantesque butte gazonnée, le Columbarium couvrait l'équivalent de quelques pâtés de maisons. Tout ce qu'on en apercevait de l'extérieur, c'étaient l'entrée et la sortie, douze petites fenêtres sur un des côtés et, dans le sol au-dessus des sections circulaires de l'édifice, deux lucarnes faîtières. En pleine nuit, alors que ses pâles lumières jaunes allumées en permanence transperçaient seules l'obscurité profonde, la construction évoquait encore davantage une station spatiale. Une station orbitale surplombant l'enfer, considéra Michel, en alimentant sa haine à l'égard de l'endroit.

Selon son habitude, Chloé resterait sans doute un bon moment à l'intérieur. S'il la suivait, il ne se sentirait pas bien un seul instant.

« OK, dit-il précipitamment. Je te rejoins à l'autre bout.

— Parfait. » Elle l'embrassa sur la joue.

Chloé bifurqua en direction de la porte d'entrée. C'était fermé, bien sûr, mais elle se servit des clés qu'elle avait fabriquées afin d'avoir accès à sa guise au Columbarium. Michel tourna les talons et fila en direction des anciens caveaux qui s'alignaient en amont du sentier.

Ces vieux caveaux étaient aussi fascinants que ceux qu'ils venaient de visiter. Il pouvait aller de l'un à l'autre sans avoir à emprunter les marches, comme un facteur qui se contente de sauter par-dessus les clôtures des jardins pour passer de porte en porte. La plupart des portes étaient pleines, mais quelques-unes présentaient des ouvertures par lesquelles il distingua toute une variété de cercueils. L'odeur de moisi l'intriguait. Une plaque fixée à l'extérieur de l'un des caveaux désignait un couple marié, Natasha-Louise et Jacques-François. Tous deux étaient morts jeunes. Michel se demanda à quoi cela ressemblerait, avoir des rapports sexuels dans un tel lieu. Le couple qu'il avait aperçu plus tôt avait sans doute déjà fait l'amour dans un caveau. Tordu. Il en vint rapidement à se demander comment c'était, caveau ou pas, d'avoir une relation sexuelle ! Sauf avec lui-même, évidemment.

Il avait rencontré une fille récemment, devant un cinéma. Il était en compagnie de Gerlinde et de Karl quand il l'avait remarquée, entourée de trois amies. Elle avait les cheveux courts, hérissés, et de ses mèches bleu pâle saillaient des rallonges noires qui donnaient à sa tête l'apparence d'une araignée, et ça, c'était cool. L'anneau qu'elle portait à la lèvre inférieure lui paraissait singulièrement sexy et il s'était demandé quel effet ça faisait d'embrasser une personne à la lèvre percée.

Elle avait levé vers lui ses yeux en amande, soulignés par une ligne de khôl noir. Le regard pétillant, elle avait souri. Michel s'était senti embarrassé. Les femmes mortelles le mettaient toujours mal à l'aise. Pourtant, il devinait qu'elles le trouvaient très attirant. Cela résidait dans sa nature, bien sûr.

Ne sachant comment réagir, il lui avait rendu son sourire.

« Y paraît que c'est un bon film », avait-elle enchaîné.

Il s'était senti complètement stupide avec son sourire accroché aux lèvres. Il ignorait d'ailleurs ce qui le figeait à ce point.

Gerlinde avait choisi ce moment pour se retourner. La bouche ouverte, sur le point de parler, elle l'avait immédiatement refermée et s'était mise à regarder ailleurs. Il lui en avait été reconnaissant. Il trouvait Gerlinde plutôt amusante, en général, mais il n'aurait pas du tout apprécié à cet instant les remarques spirituelles dont elle avait le secret.

«Je… j'ai vu le premier, avait-il marmonné.

— Moi aussi. »

Bon, et maintenant quoi ?

«Les blousons de cuir étaient super !

— Oh oui ! Pas mal *sharp*, ça, c'est sûr ! » Comme plusieurs habitants de Montréal, elle s'exprimait dans un français métissé d'anglais.

«Je détesterais pas en avoir un.

— Moi non plus ! »

Eh bien, ils avaient tous les deux envie de posséder un blouson comme dans le film. Ils avaient quelque chose en commun. Mais les gens dans la queue devant eux avaient alors recommencé à avancer et elle avait reporté son attention sur ses amies, laissant Michel suivre le mouvement derrière Karl et Gerlinde. Une fois à l'intérieur, sous la conduite de Karl, ils avaient pris place à peu près au milieu de la salle. La fille s'était assise avec ses amies à proximité de l'écran. À un certain moment, elle avait pivoté sur son siège pour balayer la foule du regard, comme si elle cherchait un visage familier. Leurs regards s'étaient croisés. Elle avait souri de nouveau, en lui envoyant la main. À peine avait-il eu le temps d'esquisser un salut qu'elle s'était déjà retournée.

Il avait passé toute la durée du film à fixer sa nuque. Entre les fréquents éclats de rire du petit groupe d'amies, elle mangeait du pop-corn, buvait un Coca-Cola à la paille, se grattait le nez. Il aimait sa façon de se pencher pour chuchoter quelque chose à l'oreille de sa voisine. Il aimait voir ses longues mèches artificielles onduler comme des queues de serpents. En fait, ses moindres gestes, si simples, si ordinaires, lui paraissaient captivants. À la fin du film – dont il avait raté la majeure partie tant il était occupé à s'inventer des scénarios compliqués et à soupeser ce qu'il devait faire ou ne pas faire –, sa décision était prise : il allait lui demander son numéro de téléphone.

Il avait planté là Gerlinde et Karl en disant qu'il les rejoindrait à la sortie et il avait suivi les quatre filles qui se dirigeaient vers une issue secondaire. Il les avait rattrapées comme elles franchissaient le seuil en riant.

Soudain, il s'était senti nerveux. Quelle idée ridicule ! Comment arriverait-il à lui demander son numéro ?

Elle ne le connaissait même pas, alors bien sûr elle allait refuser, non sans l'avoir pris pour un dégénéré ou quelque chose du genre.

Il les avait dépassées, sans trop s'éloigner, puis il s'était arrêté, le regard en avant, en se disant qu'il aurait bien aimé s'allumer une cigarette – ou, du moins, être en mesure d'en faire le geste – à ce moment précis.

Il avait peur de se retourner. Peur de passer inaperçu. D'avoir déjà été oublié. Ou, pire, d'être vu mais délibérément ignoré. Elle allait se détourner et révéler la vérité toute nue sur les chimères qu'il s'était créées pendant quatre-vingt-dix minutes : elle avait simplement essayé d'être gentille, comme elle l'aurait fait avec n'importe qui. Elle ne s'intéressait pas particulièrement à lui. Il s'était fait des idées. Il avait vu une attirance là où il n'y avait rien. Comme ce rejet lui serait humiliant ! Et embarrassant !

C'est à ce moment qu'elle et ses amies étaient passées devant lui. Elle avait tourné la tête pour lui dire en souriant : « Alors, t'as aimé le film ?

— Oui, c'était cool.

— C'était pas aussi bon que le premier.

— Non, je pense que non. »

Ses amies s'étaient arrêtées elles aussi et bavardaient entre elles en ricanant un peu et en jetant des regards mystérieux vers lui. Il se sentait idiot, comme un chien dans un jeu de quilles. Comment parviendrait-il à lui dire qu'il voulait son numéro de téléphone ?

« On s'en va prendre un café. T'as envie de venir ? »

Il aurait aimé les suivre. Mais il avait laissé Karl et Gerlinde de l'autre côté. Et puis, il n'avait pas encore mangé, et cela risquait d'attirer l'attention sur des choses qui ne devraient entrer en jeu, et… « Bien sûr. Il faut juste que je prévienne mes amis. Vous me dites où vous allez et je vous rejoins.

— Tu peux bien les emmener, eux aussi. »

La dernière chose qu'il voulait était d'inclure Karl et Gerlinde dans son rendez-vous amoureux, lequel, de toute évidence, n'en était même pas un. « Oh, je crois qu'ils doivent rentrer. Ils sont plus vieux…

— OK. On sait pas où on va, alors on va t'attendre ici.

— D'accord, avait-il dit en s'éloignant au pas de course. Je reviens dans une minute. »

Tandis qu'il regagnait l'entrée du cinéma, il avait jeté un dernier regard. Ses amies faisaient cercle autour d'elle, comme si elles venaient aux nouvelles.

« On n'entre pas par cette porte », l'avait averti un placeur.

« Euh, j'étais dans la salle. Je viens juste de voir le film et mes amis m'attendent à l'entrée principale…

— Fais le tour », s'obstina l'employé, un jeune homme boutonneux visiblement fier de sa nouvelle autorité.

Michel détestait utiliser ce recours, mais il avait employé ses pouvoirs hypnotiques pour semer un germe de bonne volonté dans l'esprit du placeur. Quelques secondes plus tard, il se ruait dans l'allée du cinéma déserté, au milieu des autres employés qui ramassaient les cartons de pop-corn, les verres de plastique et les emballages de bonbons abandonnés par les clients.

Karl et Gerlinde, étroitement enlacés, s'embrassaient passionnément sous le regard des gens. Non que cela le dérangeât, mais, enfin, même s'ils avaient l'allure d'un couple dans la vingtaine, ils n'étaient plus tout à fait jeunes. De plus, ils étaient ensemble depuis tellement longtemps. Pourquoi alors n'attendaient-ils pas de se retrouver dans l'intimité de leur chambre pour faire ces choses ? Michel se réprimandait intérieurement de laisser surgir de telles pensées. En général, il les trouvait charmants. Adorables. S'il rencontrait un jour quelqu'un à aimer, il espérait former alors un couple aussi attentionné et amoureux après autant d'années. Cependant, il existait tellement de gens attirants. Il avait du mal à s'imaginer avec la même personne des décennies durant.

« Salut, les copains, avait-il dit, interrompant leur tête-à-tête[2].

— Hé ! Où est la fille ? avait demandé Gerlinde en allant comme d'habitude droit au but.

— Elle est de l'autre côté. Elle veut aller prendre un café.

— Magnifique. C'est toujours agréable de boire de nouvelles personnes, avait-elle rétorqué. Oh, est-ce que j'ai dit "boire", moi ? Je voulais dire "voir".

— Eh ben, je me disais que vous deux, vous aimeriez qu'on vous laisse un peu seuls.

— Pas vraiment, avait répondu Gerlinde. Ça fait trois nuits de suite que nous sommes seuls. Une de plus, et Karl va m'enfoncer un pieu dans le cœur.

— Ça m'étonnerait, s'était esclaffé Karl. Mais je crois que Michel voudra peut-être un peu d'intimité avec elle.

— Oh ! » Gerlinde venait soudain de comprendre. « Eh bien, assure-toi simplement d'être rentré avant minuit.

— Il est déjà minuit et demie, avait rappelé Michel à la femme qui, à certains moments de sa vie où sa mère était absente, avait affectueusement remplacé celle-ci auprès de lui.

— Je voulais dire avant minuit demain. Au premier coup d'aile de la chauve-souris. Salut, mon grand. »

Elle l'avait embrassé sur la joue, tandis que Karl lui tapotait le bras. Puis, ils étaient partis.

Michel avait tenté de repasser par l'intérieur du cinéma, mais la foule amassée dans l'entrée l'en avait

---

2    NDT : En français dans le texte.

découragé. Il avait donc contourné le pâté de maisons au pas de course, arrivant juste à temps pour apercevoir la fille et ses amies au coin de la rue, en compagnie d'autres personnes. Il les avait rejointes comme elles allaient traverser.

« Nous pensions que tu ne venais plus, dit-elle.

— Je t'avais dit que je reviendrais tout de suite. » Sa voix était plus dure qu'il ne le voulait, mais il avait été effrayé de la voir partir déjà alors qu'il n'avait été absent que quelques minutes. Soudain, il avait réalisé que la situation n'était plus la même. Aux quatre personnes de sexe féminin s'étaient ajoutées quatre personnes de sexe masculin. La fille qu'il avait poursuivie jusque-là, celle qui, avait-il cru, s'intéressait à lui, tenait l'un des types par le bras. N'y comprenant plus rien, il n'avait plus voulu qu'une chose : s'enfuir.

« Euh, écoute », avait-il dit en tentant d'attirer son attention. Elle s'était retournée et lui avait souri, de ce même sourire éclatant, mais en restant accrochée au bras du garçon. « En fait, je suis revenu te dire que ça ne pourra pas aller. Peut-être une autre fois, d'accord ?

— Pas de problème. Une autre fois. Bye. » Et elle s'était détournée.

De l'autre côté de la rue, il s'était séparé du groupe et les avait regardés s'éloigner. Manifestement, ils se connaissaient tous très bien. Si elle avait un petit ami, pourquoi l'avait-elle dragué ? Ou s'était-il fait des idées ? Peut-être avait-il mal interprété la situation. Peut-être qu'elle se montrait simplement amicale. Peut-être que le type était son frère ou quelque chose du genre. Ou juste un ami.

Qu'importe, il avait le cœur gros. Il ne savait que penser de tout cela, comment aller de l'avant. Durant des heures, il avait erré dans les rues sous la pluie. À la fin, rien n'était encore clair dans son esprit. Il avait attendu les premiers rayons du soleil, à l'horizon, avant de rentrer chez lui. La dernière chose qu'il souhaitait, c'était de se retrouver en présence de Karl ou de Gerlinde, de sa mère ou de son père, et qu'ils essaient de lui soutirer des révélations à propos de cette fille.

Le dernier caveau surgit à un détour du sentier, coupé des autres. Michel regarda par la grille. Ce caveau était réservé à des religieuses. À l'intérieur, il n'y avait que de modestes cercueils en bois sombre, reposant tranquillement les uns sur les autres. Rien de spectaculaire.

Il avait pris tout son temps, afin de donner à Chloé toute la liberté dont elle avait besoin pour plonger dans l'environnement morbide auquel elle aspirait. Il marcha encore un peu, jusqu'à ce qu'il aperçût la sortie, mais elle n'avait pas encore émergé de l'édifice. Au-dessus de sa tête, le ciel commençait à perdre un peu de sa noirceur. Sa montre indiquait que le soleil se lèverait dans une heure. Ils n'étaient pas très loin de la maison. Ils auraient tout leur temps pour rentrer.

Il alla vers la porte et attendit dehors. Même jeter un simple coup d'œil à l'intérieur le troublait. C'était comme si quelque présence malveillante régnait dans ce tunnel moderne et aseptisé. Comment pouvait-il regarder à l'intérieur des caveaux sans ressentir de répulsion, jusqu'à même s'attarder aux ossements que laissaient dépasser les cercueils éventrés, et tout à la fois demeurer pétrifié à l'idée de traverser ces corridors?

Il grimpa en haut de la butte. Dans la pénombre, la faible lumière qui émanait des lucarnes l'attira. Il se pencha vers celle qui était située le plus près de la sortie. Rien à voir. Il alla vers la seconde lucarne et en fit le tour, jetant un coup d'œil à l'intérieur. Il parvenait à voir les deux niveaux à la fois, la rampe qui courait le long des deux passerelles et la hideuse sculpture métallique qui partait du niveau inférieur et s'arrêtait à deux doigts de la lucarne. Il aperçut également un oiseau qui voletait tout près, pratiquement contre la paroi de verre, à la recherche d'une sortie qu'il ne trouverait pas. En l'observant plus attentivement, il constata qu'il ne s'agissait pas d'un oiseau mais d'une petite chauve-souris. Instinctivement, il eut envie de se porter à sa rescousse, mais pour ce faire, il devrait entrer dans le Columbarium, et cela, il s'y refusait.

Enfin, il retourna vers la sortie et attendit. Chloé lui avait appris que cet endroit ne s'appelait pas par hasard le Columbarium et que ce mot désignait l'endroit où s'abritent les pigeons voyageurs. À l'intérieur, on trouvait de petites boîtes contenant les cendres des défunts, mais la majeure partie de l'édifice, un mausolée, était destinée à accueillir les cadavres. Officiellement, l'endroit était donc à la fois un mausolée et un columbarium, mais, pour une raison qui lui restait obscure, tout le monde se contentait d'appeler ce lieu le Columbarium. Chloé, qui portait sur toute chose un regard empreint d'une spiritualité particulière, affirmait que les âmes étaient en quelque sorte conservées dans cet endroit jusqu'à la résurrection, et qu'elles rentraient ensuite chez elles comme des oiseaux regagnant le nid. Là était l'essence de toutes les croyances chrétiennes.

Il examina les arbres les plus jeunes plantés dans cette partie du cimetière, afin de vérifier comment ils avaient survécu aux tempêtes de verglas de l'hiver précédent. Il traça des images dans la terre, feignant de graver des hiéroglyphes, s'imaginant que quelqu'un les remarquerait le lendemain et s'interrogerait sur leur provenance et leur signification. Mais finalement, lorsqu'il regarda sa montre de nouveau, il se rendit compte qu'une autre demi-heure avait passé – Chloé était à l'intérieur depuis quatre-vingt-dix minutes. Elle avait probablement perdu la notion du temps. Elle pouvait supporter de se retrouver dehors juste avant l'aurore, mais cela la laisserait tout de même épuisée pendant plusieurs jours. Estimant que ce n'était pas là son souhait, il eut le sentiment qu'il devait aller la chercher. Malheureusement, cela signifiait qu'il devait pénétrer dans le Columbarium.

Non sans pousser un soupir agacé, il ouvrit la porte, celle de la sortie, en se servant d'un des passe-partout accroché à l'anneau que chacun d'entre eux portait en permanence. Aussitôt qu'il tira sur la poignée, il sentit que quelque chose n'allait pas. Cependant, il n'arrivait pas à mettre le doigt dessus. Toutes ses facultés étaient concentrées sur l'intense odeur de liquide d'embaumement qui régnait dans l'édifice et qui, à tout coup, avait raison de lui. Cette fois, c'était pire que jamais.

«Chloé?» Sa voix, résonnant à ses propres oreilles, lui parut hésitante. Il répéta son nom à quelques reprises, mais il n'obtint aucune réponse. Il n'y échapperait pas. À contrecœur, il pénétra dans cette maison souterraine où la mort immaculée trouvait son foyer.

# CHAPITRE 2

Aussitôt que les portes intérieures se furent refermées derrière Michel, l'air se resserra autour de lui. C'était comme se retrouver dans un sac en plastique géant à l'intérieur d'un réfrigérateur. Chaque molécule se figeait, passant de l'état gazeux ou liquide à l'état solide. Du moins, c'était ce qu'il ressentait. Il n'arrivait pas à respirer. Pourtant il y parvint. Et ce qu'il inhala lui donna un haut-le-cœur : une écrasante odeur de liquide d'embaumement dominant celle de la chair en putréfaction.

« Chloé ? » appela-t-il. Silence. Son esprit, en proie à la panique, se mit en veilleuse afin de laisser ses automatismes prendre la relève. Ton corps agit comme il l'entend de toute façon, songea-t-il, ne lui rend pas les choses plus difficiles. Mais il tenta aussitôt de se ressaisir. C'est ridicule ! Cet endroit n'est rien d'autre qu'un entrepôt pour de la matière inerte !

Comptant sur sa seule volonté, et même si les éléments semblaient se liguer contre lui pour le retenir, il avança d'une dizaine de pas.

Il jeta alors un regard vers la gauche et constata qu'une douzaine de mètres le séparaient de l'extrémité circulaire. À sa droite, le corridor s'étendait sur toute sa longueur, flanqué de six passages, ou six branches, de chaque côté.

Il était déjà venu ici – trop souvent, lui semblait-il maintenant – et il savait que ce corridor possédait deux niveaux. Il pivota vers la droite et se contraignit à parcourir le niveau inférieur, en ayant toutefois l'impression de marcher au ralenti ou d'avancer dans une substance épaisse qui gênait le mouvement de ses membres.

De chaque côté de lui s'élevaient de hauts murs entièrement constitués de carrés en marbre pareils à des tiroirs et assez grands pour accueillir un cercueil – telle était d'ailleurs leur fonction. Un horrible cône en marbre vert renfermant une ampoule à faible rayonnement « décorait » chaque dalle. La plupart des veilleuses étaient allumées. Il y a de la lumière, songea-t-il, il doit y avoir quelqu'un. Et cela lui donna la chair de poule.

Les « tiroirs », comme il les appelait malgré l'absence de poignées, portaient des noms et des dates. S'ajoutaient parfois des photographies – autant d'yeux vitreux, en deux dimensions, qui le fixaient tandis qu'il marchait. Les photos qui le troublaient le plus étaient ces portraits en noir et blanc, à gros grain et à l'image un peu diffuse : la personne qui posait avait l'air d'un fantôme.

L'éclairage était tamisé à l'extrême. Il n'avait jamais mis les pieds dans un salon funéraire, mais il présuma que cela visait à créer une meilleure ambiance de recueillement. Dans son cas, cela nourrissait surtout sa terreur. Il ne comprenait absolument pas pourquoi il avait peur du Columbarium : il était effrayé, et ce constat lui suffisait plus qu'amplement.

Chaque fois qu'il atteignait un embranchement, Michel regardait à gauche, puis à droite. Ces plus petits couloirs faisaient environ trois mètres de long. Ceux qui menaient à une fenêtre ouverte vers l'extérieur offraient des murs lisses. Mais ceux qui s'enfonçaient

vers l'intérieur de la colline présentaient des indentations des deux côtés à l'endroit où le couloir rencontrait
le mur du fond. Quelqu'un pourrait très bien se cacher
là, spécula-t-il, en se demandant l'instant d'après ce
qui ne tournait pas rond chez lui. C'était *lui* la créature
surnaturelle. Celui qui possédait une force hors du
commun. Celui que les mortels craignaient. Il avait
l'avantage, alors pourquoi frissonnait-il de la sorte ?

Comme pour se calmer les esprits, il pressa un peu
le pas et parvint bientôt à la section circulaire qui servait de jonction. L'escalier menant au niveau supérieur se trouvait à sa droite, près de l'angle formé par
les deux couloirs. Il avait encore tout cet autre niveau
à explorer, alors il devait monter à présent. Juste avant
de pénétrer dans la cage d'escalier, il alla jusqu'au
milieu du cercle et leva les yeux vers la lucarne. La
chauve-souris était toujours là, captive. Dieu merci,
elle a un sonar, pensa-t-il. La pauvre créature voletait
dans tous les sens de manière hystérique. Chaque fois
qu'elle se heurtait à un des côtés de la lucarne octo-
gonale, elle repartait dans une autre direction, inlassa-
blement, cherchant désespérément à s'échapper. Michel
savait comment elle se sentait. Il se dit qu'une fois
arrivé au niveau supérieur il pourrait essayer de la
libérer, même si la lucarne semblait pratiquement
hors d'atteinte.

Soudain, comme si un éclair lui avait traversé le
cerveau, il songea que Chloé se trouvait sans doute
dehors. Il n'arrivait pas à sentir sa présence dans l'édifice et elle n'avait pas répondu à ses appels. Donc,
elle avait dû utiliser l'entrée au moment où lui-même
pénétrait dans l'édifice par la sortie. C'était l'explication
la plus vraisemblable et il se jugea idiot de ne pas y
avoir pensé plus tôt.

Il rebroussa chemin vers la sortie et émergea à l'air
libre. La nuit fraîche et tonifiante jaillit à sa rencontre

comme une douche de lucidité et il constata à quel
point il avait été affolé. Et oppressé. L'odeur du liquide
ayant servi à embaumer les corps persistait dans ses
narines. Il le sentait même une fois dehors – c'était
dégoûtant ! Il savoura durant un instant la liberté du
cimetière et en profita pour se dégager le nez. Il se
rendit compte alors qu'il ne percevait pas, là non plus,
la présence de Chloé. « Chloé ? » appela-t-il. Il pouvait
presque palper le son de sa voix dans l'air.

Pendant une fraction de seconde, il eut le sentiment
qu'il y avait quelqu'un, quelque part… Mais non, à
présent qu'il se concentrait, il ne sentait rien, juste un
relent de liquide d'embaumement. Compte tenu de
l'état d'agitation dans lequel il se trouvait, il ne fallait
pas s'en étonner. Pourquoi donc était-il si nerveux ? Il
ne pouvait que s'interroger sur sa réaction excessive
à cette tombe collective, car c'était bien de cela qu'il
s'agissait. Des canaux de marbre, cette horrible odeur
et, juste en dessous de celle-ci, essayant de se frayer
un chemin, la puanteur de la chair en décomposition.
À cela, il fallait ajouter tout ce que Chloé avait raconté,
sa façon macabre de considérer le Columbarium. Cette
vision avait sans aucun doute nourri les peurs qu'il
éprouvait déjà.

Une lueur pointait à l'est dans le ciel. Michel supportait assez bien la lumière du jour. Au moins, il
pourrait bientôt rentrer à la maison et oublier toute
cette histoire. Il n'aurait pas à rester étendu sur son lit
à se demander si sa tante n'était pas prise au piège
quelque part. Chloé ne pouvait pas survivre à l'extérieur pendant le jour. Tout au plus parvenait-elle à
rester éveillée si elle était complètement à l'abri de la
lumière naturelle. Elle devait donc être partie. Et
pourtant, cela ne lui ressemblait pas. Comment expliquer sa disparition, alors ? Il ne sentait pas sa présence.
Il perdait son temps. Il la retrouverait à la maison.

Endormie. Peut-être s'était-elle rappelé une chose urgente qu'elle devait faire et n'avait pas eu le temps de le retrouver. Ce devait être ça.

Cependant, peu importe la façon dont il rationalisait la situation, il se savait d'une nature trop opiniâtre pour abandonner ses recherches avant d'avoir fouillé tous les recoins de cet édifice hideux. En outre, il se faisait maintenant un point d'honneur d'arriver à traverser le foutu Columbarium et de se prouver qu'il en était capable. Il était trop facile de se chercher des excuses qui l'empêcheraient d'aller jusqu'au bout.

Il rouvrit la porte de sortie et y passa la tête. Non, elle n'était pas là non plus. Il cria malgré tout son nom, juste au cas.

À contrecœur, il franchit le seuil et les portes se refermèrent sur lui. Il s'immobilisa. Rien non plus dans l'édifice, seulement ce pauvre volatile, sans doute une chauve-souris frugivore. Et pourtant, ce sentiment de… comment dire ?… D'intangibilité éthérée ?… Ouais, ça résume bien les choses, considéra-t-il – le genre d'explication qui convient parfaitement à un malade mental, oui !

D'accord, enterrons cette histoire, se dit-il. Et un rire nerveux sortit en saccade de sa gorge. Enterrer cette histoire ! Quel humour noir !

Chloé était *peut-être* rentrée. Mais cela ne lui ressemblait guère. Elle ne serait pas partie sans le prévenir. Elle avait bien dit qu'ils se verraient à la sortie, et ce n'était pas son genre de ne pas être au rendez-vous lorsqu'elle avait dit qu'elle y serait. Même avec le soleil qui menaçait à l'horizon. Tout au moins, elle lui aurait laissé un mot. Enfin, pas vraiment un mot, mais une trace quelconque qu'il aurait repérée et comprise. D'ailleurs, il n'avait pas flâné si longtemps du côté des caveaux. Et il aurait senti sa présence si elle était sortie. Et elle, percevant la sienne, l'aurait rejoint. Il ne se trouvait pas si loin de la sortie, après tout.

Cependant, au-delà de toutes ses pensées tourmentées, il savait que quelque chose n'allait pas. Son intuition le lui disait, et ses deux parents avaient bien veillé à lui enseigner que suivre son intuition lui sauverait peut-être la vie un jour.

D'accord, songea-t-il, elle n'est pas dehors, elle n'est pas dedans. Mais il ne pouvait regagner la maison avant d'avoir fouillé l'édifice en entier, d'abord sous la terre, puis tout autour de la structure, à l'extérieur. Si ces recherches se révélaient infructueuses, il y aurait ensuite l'autre mausolée, qui se dressait de l'autre côté du chemin. Plus vieux et plus petit que le Columbarium, il lui ressemblait néanmoins. Michel voulait éviter d'y songer. Il détestait sa tendance naturellement compulsive à aller au fond des choses, mais il était ainsi fait. Et il voulait seulement en avoir le cœur net.

Une fois encore, l'odeur du liquide d'embaumement le prit à la gorge. Peut-être un des corps s'était-il ouvert et y avait-il une fuite. Ou de nouvelles recrues empuantissaient l'air. Cependant, tout comme son père, Michel était particulièrement sensible aux odeurs. Ceux de son espèce pouvaient déceler l'odeur d'une rose à trois pâtés de maison. Mais un relent aussi intense, alors qu'il se trouvait captif dans cet espace confiné et stagnant... c'était intolérable.

Intolérable ou non, il gravit les marches situées immédiatement sur sa gauche, tout près de l'extrémité circulaire. La cage d'escalier en béton était étroite, froide, étouffante. Si quelqu'un ou quelque chose se terrait là... Et si on revenait à la réalité, s'admonesta-t-il.

Il aboutit au niveau supérieur, presque soulagé. Au moins, ici, les deux corridors communiquaient entre eux, alors il n'aurait qu'à les traverser d'une traite, jusqu'à la porte d'entrée. Malheureusement, il lui faudrait inspecter au passage ces foutus couloirs secondaires !

Il appela son nom tout en avançant, cherchant désespérément à rompre l'effet inquiétant que le Columbarium avait sur lui, guettant une réponse qui ne vint pas. À intervalles réguliers, lorsqu'il croisait les couloirs secondaires aboutissant à une fenêtre, il y jetait un coup d'œil expectatif, attentif au moindre signe de sa présence. Mais à l'extérieur le cimetière demeurait immobile, éclairé seulement par une lune à moitié cachée derrière les nuages. Un silence de mort, se disait-il. Puis, il se contraignait à regagner le grand corridor et à continuer de progresser dans ce décor angoissant. En ces lieux où le liquide d'embaumement imprégnait chaque parcelle d'air, où la froide humidité plaquait Michel au sol, où l'étrange éclairage rendait toute chose artificielle et créait des ombres fantasques, on aurait dit que les morts s'apprêtaient à renaître à la vie. Il avait vu cela dans tant de films d'horreur. On se retournait et il y en avait un, l'esprit vidé, en deçà d'un humain, assis dans son tiroir ouvert, et il vous regardait avec une seule pensée en tête, une seule passion consumante. Et derrière ce cadavre, il y en aurait un autre, et un autre encore.

Wow ! s'exclama-t-il intérieurement. C'est ainsi que nous perçoivent les mortels. Peut-être était-ce justement son côté mortel qui suscitait en lui d'aussi étranges pensées. Ce serait l'endroit rêvé pour une fête d'Halloween, songea-t-il soudain, et cette pensée légère lui remonta le moral.

Mais presque aussitôt il fut baigné d'une sueur froide qui lui coula dans le dos et derrière les genoux, plaquant son T-shirt et son pantalon sur son corps. « Bon, voilà que tu te fais peur toi-même ! » murmurat-il en feignant une assurance qu'il ne possédait pas, comme si un autre s'adressait à lui. Comme s'il pouvait tromper sa conscience et se convaincre qu'il n'était pas vraiment seul. Ni vraiment effrayé.

Il avait beau faire un pas, puis un autre, le corridor s'étirait sans fin. Et sans surprise. Il savait que sa tante n'était pas là, mais il devait d'une façon ou d'une autre traverser cet espace générateur de claustrophobie jusqu'à la jonction circulaire. Longer donc les dizaines de tiroirs alignés dans les murs et qui contenaient les corps pourrissants. Inhaler cette odeur atroce. Il jeta un regard par-dessus son épaule tout en se trouvant complètement ridicule.

Et les embranchements ! Chaque fois il s'attendait presque à se retrouver face à face avec un zombie sorti tout droit d'un film de Romero, le regard vide, la chair putride, en lambeaux. Et chaque fois il s'armait à nouveau de courage et se redressait, blindé. Il devait aller au bout de chacun des couloirs secondaires parce que, tout au fond, près du mur, il y avait ces stupides indentations de la taille d'un corps humain et où n'importe qui pouvait se tapir…

Il retourna au centre du corridor principal et continua de le suivre, s'efforçant de ne pas se laisser intimider par les tiroirs remplis de cadavres, qui s'empilaient jusqu'au plafond. Mais la hauteur des murs lui donnait le vertige et, il en avait conscience, rendait le passage plus étroit qu'il ne l'était en réalité. Qui donc, se demanda-t-il, a eu cette idée bizarre d'entasser les morts dans des tiroirs pour leur dernier repos ? Un peu comme les tiroirs qu'il avait remarqués dans les scènes d'autopsie, au cinéma ou à la télévision. Sauf que, ici, les tiroirs n'étaient pas en acier mais en marbre, ce qui les rendait moins aseptisés et plus dérangeants.

La moquette assourdissait le bruit de ses bottes, alors il avançait en silence. Ce corridor s'étirait sans fin devant lui. Il savait qu'il n'y avait rien dans l'autre corridor, celui qui menait à l'entrée, à part un banc minuscule et étrange, recouvert d'un tissu à motifs d'anges et de chérubins. Tout cela le faisait suffoquer. C'est tellement idiot ! soupira-t-il. Chloé n'est pas ici. Tu ne peux pas sentir sa présence. Ce qui signifie qu'elle est déjà partie et t'attend probablement à l'extérieur. Il savait que c'était la part humaine en lui qui le poussait à répéter son nom sans arrêt. Et presque en criant. Ses capacités sensorielles auraient suffi. S'il y a effectivement quelque chose à détecter, précisa-t-il pour lui-même. Tout ce qu'il arrivait à sentir en ces lieux, c'étaient les murs en train de se refermer sur lui et l'odeur du liquide d'embaumement qui lui faisait presque tourner la tête. Mais il avait besoin de se rassurer, même s'il lui répugnait d'en être là. Les sonorités de son nom l'aidaient à continuer.

Le Columbarium n'était pas si grand, et il mettait longtemps à en faire le tour. Tout lui paraissait si irréel dans ce caveau qui réunissait, inhumés en un même lieu suffocant, des centaines de morts.

Enfin, il parvint à l'intersection circulaire qui menait au second corridor. Il s'arrêta pour regarder par les petites portes vitrées derrière lesquelles étaient posées des urnes et des boîtes contenant des cendres. Encore des photos, les noms des défunts. Il se rappela un film qu'il avait vu. L'histoire se déroulait dans les années trente, une cafétéria automatique tenait lieu de restaurant. Vous insériez des pièces dans la fente, vous ouvriez les portes vitrées et vous preniez votre nourriture. Quelle façon hideuse de quitter ce monde, songea-t-il. Incinéré, puis entreposé dans un *automat* durant quatre-vingt-dix-neuf ans ou à perpétuité, selon la somme que vos proches acceptent de payer.

Un son le fit tressaillir. Il eut le souffle coupé. Au-dessus de sa tête, la chauve-souris, affolée, poussait de petits cris. Elle voletait vers la lucarne, puis redescendait,

remontait de nouveau, puis piquait encore du nez…
Michel évalua que, même s'il parvenait à trouver son
équilibre sur la rampe circulaire, il n'arriverait probablement pas à atteindre la pauvre bête. Toutefois, sa
lutte désespérée l'attendrit et il se dit qu'il devait
essayer.

Il ne lui fut pas difficile de grimper sur la rampe.
D'ailleurs, même s'il tombait, ce ne serait que d'un
étage, et sur une moquette. Bien sûr, il y avait aussi,
érigée au niveau inférieur mais touchant presque la
lucarne, l'affreuse structure métallique représentant
des gens qui flottaient dans les airs – des âmes montant
vers le ciel, tenta-t-il d'interpréter. S'il s'en tirait avec
quelques coupures et quelque bleus, il guérirait aisément.

Une fois hissé sur la lisse rampe métallique, il retrouva sans peine son équilibre. Du moment qu'il ne
bougeait pas. La chauve-souris, bien sûr, voletait dans
tous les sens, à proximité de la lucarne, là où il ne
pouvait l'atteindre. Parfois, elle redescendait, presque
à portée de main. Il savait que, s'il était suffisamment
patient et demeurait immobile, elle s'aventurerait
plus près de lui. Il pourrait alors l'attraper. La bête
semblait voler d'est en ouest, et il se demanda si elle
ne suivait pas quelque champ magnétique ou encore
une ligne géobiologique. Il faudrait qu'il demande à
Chloé. Elle s'y connaissait.

S'il se déplaçait un peu sur la rampe et retirait son
T-Shirt, il serait dans la position idéale pour attraper
la chauve-souris. Probablement pourrait-il même
utiliser le vêtement pour d'abord l'étourdir un peu, la
retenir ensuite captive dans le tissu et la transporter
enfin hors de ce lieu. Du coup, il sortirait lui aussi.
Le Columbarium arrivait en tête de liste de tous les
endroits sur Terre où il préférait *ne pas* être. Mais il
ne pouvait y abandonner cette pauvre créature, pas

plus qu'il ne pouvait s'attarder dans une atmosphère aussi horrible. David aurait dit que c'était symbolique. Pourquoi pas.

Il passa son T-shirt par-dessus sa tête, puis entreprit d'avancer pas à pas le long de la rampe. La chauve-souris poussait des cris stridents. Énervée par sa présence, elle devint encore plus frénétique. « *Calme-toi, mon petit oiseau de nuit*[3] », dit-il à l'animal nocturne. Il attendit, la regardant voleter. Une fois ou deux, il essaya de balancer sur elle son T-shirt, mais la chauve-souris se trouvait plus loin sur la gauche. « D'accord, dit-il, je peux me déplacer. » Il glissa lentement ses pieds le long de la rampe, en essayant de s'imaginer comment il attraperait la bête, l'apporterait jusqu'à l'entrée, libérerait l'hôte de la nuit dans le ciel obscur, puis s'en irait chez lui. Quelque chose dans cet aboutissement lui paraissait de mauvais augure. Il ne retrouverait pas Chloé. Il partirait en se sentant tout sauf soulagé. Il chancela et peina pour retrouver son équilibre.

Lorsqu'il fut de nouveau stable, il leva les yeux et balança son T-shirt une fois de plus en direction de la chauve-souris. Celle-ci l'évita. Soudain, elle se percha sur la rampe juste en face de lui. La petite bête aux allures de rongeur était maintenant parfaitement immobile. Puis elle tourna la tête et le fixa de son œil globuleux.

Une appréhension saisit Michel. Une appréhension qu'il essaya d'arraisonner. Pourquoi avait-il le sentiment que le fait d'atteindre l'entrée serait non une conclusion, mais plutôt, d'une certaine manière, le début de quelque chose ? Il ne pouvait ignorer cette sensation tandis qu'il se glissait un peu plus vers la gauche, jusqu'à faire face au corridor menant à l'entrée.

---

[3]  NDT : En français dans le texte.

À cet instant, la chauve-souris s'envola de nouveau dans les airs, juste au-dessus de sa tête. Elle alla heurter la vitre de la lucarne et reprit ses figures désordonnées. Ses mouvements donnèrent le tournis à Michel. Il se dit qu'il n'avait qu'à projeter son T-shirt vers le haut et à étourdir la chauve-souris pour l'attraper. Comme il songeait à son plan d'attaque, quelque chose attira son regard.

Juste avant de tomber, Michel poussa un hurlement.

Puis, l'instinct l'emporta, et il s'agrippa à la sculpture sur laquelle il avait dégringolé. Sa réaction rapide ralentit sa chute, ce qui lui permet d'atterrir sur ses deux pieds. Il s'en tira avec seulement une déchirure à l'intérieur de l'avant-bras.

Mais il ne se préoccupait guère des blessures faites à son corps. Rapidement, il trouva l'escalier, qu'il grimpa au pas de course. Puis, il franchit la zone circulaire, traversa le corridor en courant et… s'arrêta net.

Il ne comprenait pas ce qu'il avait sous les yeux. Son esprit se ferma complètement. Son corps se verrouilla. Le temps se lyophilisa. Puis, en une fraction de seconde, la réalité le frappa de plein fouet comme une rafale de vent hivernal. Des sueurs glacées lui coulèrent sur tout le corps.

Pas très loin de l'entrée reposait… quoi donc ? Tout ce que son esprit enregistrait vraiment, c'était le sang. Beaucoup de sang. Maculant de cramoisi les murs et la moquette. L'odeur du liquide d'embaumement le submergea, lui soulevant le cœur et lui faisant presque perdre conscience. Il éprouvait une envie irrépressible de tourner les talons et de s'enfuir à toutes jambes, mais cela voulait dire repasser par les deux corridors où les morts faisaient le guet, n'attendant que le moment propice pour sortir de leurs tombes en béton et l'attaquer, lui, le vivant. C'est dément, se dit-il. C'est *moi*, le mort-vivant, celui dont tout le monde sur cette planète a peur… Ces pensées, il le savait, n'étaient cependant que des diversions destinées à obnubiler la nature exacte de l'horreur qui s'étalait devant lui.

Au milieu du magma de confusion et de terreur dans lequel il baignait, son esprit finit par enregistrer certains éléments – une amulette ; une mèche de cheveux blancs comme neige ; un œil, si bleu, si familier…

Finalement, son instinct prit le relais. Michel courut vers l'entrée, passa par-dessus… par-dessus… il ne voulait pas y penser, alors même qu'il hurlait « Non ! Non ! » en levant les mains pour conjurer tout le mal susceptible de l'atteindre. Ce qu'il voyait ne pouvait être vrai, et pourtant, il reconnaissait la main, les vêtements… tout.

Il ouvrit la porte d'entrée à toute volée en regardant derrière lui, autour de lui. Quelle créature démente pouvait avoir fait cela ? Est-ce que les morts étaient revenus à la vie ? Le même danger, sans aucun doute, le menaçait.

Il n'arrivait pas à penser rationnellement, il ne pouvait que ressentir les choses, et son instinct de survie gomma tout sauf sa terreur, avec laquelle il fit corps. À l'extérieur, tous les sens en éveil, prêt à capter la moindre manifestation d'un danger, il s'enfuit à toutes jambes.

L'aurore. Le soleil étincelait à l'horizon. Les oiseaux gazouillaient. De petits animaux fouillaient les arbustes, en quête de nourriture. Il ne sentait rien d'autre dans l'aube fraîche, rien d'humain ou de surhumain. Rien qui eût pu lui infliger cette terreur qu'il ressentait. Rien d'autre que ce qu'il avait vu là-bas, derrière, celle qu'il avait vue…

Il détala, aussi vite qu'il le put, volant presque, comme un pigeon voyageur rentrant au bercail, sûr de sa destination. Il coupa à travers le cimetière, sauta par-dessus la haute clôture comme s'il était rompu à ce sport, parcourut en courant les rues qui partaient de la montagne et menaient au plateau où se trouvait sa maison. Michel se sentait avancer de plus en plus rapidement, comme s'il était dans une course contre lui-même afin de semer les pensées et les images qui tentaient de.prendre forme dans sa tête. Le fait d'être en mouvement l'aidait à garder en respect ce qui demeurerait gravé à jamais dans son esprit : le corps de sa tante réduit en pièces, ses membres disséminés près de l'entrée, la scène baignée du sang qui avait giclé partout.

À la vitesse de l'éclair, il figura un scénario : elle avait déverrouillé la porte, n'avait pas eu le temps de la refermer, n'était pas allée plus loin que l'entrée… Qu'est-ce qui se trouvait là, à guetter son arrivée ? Il revoyait son œil, dur comme une bille de marbre… est-ce que c'était ça, la mort ? N'aurait-elle pas dû redevenir cendres comme le voulait la légende ?

Un frisson le traversa comme une bouffée de chaleur glaciale et il se mit à trembler de manière incontrôlable. Sa maison se dressait devant lui. Il gravit quatre à quatre les marches en pierre. Les mains tremblotantes, il eut peine à dénicher la bonne clé. Il ouvrit enfin la porte. Les autres, c'est-à-dire son père, sa mère, Gerlinde et Karl, dormaient sûrement. Que pouvait-il bien faire ? Il n'en avait pas la moindre idée. Il ne savait à qui s'adresser, ni où trouver du secours. Tout en sachant qu'ils ne lui seraient d'aucune aide pour le moment, il se précipita au sous-sol, vers la chambre de ses parents.

Ils étaient étendus enlacés dans le grand lit art déco. La familiarité rassurante de la scène, leur proximité, leurs corps qui ne faisaient pratiquement qu'un, les cheveux que son père avait aussi noirs que les siens, l'abondante chevelure châtain de sa mère, répandue sur l'oreiller en satin argent, tout cela lui paraissait si… normal. Son expédition au Columbarium n'était-elle qu'un rêve ? Ce qu'il avait vu là-bas ne pouvait être réel. Comme il espérait avoir tout imaginé !

Sa mère était née à cette nouvelle vie seulement quelques années auparavant, alors elle ne supportait pas l'éveil en plein jour. Son père y parviendrait peut-être. Il cria : « André ! Papa ! *Réveille-toi !*[4] J'ai besoin de toi ! » Il secoua la silhouette endormie. Son père bougea de manière imperceptible – sa tête se déplaça d'un ou deux centimètres, il remua légèrement un bras, mais n'ouvrit pas les yeux. Michel comprenait qu'il lui était impossible de reprendre pied dans la réalité. Chloé était la seule dans cette maisonnée à pouvoir demeurer éveillée après le lever du soleil, et elle ne bougerait jamais plus.

Même en sachant cela, Michel voulut en avoir le cœur net et se rendit dans la chambre de Karl et de Gerlinde. Karl dormait seul dans le grand lit métallique aux courbes contemporaines. Gerlinde devait être déjà partie pour l'Autriche, comme elle en avait parlé.

Michel tenta de réveiller Karl, mais avec des résultats encore plus décevants que pour son père.

Puis, par acquit de conscience, espérant contre toute attente avoir été victime de quelque hallucination, il jeta un coup d'œil dans la chambre de Chloé. Elle était vide.

Son cœur battait trop vite, trop fort. Il ne savait que faire, mais il devait agir. Il descendit à la cuisine et s'assit à la table. Il enfouit son visage au creux de ses mains tremblantes, en essayant de remettre ses idées en place, de donner un sens à cette affaire. Il n'était pas en mesure de recoller toutes les pièces du puzzle,

---

4   NDT : En français dans le texte.

mais d'une chose au moins il était sûr : quoi qu'il se fût produit au Columbarium, il ne pouvait pas laisser des mortels mettre la main sur la dépouille de Chloé. Et bien que cette perspective lui répugnât totalement, il savait qu'il devait retourner au cimetière pour récupérer son corps. Il devait faire vite, avant que le monde du jour ne prît la relève, avant l'arrivée matinale des employés du cimetière. Sinon, les gens venus pleurer leurs proches décédés récemment ou depuis longtemps feraient à sa place la macabre découverte et révéleraient à la face du monde l'existence secrète de Chloé, la sienne et celle de tous ceux à qui il tenait.

Il se leva, les jambes flageolantes. Le soleil du matin projetait ses éclats à travers la vitre. D'habitude, cette lumière lui paraissait joyeuse. Pas aujourd'hui. Il y avait encore suffisamment de fibre mortelle en lui pour qu'il se sentît épuisé, mais il n'éprouvait nulle fatigue – ce qui était très bien. Cependant, comme le stress occasionné par toute cette situation devait avoir affaibli ses résistances naturelles, les rayons solaires, qui lui causaient d'habitude un simple picotement cutané, risquaient cette fois de lui causer des lésions.

Dans le vestibule, il revêtit le long ciré australien de son père, un chapeau à larges bords et des lunettes fumées. Il observa dans le miroir le pâle jeune homme mince, affublé de vêtements deux fois trop grands pour lui et effroyablement noirs – noirs comme ceux d'un croque-mort, songea-t-il en jugeant que, en cette journée, tel était effectivement son rôle.

Michel retourna à la cuisine et fouilla dans l'armoire pour y prendre quelques sacs à ordures, mais il décida finalement d'apporter toute la boîte.

Il était ridicule d'utiliser la voiture. Le cimetière serait fermé à la circulation automobile pour encore une heure, mais on ouvrait la barrière aux piétons dès le lever du soleil. De plus, les rues formaient un tel dédale qu'il mettrait un temps fou à s'y retrouver. Il opta pour la bicyclette. C'était la façon la plus simple d'atteindre l'entrée du chemin de la Côte-des-Neiges. Il parcourrait les rues du voisinage plus rapidement qu'à pied et foncerait au besoin à travers les bois. Ce serait aussi plus commode qu'en voiture, car il pourrait emprunter des chemins de traverse. Sans compter qu'il ne possédait pas encore de permis. Il savait conduire, mais ce n'était pas le moment de risquer de se faire pincer.

Le vélo à dix vitesses fila le long des rues tranquilles de la ville encore largement endormie. Il décida de l'attacher à un support à bicyclettes, devant un café situé juste en face de l'entrée, de l'autre côté de la rue. C'était la meilleure solution – le Columbarium se trouvait tout près de l'entrée principale et il pourrait récupérer le vélo quand il le désirerait.

Lorsqu'il aperçut l'édifice, tous ses nerfs vibrèrent comme les cordes d'un instrument de musique. Il ne pouvait s'arrêter de trembler. Du coin de l'œil, il vit quelque chose bouger. Il constata finalement avec horreur qu'un des gardiens du cimetière se dirigeait vers le Columbarium. L'homme était vieux et il marchait lentement. Plutôt que de piquer directement à travers l'étendue d'herbe luxuriante, il suivait le sentier qui décrivait une grande courbe près du bâtiment. Peut-être n'aime-t-il pas cet endroit lui non plus, spécula Michel.

À une centaine de mètres de la porte d'entrée, derrière laquelle reposait le corps de Chloé, l'homme s'arrêta pour allumer une cigarette et observer les écureuils. Consterné, Michel le vit ensuite pivoter et traverser la pelouse en direction de la sortie. Lui aussi avait prévu s'introduire par ce côté, pour aussitôt monter à l'étage, suivre le corridor jusqu'à l'intersection circulaire, parcourir la deuxième section jusqu'à l'entrée et enfin déverrouiller la porte de l'intérieur.

Michel franchit en courant la distance qui le séparait de l'entrée, foulant l'herbe du cimetière, se déplaçant plus vite que jamais, comme un trait de lumière noire. Il voyageait d'une ombre à l'autre, se dissimulant derrière les arbres, se tapissant derrière les pierres tombales les plus hautes, évitant désespérément d'être repéré. Parvenu à l'entrée, il ouvrit la porte d'un coup sec et se glissa à l'intérieur. Une volée de douze marches. Et les restes de Chloé, là devant lui, pour l'accueillir.

Il n'avait pas le temps de céder à la terreur, cette fois. Pas de temps pour sentir l'air opaque et glacial. Pas de temps pour suffoquer sous l'odeur du liquide d'embaumement. Pas de temps pour songer aux cadavres alignés dans leurs tiroirs, avides de dévorer les vivants. Pas de temps pour se demander qui étaient les coupables et où ils se trouvaient à présent. Il n'eut même pas le temps de se sentir complètement révulsé à la vue de ce carnage. Il eut à peine le temps de ramasser les restes de sa tante et de les glisser dans les sacs. Il en remplit trois, puis jeta un coup d'œil anxieux autour de lui pour vérifier qu'il n'avait rien oublié, en se doutant que la porte déverrouillée éveillerait immédiatement les soupçons du gardien.

Michel sentait sa présence à l'intérieur de l'édifice. Il allait atteindre l'espace circulaire d'une minute à l'autre. Michel savait qu'il laissait tout ce sang derrière lui, mais il n'y avait pas d'autre solution. Le sang. D'immenses flaques qui avaient maculé les murs, couvert la moquette, éclaboussé les petits chérubins ornant le recouvrement de la causeuse, près de la porte, du sang qui souillait le marbre des tiroirs et constellait même le plafond…

Soudain, il perçut le gardien qui se pointait maintenant à l'intersection circulaire. D'une seconde à l'autre, il aurait vue sur le corridor. Puis, Michel entendit ses pas. Son souffle.

Michel leva la tête et se figea, comme un animal nocturne happé par les phares d'une voiture. Le gardien, encore à moitié endormi, parut ébahi, incertain de ce qu'il voyait. Sa réaction était semblable à celle que Michel avait eue lui-même. Et il n'a pas sous les yeux le corps démembré, songea Michel. Il souleva les sacs, se précipita vers la porte et sortit en trombe, tandis que résonnait la voix du vieil homme qui lui criait : « Hé ! Qu'est-ce que tu fais là, toi ? »

Suivant son pur instinct, Michel s'enfuit à travers le cimetière, sautant par-dessus les pierres tombales, aux aguets, jetant des regards furtifs derrière lui. Il vit en un éclair que le vieil homme se tenait là-bas, il entendait ses cris, et il continua à filer comme une ombre, une apparition. Avait-il bien tout ramassé ? Il le croyait. Mais peut-être quelque chose lui avait-il échappé ? Il dressa mentalement un inventaire et fit jaillir une image de la scène dans son esprit. Il distinguait clairement l'amulette de Chloé gisant dans une encoignure. L'avait-il ramassée ?

Il atteignit bientôt les grilles de l'entrée, hors de portée de voix du vieil homme. Il lutta pour jeter les trois lourds sacs par-dessus la clôture – il n'avait pas encore la force surhumaine des autres –, empêtré surtout à cause de leur volume. Ensuite, il franchit la clôture avec l'agilité d'un athlète.

Il galopa à vitesse effrénée dans les rues de Westmount, des rues qui montraient maintenant des signes de vie humaine.

Il attirait les regards : un jeune homme portant un chapeau, des lunettes fumées et un manteau noir trop grand pour lui et trimbalant trois sacs à ordures. Si un seul de ces mortels s'était suffisamment approché de lui – chose que Michel ne laissa pas se produire – il aurait vu les sacs maculés de sang, tout comme ses mains et les manches du manteau de son père.

Il lui fallut une éternité, lui sembla-t-il, pour atteindre sa maison. Une fois à l'intérieur et en sécurité, il arma de nouveau le système d'alarme et déposa les sacs dans la cuisine – comme il ne pouvait supporter de les mettre sur la table ni de les jeter à même le sol, ils aboutirent sur le comptoir, près de l'évier. Michel retira ensuite tous ses vêtements et se glissa sous la douche. Tout d'un coup, son esprit s'était vidé. Il ne pensait à rien, il ne ressentait rien.

Finalement, il retourna dans la cuisine, s'assit à la table et se prit la tête entre les mains. À travers ses doigts, il contempla les sacs qui renfermaient les restes de sa tante. Il sentit alors poindre une émotion, une émotion entièrement nouvelle pour lui et qui lui parut de plus en plus déplaisante à mesure qu'elle grandissait. Il sut toutefois la reconnaître pour en avoir vu la manifestation chez des humains, au grand écran, à la télé, dans la vraie vie. C'était sans doute ce qu'ils nommaient « chagrin ». À présent, il comprenait ce que signifiait réellement pleurer la perte d'un être cher.

# CHAPITRE 3

Pour une fois, Karl s'étira avec délectation. D'habitude, il obéissait à ce que Gerlinde appelait sa «nature minimaliste teutonne» et, dès le réveil, il bondissait hors du lit, se préparait rapidement et, sans perdre une minute, partait accomplir le programme qu'il s'était fixé pour la nuit. D'ordinaire, il était le premier levé dans la maison. Aujourd'hui, cependant, pour quelque raison obscure, il prenait son temps. Il se sentait vaguement désorienté, ce n'était rien de très précis ni de très sérieux, mais pas tout à fait confortable tout de même. Peut-être était-ce à cause de l'absence de Gerlinde, parce qu'il avait tout le lit pour lui seul, même s'il ne l'avait pas nécessairement souhaité.

Il se demanda si elle s'était arrêtée pour dormir une journée à Manchester, comme elle en avait évoqué la possibilité. David y possédait une demeure ancestrale, où il séjournait en ce moment, et pour quelques semaines encore, en compagnie de Kathleen. Il était pratiquement impossible d'obtenir un vol direct entre Montréal et Vienne qui permît d'éviter la lumière du jour. Si elle n'appelait pas ce soir, il présumerait qu'elle avait soit fait escale à Manchester, soit déniché une correspondance. Devant attraper ce vol juste après la tombée de la nuit, elle n'avait pas été en mesure de téléphoner. Il pensa à appeler chez Julien. Compte tenu du décalage de six heures entre Montréal et Vienne, il devrait toutefois se décider au plus tard à minuit s'il voulait les joindre avant le lever du soleil. Présentement, il n'était que vingt heures. Gerlinde l'appellerait peut-être dans l'intervalle. Peut-être avait-elle déjà laissé un message sur le répondeur.

Il s'étira de nouveau, bâilla et appuya sur la télécommande des stores verticaux. Il n'avait pas besoin de voir de ses yeux que la nuit était tombée pour le sentir pertinemment dans chacune des cellules qui composaient son corps modifié. Si le soleil n'avait pas été couché, Karl aurait encore été endormi.

Il s'interrogeait souvent sur les étranges effets du soleil sur leur corps. L'attraction était aussi intense que celle qu'exerce la Lune sur les marées. Selon Gerlinde, il s'agissait simplement d'un aspect de leur condition physique qu'il leur fallait accepter, au même titre que toutes leurs autres forces et limites. La plupart des autres membres de son espèce – ceux qu'il connaissait – adoptaient la même attitude. Mais Karl avait tendance à tout mettre en question. Il voyait bien comment ses pensées fonctionnaient. Elles ne partaient pas, comme les inquiétudes de David, de racines affectives. David était un poète et tendait à tout concevoir en images chargées d'émotions. Quant à André, il posait rarement des questions. Toutes ses actions étaient intimement liées à son corps, et tous ses gestes constituaient des réactions instantanées à son environnement – il agissait d'abord, pensait ensuite, en quelque sorte. Karl enviait parfois la façon de fonctionner de ses amis. Son esprit à lui procédait de manière logique et systématique; sur le plan neurologique, les recherches avaient montré que cette activité de l'intellect mobilisait la partie gauche du cerveau. Il aimait l'ordre, les règles et la cohérence parce que tout cela lui assurait un cadre à l'aide duquel il pouvait analyser les événements et essayer de trouver un sens aux différents aspects du monde. Parfois, il le savait, il n'y avait pas de réponses. Il n'était pas dans sa nature d'accepter d'emblée cet état de fait et il avait tendance à aller au fond des choses, à « vider le sujet », comme disait Gerlinde. Il avait du mal à lâcher prise. Toutefois, lorsque les réponses étaient là qui attendaient d'être dévoilées, son esprit scientifique lui permettait de les découvrir. Il n'y pouvait rien d'ailleurs, car telle était la fibre dont il était tissé.

Il appuya sur une autre télécommande et la télévision s'alluma. Un des aspects les plus étranges de l'humanité, à ses yeux, était qu'elle s'ancrait fermement dans l'évolution, et non dans les révolutions. Il avait souvent eu l'occasion de le constater au cours de son existence plus que centenaire. La télévision en était une bonne illustration. Il avait regardé la télé pour la première fois alors qu'elle venait tout juste de naître en Allemagne, au cours des derniers mois des années trente, soit au début de la guerre. Les années trente, quarante et cinquante avaient donné le ton à la programmation des années ultérieures. Tout au moins, à l'époque, lorsque la télévision était encore à l'état embryonnaire, les émissions, diffusées en direct, avaient un caractère spontané – peu raffiné, même, au regard des critères contemporains. Et bien que celle-ci ne fût pas sa grande force, Karl accordait une grande valeur à la spontanéité. À présent, bien sûr, la diffusion en direct n'était plus la norme. À la maison, une antenne parabolique leur permettait de capter plus de cent cinquante canaux de partout dans le monde. Il constatait cependant que les émissions de tous les pays reposaient, peu importe le diffuseur ou le créneau horaire, sur des modèles platement uniformes, voire outrageusement prévisibles : comédies de situation, jeux télévisés, documentaires sur la faune, nouvelles et affaires publiques. Et des films, bien sûr.

Il zappa sur une cinquantaine de canaux successifs avant d'appuyer sur la commande *éteindre*. Il goûtait l'ordre, mais cela ne voulait pas nécessairement dire qu'il cultivait l'ennui.

Il sauta en bas du lit, retira le pyjama en soie que Gerlinde lui avait offert « pour ton âme sensuelle », le plia proprement et le glissa dans le tiroir de la table de chevet. Il avait mis plus d'une décennie à se débarrasser de l'habitude de le ranger dans le tiroir de la commode. « Tu vas l'enfiler de nouveau dans quelques heures », opinait-elle. Ils avaient fait un compromis et il avait accepté de le placer dans la table de chevet. Les vieilles habitudes avaient la vie dure.

Ce sens pathologique du rangement lui venait de sa mère. « Tout au moins, tu sauras toujours où les choses se trouvent, *Liebkin* », avait-elle coutume de dire. Il sourit en se rappelant celle qui l'avait bercé. Son image apparut clairement dans son esprit, comme s'il l'avait vue la veille et non plus d'un siècle et demi auparavant. Il se la représentait telle qu'il l'avait préservée dans ses souvenirs d'enfance, et non sous les traits de la femme d'âge mûr dépressive, morte peu après sa transformation. Karl avait été transformé à l'âge de vingt-cinq ans. Sa mère était morte le cœur brisé, convaincue d'avoir perdu son fils préféré.

Durant ses belles années, c'était une femme de forte constitution et à la mine volontaire, au regard perçant et à la peau ferme ; une femme à l'esprit résolument pratique, tout comme Karl. Radicalement différente de son mari, un idéaliste doublé d'un philosophe et d'un humaniste. Karl serait toujours reconnaissant à son père. Il lui avait légué une largeur d'esprit qui lui permettait de s'extirper des trivialités de l'existence pour embrasser les problèmes dans leur ensemble. Son père était ce que, des décennies plus tard, on appellerait un *existentialiste*. Alors que sa mère lui avait transmis une inclination pour l'ordre, son père lui avait en quelque sorte permis de déployer son imagination dans un tel cadre. C'étaient là deux qualités favorables à la formulation d'hypothèses, et Karl savait que là résidait sa force.

Après une douche rapide, il enfila une tenue décontractée : pantalon en coton et chemise à longues manches. Été comme hiver, il préférait les manches longues aux manches courtes. Il portait aujourd'hui une chemise vert lime en coton très léger, assortie au beige de son pantalon. Ce n'était pas une tenue très sophistiquée, mais, contrairement à André, il ne s'était jamais soucié des canons contemporains de la mode, non plus qu'il ne privilégiait, à l'instar de David, les costumes d'époque au mépris des styles actuels. Il reconnaissait simplement qu'il lui fallait se vêtir, que des couleurs coordonnées convenaient à sa nature et que des vêtements classiques ainsi que les fibres naturelles lui donnaient tout le loisir de s'habiller, puis d'oublier ce qu'il portait. Ainsi, il se fondait dans la masse des gens normaux.

En boutonnant sa chemise du bas vers le haut, il contempla son image. Il ne faisait pas plus de vingt-cinq ans, et pourtant il foulait la *terra firma* depuis plus de six fois cette apparente durée de vie. Les cheveux blond roux, les yeux pâles, les pommettes saillantes et la mâchoire carrée, les lèvres ni minces ni charnues. Il demeurait fasciné par la façon dont son visage s'adaptait au goût du jour. Ses cheveux pouvaient être longs ou courts, il avait tout le loisir de porter ou non la moustache, la barbe, les favoris, ou même des lunettes. L'*Homo sapiens* était un caméléon qui s'ignorait. À présent, au tournant du millénaire, il adoptait une tenue décontractée de la tête aux pieds. Il enfila une paire de sandales Birkenstock brun foncé – il en portait depuis les années cinquante, bien avant la mode, tout au long des années quatre-vingt et quatre-vingt-dix, alors qu'on les voyait en vitrine, et il n'en démordait pas maintenant qu'elles étaient jugées démodées. Il se disait qu'elles finiraient bien par redevenir en vogue un de ces jours. Non pas que cela comptât à ses yeux. L'important pour lui était que ses pieds s'y sentaient bien.

Karl sortit de sa chambre, referma la porte et descendit au rez-de-chaussée. Il percevait dans l'air quelque chose qui s'ajouta à son sentiment de désorientation et le rendit circonspect. Ce n'était pas un mortel – il aurait été capable de sentir une créature mortelle à sang chaud. Ce n'était pas non plus un membre inconnu de son espèce – cette odeur aussi aurait piqué ses sens. Ce n'était pas précisément quelque chose de dangereux, mais qu'importe de quoi il s'agissait, cela le déroutait de manière inexplicable. Il pressa le pas, déterminé à découvrir la source de cette énergie étrange. Cela, espérait-il, atténuerait son malaise.

Il alla à la cuisine, car c'était de là que la tension semblait émaner. Il y trouva Michel, assis à la table, la tête posée sur ses bras, endormi.

Karl remarqua immédiatement trois gros sacs verts posés sur le comptoir. Il n'avait nul besoin d'être un buveur de sang pour humer l'odeur de sang séché. Du sang collait à la surface luisante des sacs en plastique. Ce n'était pas du sang frais, loin de là. En fait, s'il avait dû le décrire, il aurait dit du sang *recyclé*. Il y avait aussi une autre émanation, qu'il ne parvint pas tout de suite à identifier. Cependant, il s'agissait d'une senteur familière. Sa méfiance monta d'un cran. Il se demanda ce que pouvaient bien contenir les sacs et, en prenant soin de ne pas réveiller Michel, il se dirigea vers le comptoir afin d'en avoir le cœur net.

Ses pas durent tirer le garçon de son sommeil, car celui-ci dit d'une voix puissante : « N'ouvre pas ça ! S'il te plaît.

— D'accord. »

Karl pivota et se tira une chaise pour s'asseoir à la table, en face de Michel qui, maintenant qu'il voyait son visage, avait une mine terrible. Manifestement, le garçon n'avait pas dormi de la journée. Il avait la peau et les lèvres pâles, et les yeux aussi ternes que ceux que l'on tente de reproduire sur les visages des mannequins. Remarquant ses épaules légèrement voûtées, Karl le jugea épuisé, voire terrassé. Il ignorait cependant d'où lui venait, à proprement parler, cette impression.

Il connaissait l'adolescent depuis sa naissance et même avant, lorsqu'il n'était encore qu'un fœtus dans le ventre de Carol. Michel ressemblait énormément à son père : physique, spontané. Mais il était aussi comme sa mère. Celle-ci lui avait donné beaucoup, beaucoup d'amour, d'autant plus qu'elle avait risqué sa vie plusieurs fois pour revenir auprès de lui alors que les circonstances les avaient séparés quelques jours après sa naissance. Quand elle l'avait enfin retrouvé, elle s'était évertuée à rattraper le temps perdu. Karl savait qu'un tel dévouement maternel avait marqué Michel pour toujours. Sa mère avait légué au garçon une force de caractère qui lui permettait d'affronter des situations que la plupart des gens considéreraient comme insurmontables – et d'en venir à bout !

Cependant, Michel avait également bénéficié de l'amour, de la compréhension et du soutien de toute la maisonnée. Gerlinde et Kathleen avaient été chacune des deuxièmes mères pour lui, des mères légères, badines et amusantes. Karl, quant à lui, se sentait surtout comme un oncle qui chouchoute son neveu et cultive son esprit. David offrait au garçon un lien spirituel passant par l'art, ce qu'aucun des autres n'aurait pu lui procurer, pas même Gerlinde qui pourtant adorait peindre. Chloé, de son côté, était la grand-mère sage et aimante qui enseignait à Michel l'ordre naturel de l'univers par la voie d'un contact avec l'environnement ; elle comblait le fossé entre le garçon et la génération des aînés, à la fois à cause de l'âge qu'elle avait au moment de sa transformation et parce qu'elle était la plus expérimentée de leur maisonnée. En raison de toute l'attention dont il bénéficiait de la part de sa famille élargie, Michel devenait en grandissant un être adorable, solide, chaleureux, sain, intelligent et heureux. Jusqu'à présent, sa vie avait été d'une grande richesse. Et c'était pourquoi, à présent, Karl restait sans voix de le voir ainsi prostré de l'autre côté de la table.

Michel leva enfin la tête. Le garçon avait les yeux rougis. L'air hébété et hagard, il paraissait exténué. Ses yeux chargés d'émotions confuses faisaient pitié à voir. Karl soutint son regard, puis finit par dire : « Qu'est-ce qui se passe, Michel ? Qu'est-ce qu'il y a dans les sacs ?

— S'il te plaît. Je veux attendre que papa et maman se lèvent. Je ne crois pas que je pourrai raconter ça deux fois.

— D'accord, dit Karl. Je vais aller les réveiller. Eux et Chloé.

— Juste maman et papa, tu veux bien ? »

Karl ne put qu'acquiescer devant le désespoir qui se lisait sur la figure de Michel. Une onde de peur le traversa également, sans qu'il sût pourquoi. Il se leva et se dirigea vers la porte qui donnait sur un escalier menant au sous-sol.

La grande porte située tout au bout du sous-sol était munie à l'extérieur d'une fausse serrure et d'une chaîne. On n'avait pas besoin d'une clé pour ouvrir la porte de l'extérieur, mais on ne pouvait y arriver sans savoir comment démonter d'abord la serrure factice. Il s'agissait d'une mesure de sécurité. Carol et André pouvaient ouvrir la porte de l'intérieur et les membres de leur espèce qui savaient comment procéder étaient en mesure de l'ouvrir de l'extérieur en cas d'urgence. D'ailleurs, il y avait eu quelques intrusions par effraction dans cette maison – par bonheur, seulement par des mortels, faciles à maîtriser. Tous ceux qui vivaient entre ces murs prenaient les précautions nécessaires à leur propre sécurité.

Karl frappa trois fois deux coups à la porte – son signal distinctif. Quelques secondes plus tard, celle-ci s'ouvrit sur André, qui se tenait nu sur le seuil. Karl pouvait apercevoir Carol dans le lit, sa forme inerte recouverte presque entièrement par les draps de satin. Sa transformation n'était survenue que quelques années auparavant. Il se rappelait ses premières années à lui, et combien il avait peine à se réveiller. Par contre, au matin, il s'endormait aussitôt couché. Cela réduisait considérablement les heures d'éveil, de sorte que, selon d'innombrables variables, Carol perdait chaque jour une ou même deux heures par rapport aux autres.

« Je crois que tu devrais monter tout de suite.

— D'accord », dit André, percevant l'urgence dans la voix de Karl. En ce genre d'occasions, son habitude de ne pas poser de questions s'avérait salutaire. Il n'en posa d'ailleurs pas cette fois.

André prit sa robe de chambre, mais Karl suggéra : « Peut-être devrais-tu t'habiller. »

André resta un instant interloqué, sans rien dire, puis il enfila un jean Levi's moulant, un sweat-shirt noir et des chaussures de course Nike. Karl constata que son ami avait la mine tendue. Ce qui l'inquiétait devait inquiéter André aussi.

« Est-ce que Carol est réveillée ? demanda-t-il.

— Carol ? » lança André en direction de celle-ci. L'absence de réaction constitua la réponse.

Ils montèrent à la cuisine, André sur les talons de Karl. André alla aussitôt vers Michel et posa la main sur l'épaule de son fils, l'air soucieux. Michel inclina la tête vers la main de son père. « Où est maman ?

— Elle dort encore.

— C'est probablement mieux comme ça, dit Michel.

— Que se passe-t-il ? redemanda Karl tandis que lui et André s'asseyaient.

— Quelque chose s'est produit. Quelque chose… d'affreux. Ça nous touche tous. » Michel s'expliquait d'une petite voix sourde et Karl nota que l'inquiétude d'André augmentait. Lui aussi, bien sûr, avait tout de suite remarqué les sacs, le sang et l'odeur.

« Raconte-nous, Michel », dit André sur un ton un peu rude. André résistait mal à la tension. Son premier réflexe était d'agir, sur-le-champ. L'attente exacerbait son impatience.

« Hier soir, je suis allé me promener avec Chloé. »

Cela, nous le savons déjà, songea Karl, conscient de sa propre tension nerveuse. Mais il accepta de le laisser s'exprimer à son propre rythme.

« Chloé a eu envie d'aller du côté des cimetières, sur la montagne. Ensuite, elle a voulu entrer dans le Columbarium, et j'ai attendu à l'extérieur. Nous étions censés nous retrouver à la sortie. Elle n'est pas venue. Je suis allé la chercher et… »

Avant qu'il eût pu ajouter un mot de plus, André bondit sur ses pieds et déchira un des sacs pour l'ouvrir.

« *Dad !*… Papa !… » hurla Michel d'une voix brisée, à la fois frénétique et désespérée.

Karl s'approcha d'André au moment même où le sac éventré laissait jaillir une main, qui retomba sur le sol. Tous la reconnurent.

Soudain, André se mit à déchirer le second sac et Karl, le troisième. Ce dernier n'arrivait pas à en croire ses yeux. Il ne pouvait croire que ce qu'il voyait, c'était le corps mutilé de Chloé. Il ne parvenait pas à croire que Chloé était morte.

« D'accord, Michel, recommence ton histoire à partir du début. Nous devons nous assurer que tu n'oublies rien », dit André au moment où Karl raccrochait. Il venait d'appeler à Vienne afin d'informer Julien des récents événements. Ce dernier souhaitait qu'on le rappelât aussitôt que des éléments nouveaux auraient été mis au jour. Gerlinde n'était pas encore arrivée là-bas et le répondeur automatique n'avait livré à Karl aucun message de sa part. Il avait essayé de la joindre à la résidence de Manchester, mais n'avait obtenu aucune réponse – vraisemblablement, Gerlinde, David et Kathleen étaient sortis ensemble. Karl avait laissé un message au service des abonnés absents, leur demandant de rappeler à Montréal dès leur retour. Dans l'éventualité où Gerlinde aurait déjà été en route pour Vienne, Julien estimait judicieux de l'attendre jusqu'au lendemain soir. Lui et Jeanette s'envoleraient alors vers Montréal. Leurs enfants, Claude et Susan, étaient en voyage, le premier à Paris, la seconde à Dublin, et il essaierait d'entrer en communication avec eux pour leur dire de se rendre immédiatement à la maison de Westmount. Il essaierait aussi de joindre ceux des leurs qui pouvaient et voulaient être contactés en de semblables circonstances. Tout le monde serait réuni à Montréal avant deux jours.

Carol, maintenant réveillée, était assise au salon avec les autres, aux côtés d'un Michel aussi pâle que Karl avait jamais vu l'être un membre de leur espèce. Carol insista pour que le garçon se nourrît. Ils prirent tous un verre de sang tiré de leurs provisions d'urgence. Et c'était bien là une urgence. Tous devaient avoir les idées claires malgré les émotions qui les submergeaient.

Michel relata les faits qu'il avait déjà décrits de long en large à deux reprises. Karl, en particulier, l'interrogea sur certains détails. André semblait plus incapable que jamais de formuler des questions. Chloé était sa tante, la sœur de son père, la grand-tante de Michel. Elle appartenait à la même famille, au sens humain du terme. Elle était la seule ancêtre d'André qui survécût encore. Karl voyait bien qu'André accusait mal le coup, plus durement que tous les autres, pourtant dévastés. Chez André, cependant, les sentiments faisaient généralement surface sous la forme de sombres éclats d'émotion, un danger imprévisible semblable aux émanations d'un gaz mortel. Pour le moment, il gardait la maîtrise de lui-même, mais cela se révélerait de courte durée.

« As-tu détecté la présence de quelqu'un d'autre dans le cimetière, quand vous vous dirigiez, Chloé et toi, vers le Columbarium ?

— Seulement le couple qui faisait l'amour sur la pierre tombale.

— Es-tu certain qu'il s'agissait de mortels ?

— Oui… Du moins, je crois… Je… Je ne sais pas…

— Tiens-t'en à ce que tu te rappelles », le coupa André d'une voix cinglante, en même temps qu'il passait un bras protecteur autour de son fils. Karl, peut-être plus que les deux autres, comprenait à quel point André était déchiré. Il le connaissait depuis si longtemps et il était de tout cœur avec lui.

« C'étaient sûrement des mortels, dit Carol. Sinon, Chloé l'aurait perçu.

— Oui, opina Karl qui y avait déjà réfléchi. Michel, qu'est-ce qui s'est passé lorsque Chloé a ouvert la porte du Columbarium ? As-tu senti quelque chose à ce moment-là ?

— Non.

— Est-ce que Chloé a semblé percevoir un danger ou quoi que ce soit d'étrange ?

— Je… je ne crois pas. Elle n'en a rien dit. Et elle n'a rien fait d'inhabituel.

— Est-ce que tu l'as vue ouvrir la porte ? demanda Carol.

— Oui.

— Et tu l'as vue entrer ?

— Oui. Elle a franchi le seuil et je me rappelle que j'ai regardé la porte extérieure se refermer avant de m'éloigner.

— Alors, nous pouvons présumer que le tueur n'était pas dans le Columbarium lorsqu'elle est entrée, autrement elle aurait détecté sa présence, dit Carol.

— Mais s'il était à l'extérieur, Michel l'aurait senti », rétorqua André.

Karl avait déjà songé à cet aspect et ne pouvait envisager qu'une seule possibilité. « À moins que le ou les tueurs ne se soient camouflés de manière à leurrer Michel.

— Qu'est-ce que tu veux dire par là ? » demanda celui-ci.

Ce fut André qui répondit. « Certains anciens ont imaginé une façon de dissimuler mutuellement leur présence. Ce n'est pas une entreprise facile. Ils ont besoin de se cacher dans un réceptacle…

— Un réceptacle en plomb, précisa Karl, comme les conteneurs qui servent à recueillir l'eau lourde dans les centrales nucléaires.

— Comme Superman ? demanda Michel. Il a une vision radioscopique, mais il ne peut pas voir à travers le plomb. »

En plein comme Superman, songea Karl. Nous sommes des surhommes, mais nous avons nos faiblesses.

« Mais est-ce qu'il ne faudrait pas une bien grosse boîte, et surtout une boîte très lourde ? demanda Carol.

— Pas nécessairement. Il pourrait s'agir d'un habitacle de la taille d'un cercueil, dit André.

— Mais tu considères au départ qu'il s'agit d'un membre de notre espèce. Les responsables ne pourraient-ils pas être un groupe de mortels ? » Carol, si nouvellement convertie à cette existence, n'avait pas affronté la mort aussi souvent que ses semblables – Karl pouvait lire la terreur dans sa posture, l'entendre dans le timbre de sa voix, la sentir émaner de tout son corps.

André la percevait aussi. D'un geste protecteur, il passa son autre bras autour de l'épaule de Carol et trancha : « Impossible. Michel et Chloé auraient tous deux eu conscience de leur présence. De plus, il aurait fallu qu'ils soient cinquante pour venir à bout de Chloé. Et encore.

— Les tiroirs… commença Michel.

— Quels tiroirs ? demanda sa mère

— Au Columbarium. L'endroit est rempli de tiroirs. Et je… j'ai senti quelque chose à l'intérieur. C'est tout ce que je peux vous dire, parce que tout était tellement bizarre et j'ai paniqué.

— C'étaient peut-être des mortels, finalement, dit André en se tournant vers Karl pour obtenir son approbation.

— Toute une bande, acquiesça Karl. Cachés dans les tiroirs. Cependant, pour que l'odeur des mortels ne soit pas perceptible, il aurait fallu que les compartiments soient recouverts de plomb. Comment auraient-ils su que c'était la chose à faire ?

— Peut-être que les tiroirs sont déjà recouverts de plomb.

— Peut-être, répondit Karl. Mais j'en doute. C'est là une dépense superflue, s'il s'agit de donner une sépulture à des cadavres humains. Il est plus vraisemblable de considérer que des membres de notre espèce s'y sont dissimulés. Ils savaient comment camoufler leur présence. Ils savaient aussi qu'ils devaient attendre que Chloé soit entrée.

— Mais elle se trouvait tout près de la porte, leur rappela Carol. Le tiroir le plus proche est à quelle distance environ ? Il y a longtemps que je n'ai pas mis les pieds là-bas, mais je ne crois pas qu'il y ait de tiroir à proximité de la porte.

— Tu as raison, reconnut Michel. Le plus près est à au moins six mètres de l'entrée, et c'est pareil pour la sortie.

— Chloé aurait compris le danger dès que le premier tiroir se serait ouvert et elle aurait tout de suite fait demi-tour », dit Carol.

Cet argument les laissa tous bouche bée. Carol avait raison. En sentant une présence menaçante, quelle qu'elle fût, Chloé se serait ruée hors de l'édifice, sinon pour se sauver elle-même, du moins pour protéger Michel. Karl ne comprenait plus rien à cette histoire, du moins pour l'instant.

« À moins qu'elle ne se soit suicidée », dit André.

Personne ne dit mot. Ils savaient tous à quelle tendance suicidaire André faisait référence. Cependant, Karl n'arrivait pas à envisager une telle possibilité : même dans ses moments les plus désespérés, jamais il n'avait songé à un tel geste. André, en revanche, avait déjà affronté le suicide, et il se trouvait de surcroît aux premières loges.

Karl fut le premier à se secouer. Il n'arrivait pas à imaginer Chloé en train de planifier un tel geste. Et, bien évidemment, elle n'avait pas pu tailler son propre corps en pièces.

« Raconte-nous encore ce que tu as fait tandis que Chloé se trouvait à l'intérieur », dit Karl, ne serait-ce que pour les ramener tous à une réalité plus tangible.

Pour la quatrième ou la cinquième fois, Michel reprit son histoire depuis le début. Il ne mentionna pas qu'il était perdu dans ses chimères, mais Karl vit clairement que Michel avait été accaparé par ses rêveries. Malgré tout, il aurait certainement détecté la présence d'un élément étrange. Mais ce n'est qu'un garçon, se rappela Karl. Encore à demi humain. On ne peut juger exactement de ses pouvoirs ni les comparer aux nôtres.

Lorsque Michel eut raconté cette partie de son récit, Karl lui demanda de poursuivre : comment il s'était dirigé vers la sortie, soit la seule autre porte, ce qu'il avait fait pendant qu'il attendait, ce qui s'était passé lorsqu'il était entré dans le Columbarium et quand il en était ressorti. Michel exposa de nouveau ce dont il se souvenait, en n'ajoutant guère de détails.

Lorsqu'il eut terminé, ils se calèrent tous dans leurs fauteuils, plus ou moins pris dans une impasse. Le garçon était assis entre ses parents. André était penché vers l'avant, les coudes sur les genoux. Carol avait passé le bras autour de l'épaule de Michel, qui inclinait la tête vers sa mère, tout en gardant un contact physique avec son père. L'adolescent ferma les yeux. Karl voyait bien quel puissant effet ces événements avaient eu sur lui. Il semblait vidé, comme si toute substance en lui avait été aspirée, ne laissant qu'une coquille vide.

Carol était visiblement horrifiée. Elle avait pleuré une bonne partie de la nuit. Karl sentait qu'elle était déchirée entre la tristesse profonde, l'horreur absolue devant la mort de Chloé – elles étaient si proches l'une de l'autre – et la peur pour sa propre vie et celle de ses proches. Et en effet, ce qui était arrivé à Chloé pouvait arriver à n'importe lequel d'entre eux. Ils le savaient tous sans avoir à l'exprimer.

André ne contenait plus sa fureur. D'habitude, sa première réaction était la colère, suivie d'une douleur

aiguë, que Karl s'attendait à voir poindre le lendemain soir. Pour le moment, cependant, la rage d'André
était précieuse : ses contours acérés les empêchaient
tous de sombrer dans le désespoir, chose qui leur
aurait été facile.

Karl tournait et retournait les événements dans sa
tête. Il n'arrivait pas à se convaincre que des mortels
avaient commis cet acte. Cela lui paraissait tout bonnement impossible. André et lui avaient échangé des
regards toute la nuit. Ils savaient tous les deux. C'était
Antoine. Il ne pouvait y avoir d'autre réponse. Ne
voulant pas bouleverser Carol et Michel davantage,
ni l'un ni l'autre n'en formula toutefois l'hypothèse.
Il faudrait qu'ils sachent, bien sûr, mais pas maintenant. Et, à vrai dire, ils le savaient probablement
déjà, mais l'entendre exprimé à haute voix serait trop
traumatisant. Il valait mieux attendre que Julien, Jeanette
et leurs enfants fussent là, de même que David et
Kathleen, et enfin Gerlinde – la seule pensée de savoir
cette dernière si loin le fit se crisper. Une fois qu'ils
seraient tous réunis, et avec eux les autres membres
de leur famille élargie – c'était en effet le moment de se
serrer les coudes –, ils seraient en mesure de décider
du parti à prendre. Il y avait un ennemi à traquer et à
combattre, ils auraient besoin de conjuguer leurs
forces pour remplir la mission qui les attendait.

Antoine était le plus vieux de leur espèce, le plus
fort, le plus rusé à plusieurs égards. Et certainement
le plus dément. Il avait promis de se venger. Il avait
juré qu'ils souffriraient tous. Cinq années s'étaient
écoulées, et cette menace était passée d'un rugissement
à un murmure qu'on entendait à peine. Ce demi-
silence les avait tous plongés dans une tranquillité
d'esprit complaisante. Le temps, bien sûr, ne voulait
dire que peu de chose, et cinq années, pour leur espèce,
équivalaient à cinq jours aux yeux d'un humain.

Antoine était sur terre depuis si longtemps, il pouvait aisément se permettre d'attendre, de guetter son heure pour frapper au moment propice. Mais pourquoi maintenant? Pourquoi ici? Pourquoi à ce moment en particulier? C'étaient là des questions qu'ils devraient poser plus tard, une fois qu'ils auraient trouvé l'assassin. Une fois qu'ils seraient en position de détruire Antoine.

# CHAPITRE 4

Karl et André passèrent des heures à examiner soigneusement les restes de Chloé afin d'y découvrir des indices sur les circonstances de sa mort ainsi que les traces d'une présence étrangère, humaine ou non. Leur autopsie improvisée inclut la dissection des organes : cœur, cerveau, poumons, estomac, foie et reins. Ils sectionnèrent le tissu musculaire. Ils allèrent même jusqu'à ouvrir les os pour scruter la moelle. Michel ne fut pas en reste. Il les aida à reconstruire le corps afin de déterminer comment l'attaque était survenue et si un objet quelconque avait été utilisé pour mutiler le corps – apparemment, aucune arme n'avait été employée.

Carol n'arrivait pas à s'approcher du corps taillé en pièces. Six années de cette existence particulière ne l'avaient pas encore endurcie contre le pire – non que quiconque parmi eux eût jamais vécu une chose pareille. Chloé et Carol étaient comme mère et fille. Carol demeurait perchée sur le comptoir de la cuisine, dans le coin le plus éloigné de la table qu'ils utilisaient pour la dissection et la reconstitution du corps. De temps à autre, elle sortait de la pièce. À un certain moment, Karl l'entendit sangloter.

Il était heureux que Gerlinde ne fût pas sur place pour voir cela. Elle connaissait Chloé depuis quarante ans. Elles étaient aussi différentes que le jour et la nuit, mais Gerlinde avait dit plus d'une fois que Chloé était un peu une grand-mère pour elle. Le lien était intense, d'un côté comme de l'autre, et Karl savait que Gerlinde serait dévastée lorsqu'elle apprendrait la triste nouvelle.

Il n'y avait aucune trace d'une présence étrangère sur les blessures infligées au corps de Chloé ou, du moins, aucune marque que Karl et André pussent détecter à l'œil ou à l'odorat. L'absence d'odeur provenant de créatures mortelles ou de membres de leur espèce était en soi un mystère que Karl n'arrivait pas à élucider. Il aurait pourtant dû y avoir quelque chose, et ce, même si les assaillants portaient des gants, mais il n'y avait rien. Rien d'autre que l'horrible parfum du liquide d'embaumement, qui imprégnait le Columbarium et s'accrochait naturellement aux restes, aux vêtements, aux cheveux, à tout.

D'après la description de Michel, le sang s'était répandu en grande quantité dans le Columbarium. Ils en concluaient que Chloé n'avait pas été drainée par un des leurs.

« Ce seraient donc des mortels, dit Michel.

— C'est peut-être une façon de nous mettre sur une fausse piste », lui fit remarquer André.

Karl scruta attentivement ce qui avait été le dos de Chloé. On aurait dit que celui-ci avait été déchiré en deux, comme le dos d'un poulet. Cela avait dû nécessiter une force qu'un simple mortel, de toute évidence, ne possédait pas.

« Oui, c'est tranché bien net », admit André lorsque Karl lui montra les deux moitiés, chacune des parties présentant une coupure bien franche, qui traversait la peau, les muscles et les os. « Mais sa colonne vertébrale est aussi brisée », souligna André en désignant la fracture entre la quinzième et la seizième vertèbre, dans le creux du dos. Cette observation suggérait que Chloé avait été pliée en deux vers l'arrière.

Comme pour un baiser, songea Karl en se demandant d'où pouvait lui venir une idée pareille. « Est-ce survenu avant sa mort ? Difficile à dire, mais une telle blessure l'aurait certainement achevée.

— Une sorte de folie meurtrière, alors ?

— On dirait.

— Ce ne peut donc pas être l'un des nôtres. Il lui aurait été impossible de résister à la vue du sang », dit Carol.

Karl et André échangèrent un regard, et une amitié vieille de plusieurs années leur permit de partager une même réflexion : Carol s'ingéniait à prouver que l'acte avait été commis par des mortels. S'il s'agissait bel et bien de mortels, les chances étaient bonnes de retrouver et d'éliminer les coupables. En revanche, si les responsables faisaient partie des leurs, la menace risquait d'être insurmontable.

« Je dirais plutôt, opina Karl, que le sang n'était pas l'objectif principal ni même secondaire. De plus, un des nôtres se serait nourri au préalable afin d'accroître sa force. Je ne dis pas qu'on n'a pas bu de sang – selon toute vraisemblance, l'assassin n'aura pas été capable de résister complètement, et il semble y avoir des marques de dents sur la gorge et à quelques autres endroits. Non, tout ça n'a pas été fait au hasard, au contraire, l'attaque semble avoir été calculée, comme une vengeance, une vendetta. » Karl avait soigneusement évité de mentionner le nom d'Antoine. Carol était déjà bien assez bouleversée. « La personne qui a fait ça souhaitait que Chloé soit consciente au moment où elle la coupait en morceaux.

— Tu veux dire qu'elle était lucide jusqu'à la fin ? » Carol enfouit son visage épouvanté dans ses mains et se mit à sangloter. André alla vers elle, la prit dans ses bras, puis l'amena dans une autre pièce.

« Pourquoi Antoine a-t-il attendu cinq ans ? » demanda Michel une fois que Carol fut hors de portée de voix.

Bien entendu, le garçon savait déjà qu'il s'agissait d'Antoine, tout comme Carol d'ailleurs. Michel pouvait faire face à la réalité, cependant, alors que, pour le moment, sa mère en était incapable. Karl réalisa que Michel avait bien pris soin de ne rien dire en présence de sa mère et, une fois de plus, il fut rempli d'admiration devant la sensibilité et la compassion dont l'adolescent faisait preuve en grandissant.

« C'est aussi ce qui m'intrigue, Michel. J'ignore pourquoi il a attendu. Pourquoi il a choisi de procéder de cette manière, sinon parce que cela révélerait sa force physique et son incontestable supériorité. Il nous a attaqués sur notre terre d'accueil, il a tué quelqu'un qui nous était cher à tous. Mais une chose est sûre, reconnut Karl au moment où André revenait dans la pièce, Chloé ne s'est pas débattue. »

André demeura pétrifié. Ses pensées ne circulaient pas assez vite dans son cerveau pour qu'il pût formuler les questions qu'il avait besoin de poser, pour qu'il pût réclamer des explications à une affirmation aussi fracassante.

Karl lui épargna cette peine. « La raison pour laquelle j'en suis venu à cette conclusion, c'est que nous n'avons trouvé sous les ongles de Chloé rien qui indiquerait une résistance de sa part, pas de peau, de cheveux, de sang, rien. Rien non plus dans sa bouche, ce qui nous révèle qu'elle n'a pas essayé de mordre son ou ses assaillants. En gros, il semble qu'elle soit restée là, immobile, à se laisser passivement charcuter.

Karl vit André se raidir imperceptiblement. « Allons au Columbarium », proposa celui-ci d'une voix blanche.

Il tourna les talons et sortit de la pièce sans attendre la réponse des deux autres. L'action était sa force et son salut lorsque le stress devenait trop grand.

Ils mirent les restes de Chloé au réfrigérateur, puis comme un seul homme ils franchirent la porte de la résidence. Ils avaient convenu d'y aller tous les quatre. En fait, ils demeureraient ensemble à partir de cette minute. Avec un ennemi aussi dangereux et aussi rusé dans les parages, il aurait été ridicule de prendre des risques.

Ils roulèrent sur le chemin de la Côte-des-Neiges, puis s'engagèrent dans une rue qui menait à l'entrée principale du cimetière, pour se garer à un pâté de maisons de là. À deux heures du matin, dans ce quartier, il leur fut facile d'escalader discrètement la clôture en fer qui courait entre le trottoir et le cimetière. Bien sûr, après le carnage de la veille, les lieux étaient loin d'être déserts. Ils sentirent immédiatement des présences humaines – des officiers de police, peut-être une douzaine – postées dans des endroits stratégiques, surveillant la barrière et le Columbarium.

L'entrée et la sortie du bâtiment souterrain étaient scellées par les rubans jaunes de la police. Comme si le ou les tueurs allaient revenir et recommencer, ironisa Karl, en se demandant à quoi pouvaient bien penser les mortels.

André, dont les sens étaient sans doute les plus aiguisés parmi eux tous, les mena à la sortie du Columbarium, surveillée uniquement par un policier, contrairement à l'entrée où une demi-douzaine d'individus montaient la garde, en bavardant et en fumant. André saisit ce policier par-derrière et Karl le fixa dans les yeux suffisamment longtemps pour que l'homme fermât les paupières et s'endormît. La porte n'était pas fermée à clé, alors ils entrèrent facilement.

Dès qu'ils pénétrèrent à l'intérieur, ils surent qu'ils y étaient seuls. Karl ne percevait personne d'autre dans l'édifice, vivant ou non-mort, et il savait que les autres sentaient la même chose.

Rien qui respirât dans les environs, pas même la chauve-souris dont Michel leur avait parlé.

Les lieux empestaient le liquide d'embaumement, mêlé aux relents de décomposition. Leur odorat extrêmement sensible détectait la moindre odeur, de sorte que la puanteur de la lampe à huile et des fleurs agonisant sur leurs tiges suffisait à les mener aux limites de la nausée. Pour les mortels, se figura Karl, cela équivaudrait à se retrouver coincé dans un ascenseur avec une femme venant juste de s'asperger de parfum bon marché. Michel était pâle et, visiblement, aurait souhaité se retrouver ailleurs. Aucun d'entre eux, à vrai dire, n'avait envie d'être là.

Karl posa une main rassurante sur l'épaule du garçon.

«S'ils tiennent à surveiller cet endroit, ils devraient protéger les deux voies d'accès», dit Michel en s'efforçant de surmonter sa terreur. Comme c'est la tendance chez la jeunesse, il soulignait ce qui sautait aux yeux, même si l'évidence était en sa défaveur.

Le petit groupe entreprit à rebours le parcours menant à l'entrée, passant par l'étage supérieur qui, en raison de la pente dans le sol, devenait à partir de l'espace circulaire le seul étage, soit le rez-de-chaussée, de l'autre section. L'air climatisé fonctionnant à pleine capacité contribuait au sentiment d'inquiétante étrangeté que Karl éprouvait et transmettait aussi à Michel. C'était comme se retrouver dans une chambre frigorifique où stagnaient trop de puanteurs nocives. Et quoique le corridor fût large, les murs semblaient se refermer sur le visiteur, tel un canal pelvien glacé. Pourquoi gardait-on les lieux à une telle température? Karl l'ignorait. C'était sans doute à des fins de préservation. Il n'arrivait pas à s'imaginer à quoi la senteur du liquide d'embaumement aurait ressemblé si la température avait été plus élevée. Il se dit que les mortels, ou du moins la plupart d'entre eux, ne devaient pas détecter cette odeur.

Si Michel paraissait agité, Carol, elle, semblait sur le point de s'écrouler. André, dont les émotions étaient contenues par l'action, fermait la marche. Karl, de son côté, ouvrait cette petite procession. Les deux plus vulnérables se retrouvaient donc en sandwich entre eux.

Arrivés à l'intersection circulaire, ils découvrirent que des rubans jaunes bloquaient aussi l'accès au second corridor. Droit devant eux, il y avait le but de leur périple – d'où ils étaient, ils apercevaient les taches cramoisies.

Karl étira le ruban et ils se faufilèrent dessous. Ils ne furent bientôt qu'à un mètre ou deux de l'entrée, au milieu d'un espace maculé de sang. Dans cet environnement, le sang s'était solidifié. On aurait presque dit des cristaux de sel rouge.

À la seconde où ils avaient mis les pieds dans le Columbarium, Karl avait senti le sang. Le parfum de tant de *vita* séchée le frappa telles les huiles invisibles mais puissantes que les femmes du Moyen Âge utilisaient pour masquer les odeurs corporelles. Michel avait affirmé ne pas avoir perçu l'odeur du sang lorsqu'il recherchait Chloé. Karl nota mentalement qu'il devrait plus tard l'interroger à ce sujet.

Il supposa qu'on n'avait pas encore enlevé le sang parce que la police attendait d'avoir effectué tous les tests. Chaque instance concernée par cette affaire devait amorcer son enquête avant que l'on procédât au grand nettoyage. On avait sans doute déjà prélevé des échantillons d'ADN, ce qui l'agaçait un peu. L'ADN de Chloé ne ressemblerait à rien de ce que les scientifiques mortels auraient déjà vu. L'examen le plus sommaire de son sang au microscope révélerait non seulement les cellules habituelles, mais également des cellules animales. Cela serait déjà assez incroyable, se dit-il avec un demi-sourire, mais voyons voir leur réaction devant les deux cellules végétales qu'ils découvriraient aussi dans leur échantillon ! Si ce service de police avait sa section *X-Files*, ce meurtre y aboutirait assurément.

Évidemment, la police ne traiterait pas ce crime comme un meurtre, car il n'y avait pas de corps, seulement du sang, des litres et des litres de sang, si on en jugeait par l'état des murs, du sol et même du plafond, où le sang des artères de Chloé avait giclé, éclaboussant de rouge la peinture beige. Les experts présumeraient peut-être qu'une bande de jeunes avait mêlé des cellules humaines, animales et végétales, pour une raison ou une autre, et qu'ils en avaient répandu partout, simplement pour profaner l'endroit. Avec un peu de chance, se dit Karl…

Lui et André examinèrent le sang de plus près. André, qui avait déjà bu le sang de Chloé, était le seul à pouvoir déterminer s'il s'agissait bien du sien simplement en y goûtant. Il récupéra donc quelques échantillons. Peut-être y découvrirait-il les indices d'une autre présence en avalant la substance, une fois qu'on l'aurait de nouveau liquéfiée.

Carol se tenait près du mur, face à l'entrée. Manifestement, elle montait la garde, bien qu'ils fussent tous en mesure d'entendre, de sentir, de percevoir la moindre nouvelle présence à proximité. Elle paraissait horrifiée.

Michel s'accroupit près de Karl et lui murmura – quoique Carol, bien sûr, fût capable de l'entendre : « Je n'arrive toujours pas à comprendre pourquoi ils ont laissé tout ce sang.

— Mon hypothèse, c'est que l'assassin savait que nous reviendrions sur les lieux et avait un désir vaniteux de nous manifester son mépris. Ce qu'il est en train de nous dire, c'est qu'il n'a pas besoin du sang. Il a la maîtrise de ses passions. Il nous dit que nous sommes incapables du même détachement et que c'est là notre vulnérabilité. »

Se fondant sur les taches de sang, qui semblaient avoir giclé vers le milieu du corridor, sur les murs, le sol et le plafond, Karl jugea que Chloé avait franchi la porte, fait plusieurs pas, puis s'était arrêtée.

Il demanda à Michel où exactement il avait trouvé chaque partie du corps.

« C'est pas très clair dans ma mémoire… Je veux dire… J'avais si peur, j'ai seulement ramassé… tout ce que je voyais. Par contre, je me rappelle où se trouvait sa main portant sa bague. » Il indiqua le mur de droite.

« Et l'autre main ?

— Je ne suis pas sûr… Je… J'ai trouvé sa tête là. » Il désigna un point près de la porte d'entrée. « L'amulette était là, ajouta-t-il. L'avez-vous trouvée ? Dans les sacs ?

— Non, je ne l'ai pas trouvée », dit Karl. André fit un signe négatif de la tête.

« Je crois qu'on a vu tout ce qu'il y avait à voir, dit Karl. Où se trouvaient la plupart des restes, par rapport à tout ce sang ? Dirais-tu que le sang s'est répandu surtout devant ou derrière le corps démembré ?

— Euh, je crois que la majorité des morceaux étaient ici, devant le sang. » Michel se tenait debout face au corridor, dos à l'entrée, à peu près là où Chloé devait se trouver. La quantité la plus importante de sang s'étendait derrière lui, sur les murs et le sol.

Karl s'efforça de reconstituer dans son esprit ce qui avait pu se produire. Il présumait qu'il n'y avait personne derrière, entre Chloé et l'entrée – personne ne l'avait suivie à l'intérieur. Elle en aurait eu conscience.

Une autre raison empêchait d'ailleurs l'agresseur de procéder ainsi : Michel se trouvait près de l'entrée lorsque Chloé avait pénétré dans le Columbarium. Le garçon aurait senti la présence de quiconque se serait dissimulé si près de lui, juste derrière la porte, et à plus forte raison celle d'un individu qui aurait suivi sa tante à l'intérieur.

Antoine s'était tenu devant elle, lui face à l'entrée, Chloé regardant en direction du corridor. Cela voulait dire qu'Antoine venait probablement de l'autre partie du Columbarium. Elle devait l'avoir senti et, pourtant, tout indiquait qu'elle était restée sans broncher, sans combattre. Elle l'avait simplement laissé la tailler en pièces en pliant son corps vers l'arrière.

Pourquoi était-elle restée là, d'abord quand elle avait perçu sa présence, puis quand il était apparu devant elle ? Karl n'arrivait pas à surmonter sa répugnance devant cette attitude qui semblait relever du suicide passif, et pourtant tous les indices convergeaient vers cette unique conclusion. Le logicien en lui ne pouvait ignorer ce qui, il le sentait bien, était la brutale vérité.

Lorsque André eut fini de recueillir les échantillons de sang à l'aide des fioles qu'il avait apportées à cet effet, ils examinèrent ce que Michel appelait « les tiroirs ». En fait, il s'agissait de blocs en marbre, plus grands que l'extrémité d'un cercueil et disposés les uns à côté des autres comme des carreaux de céramique, leurs angles maintenus en place par des pièces de métal semblables à ces coins cartonnés qu'on utilise pour retenir des photos dans un album. Certains des tiroirs près de l'entrée étaient couverts de poudre – la police espérait identifier des empreintes digitales. Karl observa au moins deux séries d'empreintes, disséminées sur plusieurs tiroirs. Elles devaient appartenir à des employés du cimetière. Néanmoins, ce pouvait être également celles d'Antoine ou de ses complices – difficile de s'en assurer, car ils ne possédaient pas ces empreintes. D'une manière ou d'une autre, dans ce monde des pas-tout-à-fait-morts, les preuves matérielles de culpabilité se révélaient moins essentielles que dans l'univers des mortels.

Tous quatre entreprirent de sonder ensemble le contenu des fameux tiroirs. Ils tirèrent un à un les carrés de marbre et, quand ils en eurent ouvert une douzaine, ils examinèrent et comparèrent les cercueils. Des bières standards, modernes, en métal ou en fibre de verre. Aucune n'était recouverte de plomb.

André et Karl soulevèrent finalement le couvercle des cercueils – aucune couche de plomb dans ces réceptacles, seulement des cadavres à des stades variés de décomposition et les miasmes de la moisissure mêlée au liquide d'embaumement dans une combinaison répugnante qui assaillit leurs narines. Ils retirèrent aussi les carrés de marbre de l'autre côté du corridor et ouvrirent les cercueils pour y trouver… rien de stupéfiant. Il y avait d'autres corps. L'odeur du liquide d'embaumement et des chairs en décomposition emplit l'air.

« Ils pourraient faire un effort pour masquer l'odeur, lança Michel.

— C'est ce qu'ils font, dit Karl. Le formol est principalement composé de formaldéhyde, et de là lui vient son odeur écœurante. Le reste de la solution est constitué d'eau, de colorants, de stabilisants et de parfums floraux.

— Eh bien, ce coup-ci, ils n'ont pas réussi leur mélange. Ils auraient dû mettre plus de parfum. »

Karl dut en convenir. L'odeur de formaldéhyde était trop forte à cet endroit. Il y avait peu d'inhumations récentes, et elle aurait déjà dû se dissiper. Bien sûr, ils ne humaient en réalité que d'infimes relents, qui leur paraissaient excessifs uniquement en raison de leur odorat exacerbé. Cependant, la formule changeait d'une sorte de fluide à l'autre et certaines marques de liquide d'embaumement n'auraient pas eu une senteur aussi intense.

Il n'y avait la trace d'aucune présence, mortelle ou immortelle, rien que des morts dûment enterrés. Voilà qui étayait la théorie de Michel à l'effet que ces morts fussent revenus à la vie pour assassiner Chloé. Karl n'arrivait pas à admettre cette hypothèse, bien sûr. Compte tenu de l'étrangeté du meurtre, il s'efforçait toutefois de garder l'esprit ouvert et n'écartait aucune possibilité, même s'il refusait de s'y attarder pour l'instant.

Ils repartirent en sens inverse et s'arrêtèrent à l'espace circulaire pour examiner les compartiments vitrés où étaient posées les urnes et autres récipients contenant des cendres. Aucune de ces vitrines n'était suffisamment grande pour accueillir un corps, à moins que l'assassin ne fût un nourrisson.

Lorsqu'ils s'engagèrent dans l'autre corridor, en direction de la sortie, André se mit à arracher violemment les carreaux en marbre disposés sur les murs.

« Je ne crois pas que nous devions inspecter cette partie-ci de l'immeuble, opina Karl. Il semble évident que ce corridor est trop loin de la sortie. L'assassin n'aurait pas eu le temps de franchir toute cette distance sans que Chloé ne le perçoive et ne s'enfuie. »

André parut contrarié. Il semblait avoir l'intention de fouiller tous les espaces de sépulture du Columbarium jusqu'à ce qu'il découvrît un recoin susceptible d'abriter une bande de vampires. Mais il n'était pas stupide et il savait que Karl avait raison, même si cela le laissait inactif et, donc, agité.

Ils descendirent l'escalier qui menait à la sortie. À l'extérieur, l'homme dormait toujours, comme le lui avait intimé Karl, mais quatre autres policiers patrouillaient maintenant le secteur. Karl se concentra alors sur l'entrée et détermina qu'il n'y avait plus, là-bas à l'autre bout de l'édifice, que deux policiers. Ce serait donc la meilleure issue.

Le groupe rebroussa chemin, redescendit les marches, suivit le corridor en sens inverse, franchit le cercle et traversa la zone ensanglantée, jusqu'à l'entrée. Ils s'arrêtèrent à la porte, le temps de détecter les mouvements des deux policiers. Ceux-ci conversaient en buvant un café, mais ils finirent par aller rejoindre leurs collègues à la sortie.

« Heureusement qu'ils font des pauses café », chuchota Michel.

Il leur aurait été assez facile d'avoir raison de plusieurs individus montant la garde, mais il aurait été téméraire d'agir ainsi avec autant de policiers dans le secteur. Ces derniers ne représentaient pas une menace physique, mais Karl ne voulait pas risquer que l'un ou l'autre des siens fût repéré et, plus tard, identifié. Il souhaitait aussi éviter les coups de feu. Une blessure ferait couler encore plus de sang, que l'analyse révélerait anormal. Et cela signifierait qu'ils devraient peut-être quitter la ville. Il préférait toujours la solution la plus simple, la moins conflictuelle.

Tous quatre saisirent l'occasion inespérée qui leur était offerte et sortirent furtivement par l'entrée du Columbarium.


Peu après quatre heures du matin, c'est un quatuor exténué qui rentra en titubant à la maison. La nuit avait été une rude épreuve pour chacun d'entre eux, et ce n'était pas terminé. André alla s'occuper de liquéfier une partie du sang prélevé sur les blessures de Chloé et sur les lieux du crime. Il allait plus tard l'ingérer en espérant y déceler une présence étrangère, du sang qui n'aurait pas appartenu à Chloé.

De son côté, Karl prit une partie des échantillons sanguins, qu'il dilua dans une solution saline. Il attendit que les cellules fussent redescendues au fond de la fiole, séparées du plasma. Plus il les scruta au microscope.

Les cellules n'avaient pas au préalable été colorées, mais son regard exercé était tout de même en mesure de distinguer les différents types. Le sang était composé à environ quarante-cinq pour cent de cellules, en grande partie des globules rouges en forme de beignets. Il y avait aussi d'autres cellules : des neutrophiles, des lymphocytes, des monocytes, des éosinophiles, des granulocytes, des basophiles, plus quelques éléments ressemblant à des cellules animales et deux cellules dont la membrane vert vif indiquait la présence de chlorophylle. Les membres de son espèce avaient un organisme hybride. Leur corps était composé de molécules humaines, animales et végétales et, après toutes ces années de recherche, il n'avait encore qu'une vague idée de la raison pour laquelle cette combinaison particulière produisait des créatures pareilles à lui. De ce point de vue, le sang de Chloé ne présentait rien d'inhabituel. Quoique ce ne fût pas rigoureusement exact. Un des globules rouges comportait un noyau.

Il s'attarda à cette cellule en particulier. Habituellement, le noyau s'estompait à mesure que la cellule devenait adulte et finissait par être expulsé lorsque le globule rouge était complètement formé. Il avait examiné son propre sang un nombre incalculable de fois, de même que celui de plusieurs des membres de sa communauté, dont Chloé. Ils étaient toujours à la recherche des racines de leur mutation ainsi que de méthodes pour arriver à se passer de sang, à éliminer les dangereux effets du soleil, à découvrir le facteur qui les empêchait de mourir. Il n'avait jamais vu un globule rouge adulte qui comportât un noyau chez les membres de son espèce. Chez les mortels, cela indiquait clairement qu'une cellule était détraquée et devenait à sa façon nécrophile.

Malgré cette anomalie, il avait le sentiment que l'énigme trouverait sa réponse non pas dans les cellules, mais dans le plasma, cette autre moitié du liquide vital. Cependant, la façon de procéder à ce genre d'analyse posait problème. Il ne possédait pas de CLHP – un chromatographe liquide à haute performance. Pour en avoir le cœur net, il devait s'introduire dans un centre de recherche ou encore dans un hôpital afin d'utiliser leur laboratoire de médecine légale.

Karl ne pouvait rien faire de plus pour le moment. La soirée était avancée et tous les tests qu'il envisageait d'effectuer lui prendraient des heures, une fois installé dans un labo.

Il songea à interroger Michel une fois de plus, car il était intrigué par le fait que celui-ci n'avait pas senti l'immense quantité de sang en entrant dans le Columbarium. Mais le garçon avait besoin de repos. Karl commençait en outre à s'inquiéter : Gerlinde n'avait pas encore téléphoné, non plus que David ni Kathy. Le décalage horaire expliquait peut-être encore leur silence. Comme le soleil était déjà levé à Manchester, il ne servait toujours à rien de téléphoner. Et lorsqu'il serait dix-neuf heures là-bas, il serait treize heures à Montréal. Conséquemment, s'ils appelaient à leur réveil, Karl n'aurait leur message qu'au coucher du soleil. Le fait demeurait qu'ils devaient déjà avoir eu le message qu'il avait laissé, même s'ils n'étaient rentrés qu'à l'aube. Pourquoi alors n'avaient-ils pas laissé à leur tour un bref message sur son répondeur ?

Il décida de téléphoner à Julien afin de l'informer des plus récents développements. Comme il s'attendait à tomber sur un répondeur, il fut étonné d'entendre Julien décrocher. Ayant été transformé au Moyen Âge, celui-ci avait acquis une plus grande capacité de rester éveillé durant le jour. Les déplacements restaient toutefois difficiles et il devait être plongé dans une complète obscurité. Sa voix trahissait d'ailleurs son état léthargique.

« Karl, je suis de ton avis. À n'en pas douter, c'est Antoine le coupable, et moi aussi, je crois qu'il a agi seul. Je pense en outre que tu as raison sur un autre point : Chloé n'a pas essayé de se défendre.

— Pourquoi ? » demanda Karl. C'était, par-dessus tout, la question à laquelle il n'arrivait à trouver aucune réponse raisonnable.

« Il serait bon que nous discutions en personne de tous les aspects de cette tragédie. En ce moment, je ne suis pas au mieux de ma forme. Notre avion décolle de Vienne pour Londres peu après la tombée de la nuit. Nous sommes déjà convenus que Claude et Susan nous rejoindront à Heathrow. Nous laisserons une note ici et un message sur le répondeur disant à Gerlinde de retourner à Montréal dès que possible.

— A-t-elle appelé ?

— Non.

— Demande-lui de me téléphoner sur-le-champ », dit Karl.

L'inquiétude dans sa voix parut décontenancer Julien. « Oui, certes », dit-il enfin, mais avec une légère hésitation qui instilla un malaise chez Karl. Il essaya de repousser l'impression que Julien n'avait pas été aussi direct qu'à l'habitude.

# CHAPITRE 5

Karl se réveilla dès le coucher du soleil. Il vérifia sur le répondeur et ne trouva aucun message. Il appela immédiatement au manoir de Manchester et tomba de nouveau sur le service de messagerie. Le téléphoniste lui apprit que son message de la veille n'avait pas encore été récupéré. Son malaise se transforma alors en une franche inquiétude très proche de la panique.

Il savait qu'il devait sans délai partir en quête d'un laboratoire – les tests dureraient des heures –, mais il ne pouvait faire abstraction du ver qui le rongeait intérieurement. Il résolut de sauter un repas et se rendit plutôt au deuxième étage, dans le studio de Gerlinde. Assis seul au milieu de la pièce, sous un puits de lumière qui laissait filtrer un ciel nocturne de plus en plus obscur, il entreprit de la pister à distance.

Son essence imprégnait cet espace où elle avait coutume de peindre sous les étoiles. Elle avait décoré la pièce, choisi les couleurs et les meubles – le peu qu'il y avait. Ses œuvres et celles d'autres artistes qu'elle aimait ornaient les murs.

Karl était rempli de la présence de la Gerlinde qu'il connaissait, qu'il aimait – pétillante, libre, allègre. Il ferma les yeux et se concentra sur cette essence. Ses efforts étaient canalisés en un point entre ses yeux, là où se trouve la glande pituitaire et où, selon ce qu'affirment depuis toujours les mystiques, le troisième œil attend l'heure propice pour s'épanouir telle une fleur de lotus. Simultanément, il ralentit sa respiration pour lui faire prendre un rythme régulier et paisible, inhalant la substance de Gerlinde à chaque inspiration et exhalant toutes les autres énergies susceptibles de le distraire de sa tâche première. Finalement, il n'eut plus que Gerlinde présente dans sa peau, tout près de lui. Il laissa alors cette énergie descendre jusqu'à son cœur, qui la connaissait si bien.

Une chaleur gonfla en lui et le battement de son organe le plus fondamental s'intensifia. Chaque pulsation diffusait une conscience exacerbée de sa présence à elle en lui. Il finit par sentir la force vitale de Gerlinde palpiter dans sa poitrine, avant de se répandre par les muscles, les os et les organes, pour courir ensuite, telle une rivière en crue, dans ses veines et ses artères et jusque dans ses plus petits vaisseaux. Elle atteignit ainsi son cœur qui se remplit et déborda, et la présence liquide l'inonda à jamais, tel un puits artésien intarissable, sans cesse réalimenté.

Il avait ingéré le sang de Gerlinde lorsqu'il l'avait transformée et, pour cette raison uniquement, il était capable de la suivre à la trace comme l'aimant qui attire le fer. Du moins, c'était ainsi qu'il se représentait les choses. La moindre particule de ce sang qui résidait encore dans les cellules de son corps reconnaissait Gerlinde et s'alignait sur son essence. Karl et elle incarnaient chacun un son différent, un orchestre dont les instruments étaient en train de s'accorder, créant un bruit discordant qui s'évanouit dès qu'ils commencèrent à jouer ensemble, en symphonie. Alors, leurs deux sons ne firent plus qu'un, leurs voix se fondirent en un tout cohérent. Son âme et celle de Gerlinde s'entremêlèrent et, moins par un processus mental que par un mécanisme viscéral, il finit par discerner où elle se trouvait ; il pouvait « voir » par ses yeux à elle, capter la saveur de son environnement à travers ses sens devenus les siens.

Il sursauta, ses yeux s'ouvrirent d'un coup. Gerlinde était en Allemagne ! Quelque part dans l'ouest, près du Rhin !

Plutôt que de le rassurer, cette découverte le consterna encore davantage. Elle n'avait aucune raison de se trouver en Allemagne, absolument aucune raison. Elle était en route pour Vienne, avait prévu de s'arrêter éventuellement à Manchester, et l'Allemagne n'était pas sur son chemin. Peut-être avait-elle trouvé un vol qui l'avait forcée à atterrir quelque part entre Manchester et Vienne. Cela demeurait bien sûr possible. Après tout, Karl ne connaissait pas tous les itinéraires entre Montréal et l'Europe. Mais Gerlinde n'aimait pas l'Allemagne. Et pourquoi le Rhin ? Si elle avait dû s'arrêter en Allemagne, elle aurait plus vraisemblablement choisi Munich, ou même Francfort. Ou encore Berlin, le lieu de sa naissance.

Gerlinde était impulsive, et pourtant prévisible dans sa spontanéité. Du moins, elle l'était suffisamment pour que Karl pût compter sur elle. Et après quarante ans, il la connaissait très bien. Elle pouvait être allée en Allemagne. Elle avait peut-être une raison de passer par l'Allemagne de l'Ouest, même si elle ne lui en avait pas parlé – chose que, habituellement, elle aurait fait. Mais cela ne lui ressemblait pas de ne pas donner de nouvelles, elle aurait dû avoir déjà téléphoné. À défaut d'appeler à la maison, elle aurait tout au moins averti Julien de son retard. Si l'escale était brève, par contre, elle pouvait être descendue dans un hôtel de l'aéroport et avoir pris un autre vol au coucher du soleil, pour arriver à Vienne une heure plus tard.

Mais alors, elle ou Julien auraient téléphoné. En ce moment, il n'était que trois heures du matin à Vienne. L'aube ne viendrait que dans plusieurs heures. Et où étaient donc David et Kathy ? Pourquoi n'avaient-ils pas pris leurs messages ? Ils savaient que Gerlinde devait arriver, alors ils auraient dû être là. Ou l'avaient-ils rencontrée en un point quelconque de son itinéraire et accompagnée jusqu'à Vienne ? Peut-être qu'ils souhaitaient effectuer un arrêt en Allemagne…

De telles conjectures, il le savait, ne servaient à rien. Elle pouvait avoir une foule de raisons d'aller en Allemagne et il n'en aurait pas le cœur net tant qu'il ne l'apprendrait pas de sa bouche.

La seule chose qui lui paraissait pour l'instant utile était de retrouver de nouveau sa piste avant le lever du jour en Allemagne, en tenant compte du décalage de six heures. Cela signifiait qu'il pouvait continuer de la pister jusqu'à environ minuit ou une heure, au plus tard, heure de Montréal. Après quoi cela ne servirait à rien, car elle cesserait de se déplacer pendant la journée.

L'exercice de pistage l'avait épuisé, comme cela aurait été le cas chez la plupart de ses semblables. Habituellement, on ne se soumettait qu'à une seule séance du genre au cours de la même soirée, et cela laissait le sujet affamé. Il valait mieux pister l'estomac vide. S'il avait ingéré du sang avant de tenter de localiser Gerlinde, la substance serait devenue une barrière à franchir, presque une tierce présence se dressant entre lui et elle. Cela aurait compliqué son travail et risqué de biaiser les résultats. Il devrait jeûner, il n'y avait pas d'autres moyens. Il se nourrirait ensuite, après l'avoir de nouveau repérée. Malheureusement, le manque se sang contribuait à son agitation. Et le laissait affaibli devant tout le travail qui l'attendait, c'est-à-dire pénétrer par effraction dans un laboratoire médico-légal de la police.

Il était déjà vingt heures. Il se faisait tard, mais, du moins, tout le monde serait rentré chez soi après sa journée de travail. Il descendit au centre-ville, puis fila vers l'est en taxi, jusqu'à l'immeuble impersonnel de la rue Parthenais, près du pont Jacques-Cartier. De hautes clôtures entouraient la structure grisâtre. Jadis, il s'agissait d'un centre de détention pour criminels endurcis. À présent, l'édifice accueillait les quartiers généraux de la Sûreté du Québec – les services de police provinciaux. Le bureau du coroner se trouvait au sous-sol, et le laboratoire de sciences judiciaires et de médecine légale occupait tout le cinquième étage.

C'était au service médico-légal que l'on effectuait les autopsies et autres analyses afin de déterminer les circonstances de la mort des victimes. Karl avait utilisé en secret ces installations à une ou deux reprises auparavant. Il aurait été pratiquement impossible pour un mortel de pénétrer dans l'édifice placé sous haute surveillance. Cependant, pour Karl, la chose était aisée. Par un procédé mental semblable à l'hypnose, il persuada le gardien du poste de contrôle qu'il avait un laissez-passer. Il parvint à ses fins en le regardant droit dans les yeux tout en lui parlant.

Karl eut de la chance : personne ne faisait d'heures supplémentaires au cinquième. Apparemment, il n'y avait eu aucun meurtre ni mort suspecte ces derniers jours à Montréal et aucun résultat n'était attendu de manière urgente. Il découvrit aussi avec soulagement que l'équipement de chromatographie n'était pas en marche. Il lui était déjà arrivé de s'introduire dans le laboratoire pour découvrir que le personnel avait laissé la machine fonctionner afin de laisser les analyses se poursuivre durant la nuit. Ce soir, cependant, l'appareil qui semblait sortir du laboratoire du docteur Frankenstein était libre.

Il secoua la tête et esquissa un sourire. On était au tournant du siècle, et qu'avait-il devant les yeux ? Un modeste rectangle en plastique sur lequel étaient posés deux pots bruns contenant du solvant ; un tube argenté qui partait un peu n'importe comment d'un bécher, pénétrait par le bas dans un appareil, remontait et en ressortait après être passé par une sorte de tige renfermant un filtre, pour finalement aller s'accrocher négligemment à un fil de fer ressemblant à une corde à linge. Le plasma sanguin de Chloé contenait des éléments qui, les plus petites particules en premier, traverseraient les filtres pareils à des cils qui se trouvaient dans la tige. C'était un processus assez fiable. Malheureusement, il ne pourrait examiner qu'un seul échantillon à la fois, ce qui rendrait l'opération assez fastidieuse. Cependant, il en ressortirait sans doute quelque chose.

Karl avait toujours aimé la chimie. Rien ne le fascinait davantage que de décomposer des substances et de remonter aux formes élémentaires de la matière. Mais il se plaisait également à effectuer des combinaisons entre ces éléments. Si Dieu existe, méditait-il souvent, il doit être chimiste ou, du moins, alchimiste.

Il régla l'appareil et mit en branle le processus qui risquait de durer jusqu'à six heures. Entre-temps, il se promena dans le laboratoire pour vérifier si de nouveaux appareils s'étaient ajoutés. Une inspection rapide des lieux révéla des pièces d'équipement qu'il avait déjà vues et utilisées. À l'exception du CPG. Il en connaissait l'usage d'après ses lectures, mais, jusqu'à maintenant, il n'en avait jamais eu un sous les yeux.

Le chromatographe en phase gazeuse était un appareil fort sophistiqué, qui pouvait déterminer quels étaient les gaz présents dans une toute petite quantité de matériel organique, et ce, simplement par combustion. Pourquoi ne pas essayer ? songea Karl. Il n'avait jamais utilisé ce genre d'appareil, mais il n'avait nul besoin d'être un génie pour en comprendre le fonctionnement.

Il mit en marche le CPG et l'ordinateur adjacent qui calculerait les résultats et afficherait un graphique sur l'écran à mesure que les gaz seraient identifiés. Il devait bien y avoir dans la pièce un livre de référence présentant les courbes caractéristiques des différents types de gaz, mais il décida de lancer d'abord le programme de l'ordinateur, question de voir quels renseignements en sortiraient. C'était son jour de chance. L'ordinateur contenait des fichiers présentant les schémas de tout ce que les tests antérieurs menés par l'appareil avaient révélé sur les échantillons de gaz. Cela signifiait qu'il pouvait brûler un peu du sang de Chloé et laisser la machine établir des recoupements avec les modèles qu'elle contenait déjà afin de déterminer ce que renfermait ce plasma. Et une fois que Karl l'aurait appris, il pourrait déterminer la présence, le cas échéant, de substances inattendues. Après tout, la science n'était en gros qu'un processus d'élimination. Quoi qu'il en soit, cela lui permettrait de s'occuper tandis qu'il laisserait le CLHP remplir sa mission, en attendant minuit, l'heure où il rétablirait le contact avec Gerlinde.

Il prit une parcelle du sang séché de Chloé, la plaça dans le réservoir étanche de la machine et y mit feu. Les gaz émis étaient à peine visibles, ce qui ne signifiait rien en soi. Il se demanda combien de temps il faudrait pour traiter tous les gaz contenus dans le sang.

Tandis qu'il patientait, il s'assit dans l'un des fauteuils trop rembourrés et ses pensées se tournèrent vers Gerlinde.

Même après tout ce temps passé à ses côtés, il la trouvait plus séduisante que n'importe quelle femme, mortelle ou immortelle. Et cela prenait tout son sens lorsqu'on savait combien, chacune à leur façon, les femmes de son espèce étaient attirantes, combien leur charme était intense : Carol possédait un érotisme langoureux, sensuel et paisible ; Jeanette dégageait un charme plus sophistiqué, presque métaphysique ; le pouvoir de séduction de Kathy puisait dans une énergie physique que l'on sentait moins chez les autres, et sa sexualité était directe et prosaïque ; Morianna, quant à elle, était comme la déesse mère, un peu distante, mais sage et rassembleuse.

Gerlinde, cependant, avait un petit quelque chose que les autres n'avaient pas. Elle possédait un esprit joueur qu'il trouvait encore follement attirant et rafraîchissant après toutes ces années. Elle était passionnée au sens charnel du terme, et pourtant incommensurablement vulnérable. Elle lui permettait de ne jamais cesser d'être lui-même en l'entourant d'une approbation tranquille et amoureuse qui lui assurait une entière liberté. Et cela l'avait toujours rendue éminemment désirable aux yeux de Karl.

Ils avaient fait l'amour juste avant son départ. Elle aimait se placer sur lui, et cela lui plaisait bien, à lui aussi. Cette position donnait à Gerlinde plus de liberté et éveillait ses sens au plus haut point ; elle lui permettait de maîtriser ses passions tout en jouissant d'une stimulation inouïe.

« Embrasse-moi, avait-elle murmuré sur un ton mélodramatique, en prenant la voix de Marlene Dietrich. Embrasse-moi fort comme si tu n'allais plus jamais m'embrasser ! »

Et il l'avait fait. Il avait attiré sa bouche vers la sienne et les lèvres de Gerlinde s'étaient ouvertes. Leurs langues s'étaient emmêlées et elle avait soupiré, haleté, gémi, elle lui avait soufflé des paroles enflammées à l'oreille en faisant aller et venir ses hanches sur les siennes.

La sensation de sa taille fine et juvénile, le mouvement de ses seins, de ses fesses, la chaleur moite de son vagin… C'étaient là des moments éternels à l'image de ce qu'il imaginait être le paradis, ou le nirvana, ou tout autre lieu dans l'univers où l'on pût atteindre une telle félicité. Là où l'esprit s'apaise et où la solitude se dissipe, là où il avait l'assurance de ne pas être seul sur terre, car pour un instant la conceptualisation cédait le pas à la réalité concrète…

Le bip d'un ordinateur le sortit de ses pensées. Le CLHP crachait déjà ses résultats. Il se leva d'un bond et regarda l'écran. Le plasma renfermait exactement ce à quoi il s'attendait : albumines, globulines, fibrinogènes, électrolytes, nutriments, différents gaz, quelques vitamines et des produits de déchet. Si le facteur inconnu devait se trouver quelque part, ce devait être dans les déchets de l'organisme. Il était environ minuit, alors il fit une pause pour tenter d'établir un nouveau contact avec Gerlinde. Elle s'était légèrement déplacée vers le nord, mais cette mince information ne justifiait pas tous les efforts qu'il avait déployés.

Les deux séances où il s'était efforcé de traquer Gerlinde à distance l'avaient épuisé. Il se sentait squelettique, sa peau lui paraissait se coller à ses os. Il savait que ce serait sans doute en vain, mais, tel un rongeur qui renifle dans tous les coins à la recherche de quelques miettes, il inspecta le laboratoire en quête de sa nourriture de prédilection. Il n'y avait pas grand-chose à se mettre sous la dent : dans ce genre d'endroit, le sang et le plasma se trouvaient sous la forme d'échantillons destinés à l'analyse. Même la salle d'autopsie ne lui réservait rien d'intéressant – là, on se contentait de laisser le sang couler vers les égouts. Une telle pensée, à ce moment précis, avait de quoi le révolter.

Il dénicha un minuscule sachet de sang. Il déchira l'emballage de plastique et avala la boisson en une gorgée. Rh négatif, à en juger par la saveur. Cela l'aiderait à peine à tenir, mais c'était mieux que rien.

Il retourna au laboratoire et vérifia le chromato-graphe en phase gazeuse. Les résultats défilaient sur l'écran de l'ordinateur. Il parvint à identifier la plupart des gaz, les plus communs étant, comme il s'y attendait, des molécules de $H^2O$, de $O_2$, etc. Puis, il découvrit quelque chose qu'il ne put reconnaître. Son travail de détective commençait.

L'ordinateur renfermait des milliers de fichiers con-tenant des graphiques. Quelle que fût cette substance, elle ne se trouvait pas habituellement dans le sang. Conséquemment, il fallait élargir le champ d'investi-gation. Tandis que le Pentium poursuivait ses recherches, Karl se tourna vers le CLHP. Quatre-vingt-dix pour cent de la lecture avait déjà été effectuée. Aucune surprise. Rien du tout. Cette machine n'identifierait pas une composante qu'on ne lui avait pas demandé de repérer. Karl lui avait demandé de fournir les taux des ingrédients connus du plasma, et c'est ce qu'elle avait fait. Tout le reste avait été classé pêle-mêle sous la rubrique « autre ». Il lui fallait savoir quelle sub-stance « autre » il cherchait s'il voulait obtenir de la machine la confirmation ou l'infirmation de la pré-sence de cet élément.

Il revint donc au CPG, et il eut alors le choc de sa vie : le plasma contenait du formaldéhyde. En très grande quantité !

Lorsque Karl revint à la maison, il informa im-médiatement André, Carol et Michel du dernier fait crucial : il avait retrouvé la trace de Gerlinde

« Il est un peu trop tôt pour s'inquiéter », dit Carol, d'une voix qui contredisait son calme apparent. La situation était telle qu'il aurait été étonnant de la trouver paisible.

« David et Kathy sont peut-être en voyage, sug-géra André.

— Gerlinde les a appelés avant son départ pour leur annoncer qu'elle arrivait cette semaine. S'ils avaient prévu être au loin, elle ne me l'a pas mentionné. »

Karl regarda avec espoir André et Carol, mais n'obtint d'eux aucune explication rassurante.

Comme pour ramener la discussion à des éléments plus terre à terre, André les informa : « Hier matin, avant que nous ne nous couchions, et ce soir encore à mon réveil, j'ai goûté un peu du sang de Chloé, celui que nous avons prélevé au Columbarium et celui qui subsistait dans son corps…

— Et ? demanda Karl

— Il est évident qu'elle a eu peur. »

Cela les laissa sans voix, mais Karl finit par enchaîner : « As-tu réussi à trouver autre chose ?

— Eh bien, d'abord, selon Michel, Chloé n'avait pas bu le soir où elle a été tuée.

— Elle attendait souvent que le soleil soit presque levé », leur rappela Carol. André, qui connaissait les habitudes de Chloé mieux que quiconque, approuva.

« J'ai trouvé Chloé dans ce sang, bien sûr – je connais son essence. Mais il n'y avait pas de nouveau sang, ce qui confirme qu'elle n'a pas bu cette nuit-là. Et pas de trace du sang d'un autre – comme tu l'avais suggéré, j'ai prélevé mes échantillons à partir des blessures à la gorge, aux coudes et derrière les genoux, là où se trouvent les marques de dents. »

Karl hocha la tête. Si un membre de leur espèce s'apprêtait à boire le sang de Chloé, il aurait choisi le chemin le plus facile, le moins alambiqué, c'est-à-dire les veines ou les artères les plus aisément accessibles.

« Il n'y avait pas grand-chose d'autre, dit André, sauf un élément que je n'arrive pas trop à définir.

— Que veux-tu dire ?

— Eh bien, il ne s'agit pas du sang d'un mortel. Ni de sang ingéré et filtré par un des nôtres. Ce n'est même pas du sang.

— As-tu la moindre idée de ce que ça pourrait être ?

— J'aimerais bien le savoir. Tout ce que je peux te dire, c'est que ça a une sorte de… personnalité.

— Personnalité ? » André, ne commence pas à faire ton David, dit Karl pour lui-même, en essayant de mettre son impatience en veilleuse. « Qu'est-ce que tu veux dire par là, André ? » Son ton lui parut plus cinglant qu'il ne l'avait souhaité, sans doute parce qu'il avait faim et que de parler de sang n'avait fait qu'attiser son appétit.

André se raidit. « Si je pouvais être plus précis, Karl, je le serais. Tout ce que je sais, c'est qu'il y a quelque chose là-dedans qui ne devrait pas y être. J'ai liquéfié plus d'échantillons que je n'en ai testés. Peut-être seras-tu plus perspicace que moi.

— D'accord, dit Karl, je vais essayer. » Puis il ajouta : « J'ai jeûné. Pour pister Gerlinde. Je suis affamé. »

André hocha la tête et se détendit. Il se leva, alla à la cuisine, et revint avec deux fioles. Il en tendit une à Karl.

Ce dernier renifla le contenu de la fiole – l'odeur du sang. Il porta le récipient à sa bouche et ne fit qu'y tremper les lèvres. Il se pourlécha. Du sang rassis : c'était ainsi qu'ils qualifiaient tout sang qui ne venait pas d'un humain bien en vie. Ce sang qui avait séché et qui avait été liquéfié était passé par un processus naturel de décomposition et une bonne partie de sa vitalité s'était perdue. Si l'on ajoutait à cela le fait qu'il s'agissait du sang que Chloé avait ingéré plus de vingt-quatre heures avant son décès, cela en faisait non seulement une source secondaire, mais une source tertiaire, et encore, vieille de quarante-huit heures…

En dépit de toutes ces réserves, la substance était pareille à un vin soigneusement vieilli pour un œnologue, à un champignon rare pour un gourmet. La richesse de cette toute petite lampée de *vita* remplit la bouche et la gorge de Karl, glissa vers son estomac et alluma un feu passionné qui brûla dans ton son corps. Un feu pour lequel il se languissait. Qui le laissait affaibli tout en lui redonnant des forces. De toutes les expériences qu'avait vécues Karl, c'était celle qui ressemblait le plus à un orgasme sexuel; cependant, contrairement à l'orgasme, le sang était toujours, toujours, toujours, toujours délectable.

L'arrière-goût seul trahit le manque de fraîcheur et lui laissa dans la bouche un relent presque désagréable. Pourtant, c'était une substance nourricière et cela avait raison de tout. Ou, du moins, tel aurait dû être le cas. Car André avait raison. Il y avait autre chose dans ce sang. Quelque chose qui n'était pas du sang ou l'un de ses dérivés. Quelque chose d'inodore. D'insipide. Et qui pourtant avait une texture, un poids.

Karl, comme tous les autres, avait eu l'occasion de s'abreuver à des personnes dont le sang contenait de l'alcool ou une drogue, légale ou non. Ce qui se trouvait dans le sang de Chloé ressemblait un peu à de la drogue, mais ce n'était rien qui lui fût familier. Et bien que cela n'eût aucun goût reconnaissable, il perçut dans cette insipidité un relent de pourriture.

Il leva les yeux vers André, qui précisa : « Celui que tu viens de goûter venait du Columbarium. » Il tendit à Karl l'autre fiole, qui contenait le sang prélevé directement sur le corps de Chloé.

Karl renifla le contenu – pas d'autre odeur que celle du sang. Et pourtant, il y avait quelque chose… une trace de quelque chose… Il porta la fiole à sa bouche et, une fois encore, ne fit que s'y mouiller les lèvres. Le même goût riche, merveilleusement complet, le même soulagement – celui d'un homme déshydraté qui boit enfin de l'eau. Ce sang lui parut avoir un goût semblable à celui de la première fiole. Le même arrière-goût, le même élément inconnu.

« C'est un additif particulier, dit André. Quelque chose comme un produit pharmaceutique, mais pas tout à fait. C'est du moins ce qu'il me semble. » André paraissait à la fois soulagé et incertain – la science n'était pas sa force.

Karl pouvait voir qu'André s'était mis à douter de lui-même. L'essence de Chloé, émotionnellement envahissante, l'avait peut-être obnubilé au point de lui faire apparaître comme un magma insondable tout ce qui se cachait entre les corpuscules.

« J'ai passé les cellules au microscope et j'ai fait quelques tests sur le plasma au laboratoire médico-légal afin d'en isoler les composants », dit Karl.

André hocha la tête.

« Je me dis que le coupable a dû boire un peu de son sang, si l'on en juge par l'emplacement des marques de dents que nous avons découvertes, là où tu as prélevé les échantillons. L'assassin a infecté ces zones et cela a dû teinter ce qui est sorti des artères de Chloé pour aller éclabousser les murs. Cela a aussi pénétré dans son système sanguin et a circulé dans tout son corps, avec son sang. En quatre minutes, tout son corps en a été imprégné. C'est le temps qu'il faut normalement pour que le sang se renouvelle. Mais il circule encore plus vite durant l'orgasme ou lorsqu'une personne est terrifiée…

— J'ai prélevé des échantillons sur plusieurs de ses blessures et à différents endroits dans le Columbarium, et j'ai goûté à chacun. Ils sont tous pareils », dit André.

Karl resta silencieux un moment, à se demander de quoi diable il pouvait bien retourner. Il considérait qu'il aurait dû déjà avoir compris comment tous les éléments s'emboîtaient les uns dans les autres, mais il n'y arrivait pas. La réponse flottait quelque part, juste au-delà de sa conscience. « Ce que j'ai découvert dans le labo, c'est que le sang de Chloé contient du formaldéhyde, dit-il aux trois autres. J'imagine que c'est ce que nous goûtons, André et moi, dans le sang. Le formaldéhyde perd son potentiel après un moment, alors nous ne pouvons le sentir dans les échantillons sanguins. Et, vraisemblablement, il ne s'agirait de toute façon que d'une trace infime.

— Mais d'où ça vient ? demanda Michel.

— Je ne vois pas comment le formaldéhyde pourrait provenir d'une créature vivante, et pourtant une partie du sang a été prélevée sur les marques de morsures. Cela provient peut-être d'un cadavre, aussi bizarre que cela puisse sembler.

— *Man*, j'avais donc raison quand je disais que les morts étaient revenus à la vie ! »

Karl ignora l'intervention de Michel. « Du moins, je vois mal comment cela pourrait émaner d'un membre de notre espèce. Nous ne devons toutefois écarter aucune hypothèse. Nous devons faire montre d'ouverture d'esprit. »

Carol, qui gardait le silence depuis un bon moment, dit d'une petite voix : « Si ce n'était pas un des nôtres, et si ce n'étaient pas des mortels, alors nous faisons peut-être face à une force à laquelle nous ne pouvons pas résister. À une force que nous sommes incapables de vaincre. »

André la regarda. Karl aussi. Il n'y avait rien à dire. Pas encore. Ils avaient tous pleinement conscience que ce qui s'était produit pour Chloé pouvait à tout moment arriver à l'un d'eux. Et si la menace était aussi grave qu'il y paraissait, ils n'étaient pas en sûreté même s'ils restaient ensemble.

# CHAPITRE 6

Les autres commencèrent à arriver tôt le lendemain soir : Julien et Jeanette, avec leurs enfants Claude et Susan, se pointèrent juste comme la maisonnée se réveillait. Morianna apparut autour de minuit et Wing sonna à la porte une demi-heure plus tard. Quelques autres, que Karl connaissait vaguement depuis la fois où ils s'étaient tous rendus à Fire Island, se présentèrent également. Bientôt, tous les fauteuils du séjour furent occupés.

Sur le répondeur, il n'y avait que le message de Julien, qui leur annonçait que sa famille et lui s'envolaient pour Montréal.

Karl laissa à André, Carol et Michel la tâche d'informer Julien des plus récents développements. Lui-même consacra le début de la soirée à pister de nouveau Gerlinde. Cette fois encore, il avait l'intention de jeûner toute la soirée afin de suivre ses déplacements. Il découvrit, à sa plus grande déception, qu'elle se trouvait toujours en Allemagne, toujours sur les bords du Rhin, mais un peu plus au nord que la veille. Ce soir, elle était dans la région de Cologne. Cela lui révéla qu'elle s'éloignait de Vienne, et il en fut alarmé.

Son souci premier était d'entrer en communication avec Gerlinde et de la voir revenir à la maison saine et sauve. Mais il ne pouvait rien faire de plus pour le moment. Sa seconde préoccupation, presque aussi urgente, était de révéler les résultats des analyses du sang de Chloé aux autres membres de la communauté. Certains avaient comme lui un intérêt pour les sciences et sauraient peut-être comment les interpréter. Il y avait tant d'avenues potentielles à explorer, tant de possibilités à envisager.

À deux heures du matin, ils étaient suffisamment nombreux pour que Karl révélât ce qu'il avait appris — il espérait en effet ne pas avoir à le répéter trop souvent. Mais les trois autres étaient en train de mettre les nouveaux venus au parfum et mieux valait que tout le monde commençât à l'écouter en disposant de la même information. Alors il attendit encore un peu. Il était important qu'ils fussent vraiment ensemble. L'énergie collective qui résulterait du choc de leurs idées l'emportait largement sur les relations de personne à personne, quoiqu'il fût conscient que la plupart des autres préféraient un contact plus personnel. La transformation avait fait d'eux, et de toute leur espèce, des étrangers. Ils mettaient du temps à s'inspirer confiance, et ce n'était jamais tout à fait gagné.

Il se sentait affamé. Carol et André firent circuler des verres de sang provenant de leurs réserves domestiques. Karl contempla le liquide cramoisi qui luisait comme le rubis. Le sang l'interpellait. Le liquide parfait, la boisson la plus savoureuse du monde connu et inconnu.

Son estomac se contractait douloureusement sous l'effet de la faim. En même temps, ses pensées étaient aussi claires que le tintement d'une cloche de cristal. Mentalement, il était tranchant comme une lame, physiquement, il était à la fine pointe de ses pouvoirs et en prise directe avec ses sens. Il se sentait également excité, comme au bord d'une importante découverte.

Il espérait que les résultats des tests qu'il s'apprêtait à révéler inspireraient quelques réponses aux questions qui se multipliaient à mesure qu'avançait la réunion entre membres de son espèce. Si seulement Gerlinde avait appelé, son excitation aurait été sans réserve.

Tandis que les trois autres poursuivaient le récit des récents événements, Karl alla téléphoner de nouveau à Manchester. David et Kathy n'avaient toujours pas pris son message. Ils se trouvaient peut-être avec Gerlinde.

Gerlinde. Il sortit du séjour et alla sur la terrasse à l'arrière de la maison. La soirée d'automne était fraîche, mais la température était plus élevée que la moyenne pour cette époque de l'année. Un bosquet s'élevait à flanc de montagne. Les feuillus avaient changé leurs couleurs et seraient bientôt dénudés. S'il avançait entre les arbres denses jusqu'au sommet du mont Royal – où les conifères, pins et cèdres, alternaient en rangs serrés avec les bouleaux – puis redescendait de l'autre côté, il parviendrait directement au cimetière. Et au Columbarium. Cet endroit où s'était produite une déchirure dans la trame de leur monde. Où Chloé avait été assassinée.

Il commençait réellement à se faire du souci pour Gerlinde. Et pour David et Kathy. Ce qui était arrivé à Chloé était peut-être un incident isolé, mais il en doutait. Aucun des autres, manifestement, ne croyait cela non plus. Il avait beau retourner la question dans tous les sens, il n'arrivait pas à trouver une bonne raison susceptible d'expliquer la présence de Gerlinde en Allemagne.

Que faisait-elle à Cologne ? Ils avaient visité cette ville ensemble. La première fois, c'était en 1960, deux ans après leur première rencontre. Ils y étaient allés en « vacances » – un petit voyage afin de vérifier s'ils pouvaient réellement se trouver ensemble dans des endroits nouveaux et bien s'entendre. Ce serait là un ingrédient nécessaire s'ils voulaient poursuivre leur route ensemble. Il songeait déjà à la transformer. Mais ils en étaient encore aux « fréquentations », comme elle disait. Amoureux. Jadis. À présent.

C'était une époque bien particulière, à Berlin. L'ère *beatnik*, selon le cliché adopté par les Américains, avait pris fin. L'ère psychédélique ne débuterait que quelques années plus tard. Les bars étaient forcés d'évoluer. Les murs noirs et les tables de café demeuraient, mais on n'y entendait plus guère ces poèmes à la Ginsberg récités au rythme du bongo. De nouveaux sons électriques révolutionnaires emplissaient l'air. Les coins sombres étaient éclairés par des projecteurs et des affiches multicolores fleurissaient sur les murs.

Il était rentré en Allemagne en 1958 après avoir habité New York. Rien n'allait plus comme avant pour lui, et c'était pareil pour André et David. Ariel ne constituait pas le véritable problème, du moins pas en ce qui le concernait – elle ne faisait que refléter la solitude et l'aliénation qu'il ressentait déjà. Retourner chez lui semblait être la meilleure idée, mais Berlin fut sa limite. Il ne consentit pas à s'approcher davantage de son village natal.

La vie nocturne à Berlin s'était révélée restreinte. Un de ses endroits fétiches était le Klub Hole, une véritable fosse située au sous-sol d'un édifice incendié durant la guerre et qui attendait toujours le pic des démolisseurs. On l'y voyait souvent et il était vite devenu un pilier de ce milieu en perpétuel mouvement. Il n'avait pas tardé pas à y rencontrer Gerlinde.

Elle était petite et mince, avec une chevelure d'un roux vif et d'immenses yeux bruns qui lui semblaient sur le point de se liquéfier. Elle n'avait guère plus de vingt ans – heureusement, lui-même projetait l'âge qu'il avait au moment de sa transformation. Ce qui s'annonçait comme une rencontre sans lendemain s'était épanoui en une relation amoureuse qui les avait rendus inséparables, du moins pendant la nuit.

Gerlinde travaillait comme vendeuse dans un magasin de matériel d'artistes. Comme elle peignait, cela l'aidait à boucler son budget et lui permettait de se concentrer sur ce qui l'attirait le plus, soit le monde des arts.

Son style personnel le fascinait. Il y voyait un reflet de son style artistique. Elle portait souvent des vêtements à la coupe fantasque, très osés, très d'avant-garde, bien qu'elle eût un faible pour le look *beat*, c'est-à-dire pour le noir intégral. Elle accentuait ses tenues en ajoutant des bijoux voyants et originaux. Mais c'était sa personnalité qui le touchait le plus.

Il n'avait jamais côtoyé une femme si naturellement enjouée. Il aimait son esprit qui voltigeait à la vitesse de la lumière, comme un papillon, effleurant cette fleur, puis cette autre, plus léger que l'air. Les mots jaillissaient de sa bouche, commentaires spirituels, remarques incisives, et il n'espérait pas même lui arriver à la cheville dans cet art. Elle lui apparaissait fraîche et pétillante, ouverte aux nouvelles expériences, vivant sa vie à cent à l'heure et tous azimuts.

Durant les deux années où ils s'étaient vus régulièrement, il prenait de son sang de temps à autre, comme si cela faisait partie de leurs jeux amoureux. Gerlinde l'appelait affectueusement « l'excentrique ». Peut-être à cause de son côté artiste, elle acceptait d'emblée ce que refusaient les gens normaux. Elle voulait tout essayer – il n'avait jamais rencontré une femelle mortelle comme elle. L'époque était à l'exploration, mais la plupart des femmes demeuraient malgré tout conventionnelles. Et les autres avaient souvent des problèmes affectifs si profonds qu'il s'en tenait éloigné afin de préserver sa propre santé mentale.

Un soir, ils avaient fait l'amour dans son quatre pièces. Les goûts étranges et fantaisistes de Gerlinde se reflétaient dans ce décor qui semblait avoir changé chaque fois qu'il y mettait les pieds.

Il était arrivé juste après le coucher du soleil. Elle était venue à la porte dans une tenue minuscule, un accoutrement dans lequel se serait reconnue une femme des cavernes : bout de tissu drapé autour de la taille, foulard noué autour de la poitrine, bandeau autour du poignet, le tout taillé dans une peau de léopard. Elle s'était frottée contre lui et la seule sensation de la fourrure l'avait stimulé. Puis, elle avait déboutonné sa chemise et, utilisant les griffes d'animal qu'elle portait en collier autour du cou, elle lui avait griffé doucement la poitrine.

Une fois dans la chambre, elle avait accroché une chaîne à la bande qu'elle portait au poignet, lui avait tendu l'autre extrémité et, à quatre pattes sur un tapis en peau d'ours, elle s'était mise à grogner. Il n'avait pas pu s'empêcher de rire devant un si charmant tableau, et il lui avait fait passionnément l'amour.

Plus tard cette nuit-là, ils s'étaient rendus au Klub Hole et avaient assisté au spectacle d'un groupe britannique appelé les Rolling Stones. Karl avait déjà vu ce groupe – ils aimaient jouer dans les petites salles afin de garder le contact avec le public. Il avait le sentiment qu'ils étaient sur le point de percer.

À l'entracte, Gerlinde s'était penchée vers lui et avait murmuré : « Comme j'aimerais que ça dure toujours ! »

Il était si pris par la magie du moment qu'il lui avait alors dit : « Peut-être est-ce possible.

— Comment ?

— Le sang.

— OK, *Nosferatu*. Prends-moi, je suis à toi. »

Elle l'appelait *Nosferatu* depuis qu'il s'était mis à boire de son sang. Bien sûr, elle ne le croyait pas vraiment vampire. Pourquoi aurait-elle pensé une chose pareille ? La réalité était par trop insolite, et il se sentait de ce fait protégé.

Cependant, il ne voulait plus désormais se protéger. Au contraire, il désirait exposer son âme devant cette femme. Il était si épris d'elle – non, pas *épris*, il en était devenu éperdument amoureux. Que l'âge, le temps pussent la lui arracher… il n'arrivait pas à supporter cette pensée.

« Je peux te prendre si tu le souhaites », avait-il dit. Et il paraissait si sérieux que Gerlinde, d'ordinaire si animée, était devenue aussi immobile qu'un lézard. Elle avait plongé ses yeux dans les siens, comme si elle y cherchait quelque chose.

« Tu ne plaisantes pas, n'est-ce pas ?

— Non. »

Elle était restée là à le fixer.

« Je suis *der Vampir*. Pas comme dans les films ni comme dans les livres. Je suis comme un être humain, et pourtant je n'en suis pas un. J'ai besoin de sang pour survivre et je ne peux me mouvoir que dans le noir.

— T'as… t'as bu de mon sang. Est-ce que je vais devenir comme toi ?

— Non. À moins que tu ne boives le mien. Ce que j'ai pris de toi, c'était très peu. Je n'ai pas bu de ton sang pour survivre, mais pour accentuer et prolonger le plaisir lorsque nous faisions l'amour. »

Elle s'était calée dans son fauteuil, ébahie. Le groupe était réapparu pour la deuxième partie et ils l'avaient écouté jouer, mais il savait qu'elle était aussi préoccupée que lui.

À la fin du spectacle, Gerlinde semblait bouleversée. Elle voulait rentrer. Seule. Et il l'avait laissée partir.

Durant les semaines suivantes, ils avaient vécu l'enfer, renouant et se séparant un nombre incalculable de fois. Entre savoir ce qu'il était et accepter cette réalité, il y avait une distance à franchir. Et elle avait du mal à se faire à l'idée que son amant était non-mort.

Deux semaines plus tard, ils s'étaient retrouvés de nouveau au Klub Hole. Elle avait mis fin à leur relation deux nuits auparavant et, cette fois, Karl craignait que ce ne fût terminé pour de bon. Il était sur le point d'admettre qu'elle ne serait jamais à lui, et cela signifiait qu'il allait devoir bientôt quitter Berlin. Il ne supportait pas l'idée de la revoir en sachant qu'elle aurait pu être sienne mais ne le serait jamais. Il n'avait jamais eu de penchant pour l'expérimentation. Il était par nature monogame et il avait besoin d'une relation stable pour préserver son équilibre. À présent qu'il avait trouvé une femme avec laquelle il avait envie d'être, il savait que ce serait l'enfer s'il en était privé. Rester ne rendrait les choses que plus pénibles.

Ils s'étaient aperçus dans la foule. Elle s'était approchée de lui. « Et si on discutait ? »

Ils s'étaient assis dans une petite alcôve, un recoin sombre et relativement tranquille, compte tenu du vacarme environnant. « D'accord, avait-elle dit.

— D'accord quoi ?

— Fais-le. Je veux être avec toi. »

Il s'était dégagé, prudent. « Il y a certaines choses que tu dois savoir afin de prendre une décision éclairée.

— Comme quoi ?

— Les inconvénients. Pas de famille, pas d'amis. Un monde d'obscurité. Le sang sera ta seule pitance.

— Y a des avantages ou c'est l'enfer sur terre ? » Il avait esquissé un sourire – elle avait le don de tout illuminer, c'était cela qui lui plaisait tant chez elle.

« Eh bien, il y a les perceptions exacerbées, la force qui augmente. Je me plais à penser que ces choses l'emportent sur ce que j'ai perdu.

— Est-ce que c'est réversible ?

— Non.

— Et que fais-tu de la technique du pieu dans le cœur ? Ça m'apparaît comme une façon pas jolie du tout de tirer sa révérence.

— Euh, je n'en suis pas complètement sûr, mais je suppose que c'est le genre de choses qui pourrait nous tuer. Mais ça te tuerait aussi telle que tu es là.

— Ouais, mais il n'y a personne qui me court après avec un pieu. Et toi ?

— Il n'y a personne qui me court après tout court, du moins pas que je sache.

— Quel soulagement ! Bon, j'imagine que le soleil ne te fait pas trop de bien. Et avec un peu de Coppertone ? »

Il avait secoué la tête.

« Et qu'est-ce qu'on fait de l'ail et des croix…

— Rappelle-toi, je suis entré dans une église avec toi, tu m'as vu de tes propres yeux.

— Ouais, j'avais oublié ça. Pas que j'aille souvent à l'église moi-même, mais c'est toujours rassurant de savoir qu'on en a la possibilité. Surtout si un individu armé d'un pieu te court après.

— L'ail et les autres trucs, tout ça, c'est de la mythologie. En gros, le plus important, c'est la nuit et le sang. Ça, ça veut dire que nous ne menons pas une vie normale.

— Bof, je ne suis pas vraiment normale en ce moment non plus. Mais ça ne va pas me rendre cinglée, non ? Je veux dire, je ne vais pas vouloir déménager en banlieue et avoir des enfants ou un autre truc du genre ?

— C'est possible. J'ignore comment tu vas réagir. Je n'ai jamais créé personne avant toi.

— T'es sûr que tu peux faire ça comme il faut ? Je veux dire, je ne vais pas me retrouver comme une sorte de goule ou une autre créature qui erre dans les cimetières et les dépotoirs ?

— J'espère que non.

— Mais je peux me réveiller morte.

— Je ne crois pas que ça risque d'arriver.

— Ce n'est pas "satisfaction garantie ou argent remis" ? »

Il n'avait pas répondu.

« Bon, OK, allons-y. Qui ne risque rien n'a rien. Des fois, c'est plutôt "qui risque tout n'a rien du tout" ! Mais laissons faire les pensées négatives… Où sont les livres de Normal Vincent Peal[5] quand on en a besoin ? »

Il avait encore des doutes, bien sûr. Et s'il n'arrivait pas à accomplir la chose ? André s'y était essayé. Et avait échoué. Mais là n'était pas le problème, pas vraiment. Ce qui l'inquiétait, c'était que rien ne fût plus jamais pareil. Gerlinde et lui risquaient de ne plus être aussi proches, ou de s'en trouver *incapables*. Ils deviendraient peut-être des rivaux – on disait que cela arrivait, parfois. Et avec ses pouvoirs de séduction tout neufs, elle déciderait peut-être que la vie était sans saveur avec Karl pour seul amant, même si elle niait catégoriquement qu'elle pût un jour éprouver un tel sentiment.

Il avait essayé de lui parler honnêtement de toutes les implications, en insistant surtout sur une chose : pour chaque transformation réussie dont il avait entendu parler, il y avait au moins une tentative avortée.

« Écoute, avait-elle soupiré, exaspérée. Nous pouvons nous recroqueviller l'un contre l'autre, nous ronger les ongles jusqu'au sang, nous crêper le chignon,

---

5    NDT : Pasteur états-unien (1898-1993) célèbre pour avoir professé la pensée positive.

mais quel intérêt ? Je crois que nous devrions partir en vacances tous les deux, juste pour voir si nous parvenons à être bien ensemble dans de nouveaux endroits. Hé, j'ai toujours rêvé de voir l'immense cathédrale de Cologne. Tu veux qu'on y aille ? »

Ils étaient arrivés à Cologne tard dans la soirée. Le lendemain, en plein jour, elle s'était rendue seule à la cathédrale. Il l'avait rejointe peu après le coucher du soleil.

L'histoire de l'évêché de Cologne remontait au IVᵉ siècle, bien que l'extérieur n'eût pas été conçu avant 1020 et que la construction comme telle n'eût débuté qu'en 1248. Il avait fallu six siècles pour terminer ce chef-d'œuvre gothique. Karl avait déjà vu la cathédrale auparavant, mais avec Gerlinde à ses côtés, il regarda l'immense structure sous un jour nouveau. Il la voyait non seulement de ses propres yeux, mais par ceux de Gerlinde – un point de vue plus artistique complétant à merveille sa vision pragmatique et scientifique.

Ils étaient restés plantés devant les énormes portes, les yeux levés vers les deux plus hautes tours en pierre grise, dont les flèches perçaient le ciel. En silence, elle avait pris sa main froide dans la chaleur de la sienne et il s'était tourné pour la regarder de profil. Elle était belle à couper le souffle. « Je le veux », avait-elle dit, le regard limpide. Elle paraissait lucide. « Je veux être comme toi, Karl, et je veux être à toi. »

L'image de son visage à ce moment-là se joindrait à une autre qu'il allait capter tard dans la soirée, quand la transformation serait achevée, pour rester gravée dans sa mémoire à jamais.

Elle était alors encore humaine, mais les marques sur sa gorge révélaient qu'elle lui appartenait. À la vue de Gerlinde si consentante et vulnérable, de son profil pétillant de jeunesse devant la majesté de l'édifice, de son admiration émerveillée face au pouvoir que celui-ci représentait, Karl s'était senti comme un prédateur venu charmer l'agneau pour l'emmener à l'abattoir. Il n'avait encore jamais transformé personne. Le processus le rendait nerveux. Ses doutes l'avaient fréquemment écarté d'elle, mais son désir l'avait chaque fois ramené. Cette nuit-là, le désir avait dominé.

Ils avaient choisi un petit hôtel non loin de la cathédrale, dans cette rue ornée de chérubins en bronze à l'allure étrange. Leur chambre donnait sur le Rhin.

« Es-tu confortablement installée ? avait-il demandé.

— Bien sûr. Je suis toujours bien avec toi. »

Elle lui avait souri depuis le lit, confiante, avec ses courts cheveux roux bordant son délicieux visage expressif. Cela avait suffi à enflammer ses passions.

Il lui avait fait l'amour comme s'il s'était agi de leur « nuit de noces », comme elle disait. Elle n'avait jamais été aussi attentive à lui, physiquement et émotionnellement, de tout son être. Au moment de la pénétration, il avait enfoncé ses dents dans sa gorge, rouvrant les blessures qu'il lui avait infligées au cours des deux dernières années, chaque fois qu'il buvait à sa source.

Son corps s'était soulevé pour se plaquer au sien en frémissant. Il l'avait agrippée et serrée très fort contre lui. « Oh, je t'aime tant ! » avait-elle gémi.

Il existait différentes façons de prendre le sang de quelqu'un. Il aurait pu opérer rapidement, mais il avait décidé de savourer ce moment en procédant avec lenteur, comme elle le lui avait demandé. C'était une artiste, constamment à la recherche de nouvelles sensations. Il ne voulait pas la priver de ce plaisir.

Sa propre transformation avait été tellement abrupte – il n'aurait donc su dire si le processus comportait des gratifications. Karl n'avait eu conscience que d'une obscurité fondant sur lui, d'une douleur vive et absolue, d'une agonie et d'un retour de sa conscience, et du sentiment d'avoir été brutalisé – tout cela en moins de deux minutes.

La nuit où il avait rendu Gerlinde pareille à lui, il lui avait offert son poignet pour s'abreuver. En alternance, il l'avait nourrie de sang, il s'était nourri à elle, lentement. Le plaisir et la douleur orgasmiques avaient duré toute la nuit. Le processus était si lent que le corps de Gerlinde avait déjà commencé à produire des lymphocytes en grand nombre afin de combattre la présence étrangère. Pas une seule fois elle ne s'était plainte ou n'avait voulu reculer. Il en avait été ébahi.

Durant tout ce temps, elle était plus solide que la cathédrale de Cologne, s'en tenant fermement à son vœu de demeurer auprès de lui, d'être comme lui, de l'aimer toujours, comme ils avaient coutume de se le dire dans l'effervescence de leurs amours naissantes. Et à un certain moment, quand la volonté de Karl avait vacillé, Gerlinde, avec sa sensibilité, avait perçu son hésitation. Elle l'avait regardé d'un air tendre et amoureux et lui avait dit : « Tu sais la cathédrale que nous avons vue tout à l'heure ? Il a fallu plusieurs siècles pour la parfaire. Les choses ne peuvent qu'embellir avec le temps. »

Dire « pour toujours », l'expérience le lui avait montré, c'était user un peu cavalièrement de la notion de temps. Ils en étaient venus tous deux à le constater. Pourtant, les décennies qui avaient passé n'avaient altéré en rien l'affection qu'ils éprouvaient l'un pour l'autre. Il y avait eu quelques moments difficiles, mais ils étaient encore amoureux et attirés l'un par l'autre. Cela, plus que tout, le stupéfiait.

Karl savait que sa forte personnalité et la précision mathématique de son processus mental auraient effarouché la plupart des femmes. Et voilà qu'était arrivée Gerlinde, son pôle opposé. Peut-être justement parce qu'ils s'équilibraient comme les charges négative et positive de la matière, leur lien restait solide. Artiste, elle concevait le monde en images, en ombre et en lumière, en couleur et en contrastes, en formes et en textures... toutes choses très différentes de la façon dont il voyait le monde. Il n'avait jamais même remarqué ce qu'elle voyait. Il percevait plutôt les éléments en fonction de leur combinaison, de leur composition, de leur structure. Il avait été le premier étonné de constater que sa gravité, son inclination pour la raison pure n'étaient jamais diluées par le caractère fantasque de Gerlinde mais enrichies par celui-ci. Elle lui permettait en quelque sorte de séparer le bon grain de l'ivraie et donnait un sens plus profond à son existence.

Cette nuit-là, à Cologne, avant la transformation, tandis qu'ils contemplaient l'immense structure devant laquelle ils se sentaient si humbles, Karl avait pleinement saisi ce que signifiait l'union des contraires – la réflexion et l'intuition, le ciel et l'enfer... Il avait compris qu'ils devaient nécessairement s'unir pour donner naissance à un élément entièrement neuf. Un élément stable qui donnerait un coup de pouce à l'évolution.

Gerlinde avait remarqué doucement: «C'est comme si nous n'étions que des abeilles. Si occupés à faire du miel dans nos petites ruches, en pensant que le monde s'arrête là, que nous perdons de vue l'ensemble du tableau. Nous sommes si minuscules dans l'univers. Nous pourrions nous faire écraser à n'importe quel moment.

— Du moins, s'il existait un être capable de nous écraser», avait nuancé Karl, touché par sa vulnérabilité. C'était l'une des rares fois où il l'avait vue si songeuse.

Soudain, elle s'était tournée vers lui et lui avait souri de ce sourire espiègle qui faisait briller ses yeux comme des diamants mordorés et retroussait ses lèvres déjà rieuses. Son expression produisait l'effet de la lumière filtrant à travers le verre et, en l'observant, Karl avait pu saisir le sens du mot « âme ».

« Parfois, avait-elle lancé en riant, le divin a un sens de l'humour bien macabre. Cette église pourrait s'effondrer sur nous sur-le-champ. Une petite farce concoctée par Dieu. »

Juste avant l'aube, alors que le processus était pratiquement terminé, il avait bu tout le reste de son sang. Il avait été bouleversé en la voyant immobile, froide et sans vie. Plus qu'il ne s'y était attendu. Il s'était rappelé sa blague au sujet de la « petite farce concoctée par Dieu » et la terreur l'avait pris à la gorge.

Il aurait dû attendre qu'elle commençât à revivre d'elle-même, mais il avait été incapable de patienter plus longtemps. Le soir suivant, il l'avait ramenée à elle en bon vieux *nosferatu* qu'il était. L'appelant pour qu'elle entrât dans sa nouvelle vie. Quand elle avait ouvert les yeux, un immense soulagement avait inondé Karl, humectant le coin de ses paupières de larmes rosées. Il avait su alors que « pour toujours » était l'expression juste. Ils seraient ensemble pour toujours.

Ils avaient visité Cologne une seconde fois, en une seule nuit, alors qu'ils se rendaient à Bonn, plus au nord. Michel était alors bébé et ils venaient de fuir la maison de Bordeaux afin de le protéger. Durant ce voyage, Gerlinde avait trouvé une carte postale représentant la cathédrale qui s'érigeait parmi les décombres laissés par les bombardements vers la fin de la Deuxième Guerre mondiale. Elle adorait cette carte postale qui montrait la cathédrale et les environs ; tous les édifices avaient été détruits sauf le lieu saint. Elle l'avait fixée au mur ouest de son studio, où elle avait élaboré un collage. La carte postale en noir et blanc trônait au milieu de sa création.

Karl devait découvrir plus tard que les Alliés avaient ordre de laisser la cathédrale intacte, si possible – l'église était reconnue mondialement et constituait un chef-d'œuvre architectural. Il s'était demandé si on avait donné des consignes similaires afin d'épargner les temples les plus anciens lorsque le Japon avait été bombardé. Bien sûr, ces deux guerres faisaient maintenant partie d'une autre époque. Il lui arrivait néanmoins de songer aux quelques autres guerres qui avaient eu lieu depuis, à la destruction massive et anonyme que les êtres humains en étaient venus à considérer comme naturelle. « Des bombes intelligentes larguées par des imbéciles. » C'est en ces mots que Gerlinde avait un soir résumé les choses.

Hormis la cathédrale, Gerlinde n'aimait pas beaucoup Cologne. En fait, elle n'aimait pas l'Allemagne en général, quoiqu'elle y fût née, tout comme Karl. Les cinq années pendant lesquelles ils s'étaient terrés à Bonn ne l'avaient pas laissée à proprement parler déprimée, mais une chose était sûre : son âme enjouée s'était quelque peu éteinte. Michel était la seule source de lumière pour eux tous. L'être remarquable qui donnait espoir à chacun et représentait une chance inespérée. Le jeune garçon avait pu compter sur tant de parents attentionnés, et personne ne l'aimait plus que Gerlinde. Elle le traitait comme s'il était né de son sein.

Karl luttait pour conserver son calme. Gerlinde n'avait aucune raison de se trouver en Allemagne.

Il descendit au rez-de-chaussée où l'on ressassait les derniers événements, en reposant constamment à Michel les mêmes questions. On lui demandait notamment comment il se faisait qu'il n'avait pas senti l'odeur du sang dans le Columbarium. L'odeur prégnante du liquide d'embaumement semblait être en cause.

Karl s'installa près de Morianna et dit : « Gerlinde n'a toujours pas communiqué avec nous. Elle n'a pas laissé de message chez Julien non plus – je viens de lui demander d'appeler son répondeur pour vérifier.

« Les choses, telles qu'elles se présentent, n'ont pas de quoi me rassurer complètement, dit Morianna. Cependant, il se peut qu'il y ait une explication rationnelle. De plus, le fait que David et Kathy ne soient pas à Manchester donne à croire que tous trois voyagent ensemble. »

Il savait qu'elle s'efforçait de le rassurer et il lui en fut reconnaissant.

« Nous attendons encore des nouvelles de quelques-uns d'entre nous », ajouta Morianna. Cette créature éblouissante diffusait la sagesse des temps anciens. Un savoir profond se lisait dans ses yeux violets en amande, dans son port altier qui commandait le respect. Elle paraissait eurasienne, mais le mystère de ses origines demeurait entier ; Karl n'espérait même jamais connaître son histoire. Comme les autres fois qu'il l'avait vue, Morianna portait plusieurs couches de vêtements dont elle enveloppait son corps délicat. Un jour, Gerlinde avait dit d'elle : « C'est la femme la plus femme que j'aie rencontrée. Et dire que c'est une buveuse de sang ! » Julien était peut-être l'aîné de ce groupe, mais Morianna le suivait de près.

Il en allait de même pour Wing, qui avait un jour dit à Karl qu'il existait depuis trois siècles. Wing venait d'une époque où la Chine était un monde impénétrable. Aujourd'hui, ce n'était évidemment plus le cas, surtout depuis que le « village global » décrit par McLuhan s'était concrétisé par le biais des médias. Il y avait d'abord eu l'explosion des communications et des télécommunications, puis celle de la Chine elle-même – par la voie de Hong Kong. Ce pays refermé sur lui-même depuis des millénaires était devenu une nation ouverte aux échanges avec le reste du monde. Wing, naturellement réservé, vivait difficilement ces changements et ne les acceptait pas aisément. Par son apparence et sa manière de se vêtir, il reproduisait l'image ancienne de l'Oriental – petit, trapu, presque chauve, les yeux noirs et si intenses qu'ils en étaient impénétrables. Il gardait ses pensées pour lui-même et on devait faire un effort pour le saisir.

En fait, tous les anciens étaient difficiles à aborder. Ils avaient par moments tendance à devenir inertes, tels des lézards, surtout lorsqu'il s'agissait de prendre des décisions. Leurs traits semblaient alors s'aplanir, à un point tel qu'on eût presque dit des images gravées dans le roc. Ils ressemblaient à des œuvres d'art, sans action propre ni réaction. Mais lorsqu'ils finissaient par bouger ou parler, ils exigeaient l'attention.

Morianna les informa qu'elle, Julien et Wing avaient tenté de communiquer avec certains des leurs sans succès. «Il y en a quatre qui manquent encore à l'appel, dont Kaellie.»

Une autre ancienne. Cette nouvelle rendit Karl mal à l'aise. «Gertig n'a pas été capable d'entrer en contact avec elle non plus. Comme vous le savez, elle n'est pas facile à localiser. Personne ici n'a partagé son sang, seulement Gertig. Il l'a repérée à distance et à présent il se rend dans un endroit qu'ils sont les seuls à connaître. Avant l'aube, nous l'espérons, nous aurons de leurs nouvelles.

— Il y a aussi David et Kathy. Et Gerlinde, lui rappela Karl. En tout, sept manquent à l'appel.»

Le regard de Morianna le fit taire. Il savait qu'elle comprenait ses angoisses. «Parle-nous encore des efforts que tu as faits pour la retrouver», dit-elle pour le bénéfice des nouveaux venus.

Karl venait de commencer le bilan de ses appels en Europe et de ses tentatives de pister Gerlinde, en espérant passer ensuite aux résultats des analyses sanguines, quand on sonna à la porte. Carol alla répondre et revint quelques instants plus tard, suivie de David et de Kathy.

Karl, soulagé, se précipita vers eux pour les serrer dans ses bras. André, Carol et Michel partageaient son soulagement et ils furent bientôt tous réunis dans l'entrée du séjour. Karl les bombarda de questions.

David expliqua : « Nous avons pris tes messages ce soir. Nous étions déjà en route de toute façon, comme tu le vois.

— En route pour venir ici ? s'étonna Karl. Comment saviez-vous qu'il fallait que vous veniez ? »

David et Kathy marquèrent un silence, échangèrent des regards, puis Kathy clarifia : « Eh bien, Gerlinde nous a dit de venir ici. Elle a dit que vous nous attendiez.

— Quand avez-vous vu Gerlinde ? demanda anxieusement Karl.

— Nous ne l'avons pas vue, répondit David, mais elle nous a téléphoné… quoi… Il y a trois jours ? » Il chercha une confirmation du côté de Kathy, qui hocha la tête.

« C'est le soir de son départ, dit Karl. La nuit où Chloé est morte.

— Quoi ?!! » hurla David. « Chloé est morte ? » haleta Kathy.

David se tourna vers André, qui tenait assez bien la route jusque-là. Soudain, comme Karl l'avait prévu, André s'effondra.

Une débandade générale s'ensuivit. David, Carol et Michel consolaient André qui pleurait sans pouvoir s'arrêter. André perdait rarement la maîtrise de lui-même. Ils se connaissaient depuis plusieurs décennies, et c'était peut-être la troisième fois seulement que Karl le voyait manifester des émotions qui révélaient sa

vulnérabilité. Sa force résidait dans la colère, mais
c'était là aussi sa faiblesse. Sous la rage se tapissaient
des émotions qui faisaient de lui un des membres sans
doute les plus vulnérables de leur espèce. Comme
plusieurs des autres, André, à sa manière, demeurait
une énigme.

La confusion monta d'un cran dans la pièce, tout
le monde allait et venait en parlant et en gesticulant,
André étant l'objet de toute cette agitation. Kathy,
cependant, s'approcha de Karl pour lui parler discrètement : « On savait pas, pour Chloé, dit-elle d'une
voix tremblante. C'est affreux. Chloé était si gentille.
Je l'ai pas bien connue, mais elle me rappelait une
femme que j'ai connue à New York, Mae. J'aimais
vraiment Chloé. Comment elle est morte ? »

— Je vais te le dire dans quelques minutes », lui
répondit Karl, au comble de la frustration. Il avait
besoin de réponses, et il les voulait maintenant. « Parle-
moi d'abord de ta conversation avec Gerlinde. Il faut
absolument que je sache ce qui s'est dit. Est-ce que
c'est toi qui lui as parlé ou David ?

— Nous deux.

— Étiez-vous à Manchester ?

— Ouais.

— Est-ce que Gerlinde a dit d'où elle appelait ?

— Euh… je sais pas. Mais j'imagine que j'ai compris qu'elle téléphonait d'ici. Elle a dit qu'elle partait
cette nuit-là pour aller chez Julien.

— Est-ce qu'elle t'a dit autre chose ?

— C'est à peu près tout. Elle a dit qu'elle viendrait
probablement pas à Manchester – elle en avait envie,
mais elle pensait pas avoir le temps. Elle était pressée.
Elle était déçue de pas pouvoir venir nous voir. Ensuite, elle a parlé à David et elle lui a dit qu'il fallait
qu'on vienne ici. »

André était assis dans un fauteuil, le visage entre les mains, et il sanglotait. Michel et Carol l'entouraient et Morianna se tenait derrière lui, une main posée sur sa tête. Karl constata que David semblait désœuvré et il s'approcha de lui. Bien qu'il fût sonné par la nouvelle qu'il venait d'apprendre, son ami compléta le récit de Kathy.

« Elle nous a dit qu'il fallait que nous soyons ici ce soir. Elle a dit que c'était important, mais qu'elle ne pouvait pas m'expliquer pourquoi, et qu'il ne fallait pas que nous entrions en communication avec toi, sous peine de ruiner l'effet de surprise.

— Tu n'as pas trouvé ça bizarre ? demanda Karl.

— Oui et non. Gerlinde est parfois espiègle et je suppose que je m'attendais à un genre de surprise-partie. Ta fête. Ou un anniversaire. Un truc du genre. Mais, non, je ne me suis pas inquiété outre mesure. »

C'était du Gerlinde tout craché et, en même temps, cela ne lui ressemblait pas. Karl se rappela soudain un certain anniversaire, *leur* anniversaire, célébrant le jour où il avait entraîné Gerlinde dans cette vie. « Pendant que tu lui parlais, est-ce qu'elle te semblait fébrile, tendue ?

— Non, pas vraiment. Elle avait sa voix habituelle. Pourquoi ?

— Il lui est rien arrivé, hein ? » demanda Kathy, alarmée. Elle et Gerlinde avaient à peu près le même âge, du moins lorsqu'elles avaient cessé d'être des mortelles – Gerlinde, cependant, était sur Terre depuis près d'un demi-siècle alors que la transformation de Kathy ne remontait qu'à quelques années. L'esprit extrêmement léger de Gerlinde s'accordait bien avec l'agressivité spontanée que Kathy avait développée dans les rues de New York. Toutes deux étaient rapidement devenues très proches. « Amies pour la vie », plaisantait souvent Gerlinde.

« Je ne sais pas, Kathy, admit Karl. Tout ce que je peux te dire, c'est que j'ignore pourquoi elle vous a demandé de venir ici. Et elle n'est pas allée chez Julien. J'ai retrouvé sa trace en Allemagne.

— En Allemagne ? s'exclama David.

— Oui, et je n'y comprends rien. Pas plus qu'à l'appel qu'elle vous a fait.

— J'ai bien peur de comprendre, moi », interrompit Wing. Karl se retourna et aperçut Wing et Morianna debout derrière lui, telles deux immenses gargouilles gardiennes des secrets du passé. Des secrets qu'elles avaient glanés en rôdant autour des vivants et des non-morts et en étudiant leurs moindres gestes. Des secrets qu'elles étaient libres de révéler. Et s'il était possible d'interpréter l'expression qui se peignait sur leurs visages, Karl jugeait que leur mine ne présageait rien de bon.

Morianna dit d'une voix qui imposa à tous le silence : « Mieux vaut faire corps afin de partager l'information dont chacun dispose. »

Ils commencèrent à se rasseoir dans les canapés et les fauteuils de style classique et sur le tapis oriental qui couvrait le sol, devant la grande table basse au centre de laquelle était posée une sculpture noire représentant une sirène et un dauphin. Graduellement se tissa entre eux le genre de lien qui unit les membres d'une communauté affligée. Karl avait déjà participé à des funérailles dans sa jeunesse de mortel. Ses souvenirs de ce genre de séances le rapprochaient davantage de Michel, de Claude et de Susan que des « adultes » présents dans cette pièce remplie de créatures sans âge. Sa relation étroite et durable avec Chloé, une femme qu'il connaissait depuis près d'un demi-siècle – depuis, en fait, que David, André et lui s'étaient rencontrés – était ce qui lui avait fait considérer cette maison comme son foyer.

Chloé était une femme à l'esprit aimable et généreux. Présence attentive possédant la sagesse de la nature, elle avait toujours été là lorsque lui ou ses amis avaient eu besoin d'elle. Elle avait joué un rôle-clé dans le lien qui s'était établi entre eux et qui avait fait d'eux autre chose que des prédateurs convoitant la nourriture de l'autre et guettant d'instinct le moment propice pour affaiblir, blesser et trahir. Elle avait été un modèle, la première à les aider à concilier leurs instincts les plus élevés avec leurs impulsions les plus primaires, la première à donner à tout cela un sens qui rendait possible la communauté, chose qui leur faisait cruellement défaut, tout en préservant leur autonomie. Elle leur avait ouvert une voie qui semblait leur être interdite depuis leur transformation.

Même s'il pouvait apprécier les réalisations extraordinaires de cette délicieuse femelle de leur espèce, Karl avait conscience de l'avoir à peine connue. Chloé n'était guère plus ancienne que lui dans cette vie. Et même si elle devait être déjà âgée au moment de sa transformation, elle avait apporté avec elle dans sa nouvelle vie plus encore que son âge mortel. Quelque chose en elle la faisait ressembler aux plus anciens. Elle ne possédait pas encore leurs pouvoirs, et pourtant elle n'était pas aussi *jeune* que les autres, Karl y compris.

« Nous sommes réunis pour partager un moment d'une grande tristesse, dit Morianna. Et tout à la fois, nous devons surmonter notre abattement, car nous sommes tous en danger. » Elle n'avait pas besoin d'en dire plus. Chacun comprenait les ramifications du crime.

« Avant que nous ne nous attaquions au problème, nous devons une fois encore passer en revue ce qui s'est produit jusqu'à ce soir. De cette manière, nous bénéficierons d'une force collective issue de notre savoir.

« — Et seul le savoir assurera notre salut », ajouta Julien.

Wing précisa : « Si le salut est possible. » Cela les laissa tous songeurs, à se demander à quoi pouvaient bien penser les anciens – ce qui, à n'en pas douter, serait révélé en temps et lieu.

On avait mis David et Kathy au courant. Ils présentèrent à leur tour l'information dont ils disposaient, c'est-à-dire ce qu'ils avaient déjà raconté à Karl.

Puis, enfin, Karl eut l'occasion d'exposer ce qu'il savait. Il expliqua qu'il avait suivi Gerlinde à distance et souligna combien elle détestait l'Allemagne. Il parla ensuite des analyses menées sur le sang de Chloé. « J'ai réussi à isoler l'élément étranger présent dans le sang de Chloé. La résolution de ce mystère contribue à soulever toute une série de nouvelles questions. Il s'agit d'un liquide dont on se sert pour l'embaumement.

— Tu as trouvé… du liquide d'embaumement ? Dans les échantillons sanguins ? s'étonna Jeanette.

— Oui. En tant qu'éléments traces, tu comprends.

— Veux-tu dire du formaldéhyde ? demanda David.

— Oui, en gros.

— Mais le formaldéhyde est un gaz, non ? Est-ce que cela a pu pénétrer dans son corps sous forme de vapeurs ?

— Le formaldéhyde est un gaz, mais dans ce cas-ci il était sous forme liquide, et c'était plus que du formaldéhyde : c'était du liquide d'embaumement.

— Laisse-moi voir si j'ai bien compris, Karl, si tu veux bien, dit Jeanette. Tu es en train de nous dire que tu as trouvé des traces de liquide d'embaumement dans le sang de Chloé ?

— Oui.

— Et en quoi ce liquide consiste-t-il exactement ?

— On appelle officiellement "formol" le liquide qui est injecté dans les veines d'un cadavre en même temps que l'on pompe le sang vers l'extérieur. Ce liquide est composé à trente ou quarante pour cent de formaldéhyde pur, plus environ quarante pour cent d'alcool de méthyle – une autre forme du formaldéhyde. Le reste est constitué d'eau, de colorants, de stabilisants et, parfois, on ajoute des parfums à cause de l'odeur envahissante du formaldéhyde.»

Il y eut un bref silence, puis Julien demanda : «Est-ce que tu as une hypothèse sur la façon dont le fluide s'est mélangé à son sang ?»

Karl y avait un peu réfléchi. «Une des possibilités serait que Chloé ait été en train de... d'interagir avec un ou plusieurs des corps du Columbarium.

— Interagir ? répéta André.

— Michel a bien dit que l'odeur était intense lorsqu'il est entré dans le Columbarium.

— D'accord, mais lorsque nous avons pénétré dans le Columbarium la nuit suivante, nous avons été submergés par l'odeur de sang d'abord, et ensuite seulement nous avons senti le formaldéhyde, lui rappela André.

— Le formaldéhyde a une odeur puissante, mais il se dissipe rapidement lorsqu'il est exposé à l'air. Vingt-quatre heures auraient suffi pour qu'une bonne partie de l'odeur se soit évaporée.»

Karl perçut le malaise qui régnait dans la pièce. Il avait peur d'exprimer ce qu'il avait véritablement en tête, mais Julien le dit pour lui.

«Tu as l'impression que Chloé, pour une raison ou une autre, a ouvert une ou plusieurs tombes – et a peut-être trouvé un corps tout frais, récemment inhumé – et a... consommé le liquide ?

— Pas consommé, non. Le fluide est entré directement dans ses veines, tandis qu'elle se vidait de son sang. Comme tu le sais, d'ordinaire nous absorbons le sang comme les mortels consomment la nourriture,

par l'estomac. Mais chez nous, il n'y a pas de processus de digestion complexe et le sang passe dans nos
veines très rapidement, en dix minutes. Il n'y avait
pas de sang dans son estomac – j'ai vérifié. On dirait
plutôt que… que…

— Continue.

— Je sais que cela semble impossible et je ne suis
pas en train d'affirmer que c'est ce qui s'est réellement passé. Je décris seulement les choses telles
qu'elles m'apparaissent. »

Personne ne dit mot durant un moment. Karl se
sentait un peu mal à l'aise et décida de reprendre les
choses une à une et dans l'ordre.

« Laissez-moi vous expliquer. Je crois que nous
pouvons présumer qu'une veine ou une artère s'est
rompue. À mon avis, compte tenu de la quantité de
sang que nous avons retrouvée au plafond, il s'agit
plutôt d'une artère – comme vous le savez tous, il a
fallu que le sang gicle des vaisseaux sanguins, et
seule la rupture d'une artère a pu faire cela…

— Nous le savons en effet, mais elle n'avait pas
bu », lui rappela André d'une voix tendue. Il devinait
où Karl voulait en venir.

« Mais elle avait bu la nuit précédente et elle devait
avoir suffisamment de sang dans son corps pour saigner
à ce point. Il faut considérer qu'elle a probablement
eu peur. Le sang qui circulait dans son corps a été
pompé plus vite et, lorsque l'artère a été sectionnée, il
a dû gicler comme une fontaine.

— Je crois que nous sommes tous d'accord pour
dire que c'est ainsi que les choses se sont passées, dit
Julien.

— Tu étais sur le point de nous parler des traces
de liquide d'embaumement, intervint Jeanette.

— Oui. Eh bien, je ne connais pas la réponse, mais
je crois que si nous devons nous mettre en quête d'une

explication, il y a quelque chose à fouiller de ce côté-là. C'est comme si une créature nouvellement enterrée, et je dis bien nouvellement, n'était pas morte mais s'était relevée pour la mordre.

— Comme un vampire ? souffla Kathy. Euh… je veux dire, comme ceux qu'on voit au cinéma…

— Je crois que nous avions compris ce que tu voulais dire, dit David.

— Comme un zombie, clarifia Carol pour le bénéfice de tous. Quelque chose qui n'est pas vivant, puisque cela a été embaumé et n'a pas de sang, mais quelque chose qui peut bouger. Quelque chose qui a attaqué Chloé si brutalement qu'elle n'a pas été capable de se défendre ?

— Hé, attends un peu, dit André. Est-ce que tu as conscience du ridicule de ce que tu avances ? C'est complètement cinglé.

— Papa, cela a du sens. C'est la sensation que j'ai eue quand j'étais là-bas, que les morts étaient vivants…

— Michel, arrête ! Karl, depuis tout le temps que je te connais, j'ai toujours respecté ton intellect. Mais ce que tu viens de dire n'a ni queue ni tête. Et, personnellement, je me sens offensé. Chloé était une parente et…

— Hé, André, ne charrie pas, l'interrompit Karl. Nous aimions tous Chloé.

— Je crois, dit David, que Karl parle dans un sens métaphorique et non littéral, André. Je ne veux pas t'enlever les mots de la bouche, Karl, mais je ne peux croire que tu crois aux zombies. »

Karl se sentait un peu vexé, lui aussi. Il savait que ses émotions étaient plus fortes qu'à l'habitude à cause du manque de sang, à cause du souci qu'il se faisait pour Gerlinde et à cause de toute cette foutue situation. « Merci, David, dit-il d'une voix qui lui parut contrainte. Non, je ne crois pas aux zombies, quoique j'aie bien l'impression que la plupart des mortels ne croient pas en nous et que nous puissions établir un parallèle.

— Certains jours, dit André, je ne crois pas aux mortels. »

Karl sourit faiblement, conscient qu'André faisait tout ce qu'il pouvait pour alléger la situation. « Ce que je dis, c'est qu'il y a un *modus operandi* ici. C'est l'une des façons d'expliquer comment le formol a pu se retrouver dans ses veines à l'état d'élément trace. En explorant le spectre de l'improbable, nous restons ouverts non seulement au possible mais au probable. Il y a manifestement d'autres possibilités, si toutefois vous souhaitez en entendre parler.

— S'il te plaît, dit Carol. Je veux les connaître. »

Plusieurs autres l'encourageant à poursuivre, Karl continua. « Peut-être est-elle tombée dans le liquide d'embaumement ou a-t-elle été en contact avec celui-ci, puis a touché une de ses blessures à la gorge pendant ou après l'agression.

— Mais d'où venait le liquide d'embaumement ? demanda Michel.

— À l'évidence, de l'intérieur du Columbarium, suggéra David. On s'attend à en retrouver là-dedans. »

Soudain, Karl éprouva une sensation étrange, mais qu'il n'arriva pas à cerner. Le sentiment qu'un contact établi depuis longtemps devenait hors d'atteinte. Il rangea ce sentiment dans sa mémoire afin de le ressortir et de l'examiner plus tard. C'est à cet instant que le téléphone sonna. Son cœur bondit d'espoir.

Carol répondit et tendit le récepteur à Julien, qui resta au téléphone durant une dizaine de minutes. Karl comprit tout de suite que c'était Gertig à l'autre bout du fil et que les nouvelles n'étaient pas bonnes.

Lorsque Julien raccrocha, il leur annonça qu'on avait découvert Kaellie. Son corps avait été mis en pièces, tout comme celui de Chloé, et il portait des marques de morsures à l'endroit des veines et des artères importantes. Cependant, il y avait du sang partout, alors elle n'avait pas été drainée. « Il semble qu'elle ne se soit pas débattue », dit Julien d'une voix calme. Mais son aura était sombre.

Le silence stupéfait qui suivit reflétait combien tous étaient à bout de nerfs. Cette créature si ancienne avait été mutilée.

« Une énergie malveillante nous traque, dit sobrement Morianna. Nous courons un grave danger. Un grave danger, en effet. »

# CHAPITRE 7

L'explosion de verbiage confinait au chaos dans les oreilles de Karl. Il circulait plus d'opinions qu'il ne se trouvait de corps dans la pièce. Il écouta attentivement ce que chacun avait à dire, attendant que la poussière retombe. Tout le monde finit par se calmer, du moins assez pour que l'attention fût de nouveau portée sur un individu à la fois.

« Nous ne pouvons laisser ces actes de violence impunis », dit André, peut-être pour la cinquième fois.

« Mais nous ne connaissons pas le coupable, fit remarquer Jeanette.

— Au contraire, nous le savons très bien ! répliqua André. Le coupable, c'est Antoine.

— J'ai tendance à être d'accord avec toi, admit Karl, mais tant que nous n'aurons pas de preuves menant directement à lui, nous devons agir comme si ça pouvait être n'importe qui.

— De quelles preuves supplémentaires avons-nous besoin ? D'une carte de visite ? »

Carol posa la main sur l'épaule d'André. Il avait retrouvé sa fureur coutumière et, Karl en avait l'intuition, les circonstances le touchaient de façon si personnelle qu'il serait en général impossible de le modérer.

David intervint : « André, nous aimions tous Chloé. »

Le geste tout simple de Carol et le ton neutre de David contribuèrent à ébranler l'armure dont s'était enveloppé André. Pendant un instant, il parut vaincu.

«Écoutez, dit Kathy. Si c'est Antoine qui a fait ça, est-ce qu'il aurait pas voulu qu'on le sache? Je veux dire, il a promis de se venger, pas vrai?

— Il n'a pas besoin de nous entrer ça dans la tête à grands coups de pied, dit Jeanette. Son pouvoir consiste justement à nous mystifier. N'oubliez pas, il est très vieux.» Elle regarda Julien, qui hocha imperceptiblement la tête. «Il erre sur des chemins dont la plupart d'entre nous ici présents ignorons jusqu'à l'existence. Je crois que Julien, Morianna et Wing sont les mieux placés pour comprendre les gestes et les motifs d'Antoine.

— S'il s'agit bien d'Antoine», précisa David. Si son expérience à Fire Island lui avait appris quelque chose, c'était bien à avoir les idées claires, songea Karl. David avait traversé une telle épreuve qu'il en était venu à dédaigner l'évidence au profit d'une démarche plus analytique. En dépit des douloureuses circonstances, Karl sourit intérieurement en constatant combien ils avaient changé, tous les trois. David, jadis si lyrique et rêveur, utilisait davantage la logique. André, après avoir été victime de ses propres réflexes défensifs, exprimait plus largement ses émotions. Et Karl savait que lui aussi devait être différent – seulement, il n'arrivait pas à voir en quoi. Ce qu'il savait, c'était que ces changements s'étaient produits en eux grâce aux femmes mortelles qu'ils avaient transformées. L'amour de Kathy avait forcé David à se battre pour ce qui lui était cher. Par sa persévérance, mais aussi en raison de l'affection qu'ils portaient tous les deux à leur fils Michel, Carol avait réussi à débusquer des émotions qu'André gardait profondément enfouies. Karl, enfin, avait conscience que Gerlinde l'avait lui-même transfiguré.

Avant leur rencontre dans les années cinquante, sa vie avait été si vide. Il s'était réfugié dans une sorte d'aquarium où flottaient des concepts désincarnés. La vie lui apparaissait comme un grand jeu philosophique. Coupé de ses besoins essentiels, il n'aspirait qu'à de bons débats. Il occupait ses heures d'éveil à des exercices de gymnastique mentale, et cela dans l'ensemble le satisfaisait. Mais il n'arrivait pourtant pas à se départir du sentiment de désolation qui le gagnait chaque matin avant de s'endormir et chaque soir à son réveil.

Gerlinde avait été comme un trait de couleur dans sa vie en noir et blanc. Bien sûr, il avait connu d'autres femmes avant elle. Il n'en attendait guère plus qu'une distraction temporaire, et c'était d'ailleurs ce qu'il en recevait. Chacune l'aimait peut-être à sa façon, mais aucune ne pouvait l'accepter tel qu'il était, avec tout ce que cela impliquait. Et aucune n'était arrivée à percer sa carapace intellectuelle. Gerlinde, si. Elle l'aimait – assez pour souhaiter demeurer avec lui pour l'éternité, ce qui voulait dire, concrètement, passer par la transformation. Et son amour n'était pas servile – cela, il ne l'aurait pas toléré très longtemps. Elle était sincère avec elle-même et possédait, bien ancrées, ses propres motivations. Elle était toujours prête à l'action et avait de solides opinions qu'elle ne craignait pas d'exprimer, même si elle était seule à les défendre. Il s'émerveillait toujours de voir combien, sous une infinité d'aspects, ils étaient si différents et pourtant si compatibles. Cela devait s'appliquer à tous les domaines dans la vie, pensa-t-il. Les contraires s'attiraient.

Gerlinde. Pourquoi songeait-il à elle au passé. Il se demanda où elle était et s'inquiéta pour sa sécurité. Elle allait sans doute très bien. Il pouvait suivre sa trace à distance, ce qui signifiait qu'elle était vivante. Mais pourquoi se trouvait-elle en Allemagne ? Sans donner de nouvelles…

Le volume des conversations monta et les commentaires se remirent à fuser de toutes parts. Karl jugea qu'il devait agir comme modérateur, car la discussion menaçait de déraper. Comme les autres fois, tout le monde prêta l'oreille lorsqu'il prit la parole. «Je partage l'avis de David et de certains d'entre vous : les soupçons semblent devoir se porter sur Antoine, mais nous ne pouvons faire montre de naïveté et rejeter la possibilité qu'il s'agisse d'une ou de plusieurs autres créatures. Il serait suicidaire de le faire. Pensez à ce qui pourrait nous arriver si nous dirigeons toute notre énergie vers Antoine alors que la source se trouve peut-être ailleurs. Cela nous laisserait plus vulnérables que nous ne semblons l'être déjà.

— *Merde*[6] ! s'exclama soudain André. Qui d'autre aurait pu faire une telle chose ? Il a détruit Chloé, Kaellie, et trois autres…

— Nous ne savons encore rien à propos des trois autres et il faudrait obtenir plus de détails sur la mort de Kaellie…

— Mais quoi ! Il y a tout de même de fortes présomptions ! » rétorqua André, comme si Karl refusait de voir l'évidence. «Et si on en juge d'après ce qu'a dit Gertig, le meurtre de Kaellie obéit au même schéma. On lui a arraché les membres un à un et elle semble avoir été attaquée par surprise…

— Ou, du moins, elle ne paraît pas s'être défendue », corrigea Karl.

Ce n'était pas là ce qu'André souhaitait entendre. Si Kaellie et, plus près de lui, Chloé avaient capitulé devant une telle violence, il ne voulait pas le savoir. Et Karl le comprenait. Dans la famille d'André, il y avait un précédent, et il essayait de toutes ses forces de conjurer ce sort.

---

[6] NDT : En français dans le texte.

« Je crois, dit doucement Jeanette, que Chloé et Kaellie se seraient défendues si elles en avaient eu la possibilité. Je ne sais pas pourquoi elles semblent ne pas l'avoir fait, mais je les connaissais toutes les deux suffisamment pour être convaincue qu'elles ne se sont pas contentées de se soumettre à Antoine ou à celui ou celle qui a commis cette atrocité. Elles ne se sont pas débattues parce que, pour une raison ou une autre, elles ne pouvaient le faire.

— Je crois que nous trois pouvons vous fournir quelques-unes des pièces manquantes au puzzle qui vous donne tant de soucis », dit Morianna. L'élégante ancienne posa gracieusement ses mains sur ses cuisses dans un geste qui évoquait une subtile danse thaïlandaise.

Wing prit la relève. « Nous trois avons vécu très longtemps. Si l'on met bout à bout nos existences, cela totalise plus de quinze cents ans », dit-il en parlant de Morianna, de Julien et de lui-même. Notre savoir tient à cette longue existence passée à méditer sur les mouvements de l'univers. Dans ma culture, le *Yi-King* est la technique qui exprime le mieux ces mouvements. »

Karl, bien sûr, avait déjà vu comment le *Yi-King : Le Livre des transformations*, disponible en traduction, permettait à un individu de poser une question, de démêler un état de confusion. Wing supposa que tous savaient de quoi il s'agissait, et Karl était convaincu que tel était le cas pour la majorité d'entre eux, mais soudain Kathy demanda : « C'est quoi le… *Yi-King* ? »

Wing expliqua simplement à Kathy et aux autres qui n'auraient pas su exactement ce qu'était ce procédé ancien : « En lançant six fois des baguettes d'achillée millefeuille, l'analysant crée une sorte de motif – six lignes, pleines ou brisées. L'ensemble des six lignes forme ce qu'on appelle un hexagramme, et il y a

soixante-quatre hexagrammes – soixante-quatre combinaisons de ces lignes pleines ou brisées. En lisant
les lignes de bas en haut et en se concentrant sur certaines énergies particulièrement évidentes, l'analysant
peut repérer sa position dans le flux temporel. »

Tout en écoutant Wing poursuivre son explication,
Kathy afficha un air perplexe. Elle était évidemment
désorientée. C'était une néophyte à l'esprit pragmatique, qui avait besoin que les choses fussent ordonnées
pour les comprendre. « C'est un peu comme des cartes
de tarot, lui souffla Jeanette. Un outil de divination. »

Kathy hocha la tête. Comme la plupart des Occidentaux, elle connaissait bien le tarot et les arts divi-
natoires. Cependant, d'après ce que Karl en avait
déduit de ses lectures sur le *Yi-King* – l'ouvrage qu'il
connaissait le mieux était la traduction de Richard
Wilhelm publiée chez Bollingen, celle qui était précédée d'une préface de Carl Jung –, ce point de vue
sur les grands motifs universels devait être compris
comme une brève pause dans un état en constante
transformation. *Le Livre des transformations* exigeait
une réflexion de la part de l'analysant. Il était conseillé
à celui-ci de ne pas poser trop de questions, mais
d'attendre plutôt que, telle une fleur prête à éclore, la
question trouvât son moment propice – à ce moment
seulement il pourrait intégrer le savoir dont était im-
prégnée la réponse.

« Tout ça est fascinant, dit André sèchement, mais
ne nous écartons pas de notre propos. »

— Patience », lui rappela Morianna. Les anciens
étaient les seuls qui pussent dire une telle chose à
André sans s'attirer ses foudres.

« Le flux de l'univers, poursuivait Wing, suppose le
changement. Nous, en particulier, n'en sommes pas à
l'abri.

— Je dirais même que, plus que d'autres, nous sommes sujets au changement, ajouta énigmatiquement Julien.

— Pourquoi donc ? s'enquit Karl.

— Parce que nous sommes des créatures qui ont subi plus de transformations que n'importe quelle forme de vie sur cette planète. Naître, mourir, renaître…

— Bien sûr, précisa Morianna, il y a des mortels dont les croyances admettent ce concept, mais pour nous, c'est une réalité. Les mortels ne pensent qu'aux petites morts. Nous ne pouvons dédaigner les mortels. Cependant, notre conscience aiguë de la progression nous ouvre de nouveaux horizons. En raison du temps, pour nous plus étendu. Et aussi de la nature de notre existence.

— Le processus devient pour nous la praxis », dit Karl. Morianna acquiesça.

« Antoine aussi a un point de vue très large sur les choses, n'est-ce pas ? » grinça André. Les autres l'ignorèrent.

« Qu'est-ce que tout ça a à voir avec les meurtres ? » demanda Karl, désireux de modérer les passions d'André, qu'il sentait sur le point d'exploser de frustration.

« Nous venons tous les trois d'une époque très différente de la vôtre, vous qui avez été transformés au cours de ce siècle ou du siècle dernier, dit Morianna. Antoine est comme nous. Nous comprenons qu'il existe une… phase, qu'aucun d'entre vous ne peut encore concevoir, quoique vous ayez pu en avoir un avant-goût. Le plus vieux d'entre vous ne foule cette terre que depuis deux cents ans. C'est comme une goutte de rosée sur une feuille isolée, dans un jardin parmi d'autres jardins, au milieu d'un des pays d'une très grande planète remplie de gouttes de rosée qui se déposent sur des feuilles isolées dans des jardins et des prés chaque matin. »

Karl trouvait étrange qu'elle retînt la métaphore de la rosée, puisque, sans aucun doute, elle n'en avait pas vu depuis des centaines d'années. Peut-être cette image était-elle éloquente pour elle précisément parce qu'elle était hors de portée.

« Est-ce que l'un de vous trois croit qu'il s'agissait d'Antoine ? » demanda Carol.

Aucun d'entre eux ne voulut d'abord répondre. Mais Julien finit par dire : « Ce que nous savons, c'est que ceux qui ont trépassé étaient des anciens…

— Pas Chloé, dit André.

— Pas en âge mais en esprit, lui répondit Morianna. Chloé était exceptionnelle en ce que sa sagesse dépassait largement sa durée de vie. Comme nous trois, elle sentait avec acuité les rythmes de l'univers.

— De plus, continua Julien, si les trois autres dont nous n'avons pas eu de nouvelles sont morts, il faut considérer que tous les disparus étaient non seulement vieux, mais aussi des enfants d'Antoine.

— Les trois dont nous n'avons pas eu de nouvelles, plus Gerlinde, leur rappela Karl. Mais Antoine n'a pas créé Kaellie. À moins que je ne me trompe ?

— Les origines de Kaellie restent un mystère, même pour nous, dit Morianna.

— Mais elle a déjà mentionné avoir été créée il y a six cents ans, soit un siècle après Antoine, du moins selon nos conjectures à son sujet, fit remarquer André.

— D'après ce que nous savons de Kaellie, nous croyons qu'elle a peut-être créé Antoine », révéla alors Julien.

Tous restèrent bouche bée. Malgré l'évidence de la chose, Karl n'avait jamais songé qu'Antoine avait eu un créateur. Mais cela n'avait aucun sens. « Je croyais que Kaellie n'était pas plus vieille que toi, Julien.

J'avais donc tort ? Nous nous étions laissé dire que tu étais le plus vieux, à part Antoine.

— Karl, tu n'es pas loin d'avoir raison, mais tu as tort, dit Julien. Je suis le plus âgé de notre communauté et, pourtant, les choses ne sont pas ce qu'elles paraissent être.

— Eh bien, de quoi s'agit-il exactement, alors ? lança André.

— Puis-je ? » demanda Morianna. Julien lui céda la parole. « Kaellie est unique. Elle a vécu plusieurs existences, sous plusieurs formes.

— Je ne comprends rien à ce que tu dis », répliqua André, perdant le peu de patience qu'il lui restait.

« S'il te plaît, explique-nous, demanda Jeanette. Nous n'y voyons plus très clair.

— Kaellie, dit Morianna, détient non seulement le secret de la naissance, de la mort et de la renaissance, mais, au-delà de cela, celui de la mort, de la naissance et de la renaissance à l'infini. »

Le silence ne fut rompu que par le tic-tac de l'horloge, cependant qu'ils essayaient tous de digérer les implications de ces remarques. Ce fut Kathy qui résuma les choses : « Elle a compris comment mourir en tant que vampire et puis revenir ensuite. »

Morianna acquiesça.

« Comment est-ce possible ? demanda Karl.

— Nous n'en sommes pas certains, dit Julien. Il y a pour nous des façons de mourir, comme vous le savez tous, mais une pleine régénération dépasse nos facultés.

— Tu ne lui as pas demandé son secret ? dit Karl abasourdi.

— Bien sûr.

— Ce secret lui appartient, déclara Wing, et elle ne le révélera que lorsqu'elle le jugera bon. Voilà comment les choses doivent être.

— Ce qui signifie, dit David, qu'elle est morte pour de bon avant d'avoir l'occasion de révéler cette information vitale. Ou peut-être se régénérera-t-elle ?

— Il n'y a aucun moyen de le savoir.

— Peut-être que Gertig…

— Gertig l'ignore, dit Morianna. Tout autant qu'il est incapable de confirmer que Kaellie a bel et bien créé Antoine.

— Alors, c'est autant de l'ordre des spéculations que de se demander si c'est Antoine qui a commis les meurtres », dit Karl sur un ton qui trahissait sa frustration. Il respectait le mysticisme des plus anciens, mais ceux-ci ne se montraient pas assez scientifiques à son goût. Il ne saisissait pas toujours bien leurs messages, du moins pas suffisamment pour lier les éléments en un tout qu'il sentirait avoir solidement assimilé.

Julien, Morianna et Wing échangèrent des regards. Leurs yeux semblaient se transmettre des renseignements qui échappaient à Karl.

Wing se leva et traversa la pièce. Il transportait toujours avec lui un sac qu'il gardait le plus souvent en bandoulière – le cuir était si usé qu'il en avait une couleur indéfinissable. Dans ce sac, il avait des caractères chinois gravés dans le bois. Les entailles étaient recouvertes d'encre de Chine noire, que Wing rafraîchissait de temps à autre. C'était du mandarin, avait déterminé Karl en reconnaissant un des caractères qui représentait un homme avançant d'un air insouciant.

Wing revint avec deux livres, l'un en chinois et l'autre en anglais. C'était la traduction du *Yi-King* que connaissait Karl. Il marqua un temps d'arrêt, puis il tendit la version anglaise à Julien, qui prit le livre. Karl comprit que Julien leur lirait la traduction anglaise. À Morianna, Wing tendit un carré en papier de riz blanchâtre portant une incrustation dorée en son centre,

une plaquette souple de la taille exacte du morceau
de papier de riz, une petite bouteille d'encre de Chine
et un fin pinceau de martre avec un manche en bambou.
Outre le livre en chinois, Wing tenait aussi dans ses
mains un morceau de soie jaune et un nombre considérable de baguettes. Karl soupçonna que ces baguettes
avaient été taillées dans de l'achillée, et s'il s'agissait
bien de cela, il devait y en avoir quarante-neuf. Toutefois, il n'avait encore jamais vu quelqu'un en faire
usage. Habituellement, les Occidentaux se contentaient
de lancer trois pièces de monnaie : le côté face représentait une ligne pleine, le côté pile, une ligne brisée ;
à chaque coup, le côté qui dominait déterminait le type
de ligne à tracer.

« L'achillée millefeuille, expliqua Wing, permet de
croquer un instant sur le vif. Elle englobe chacun des
éléments de cet instant, jusqu'aux détails qui nous
paraissent les plus futiles.

— Parce qu'on ne sait jamais ce qui peut devenir
important ? » demanda Jeanette.

Wing hocha la tête. Il s'agenouilla dans une attitude méditative, déplia le morceau de soie et l'étendit
devant lui sur le tapis oriental, puis posa le livre sur
la soie. Il leva les mains dans lesquelles il tenait les
baguettes d'achillée et ferma les yeux. Le silence se
fit dans la pièce. Au bout de quelques minutes, il laissa tomber les baguettes sur le livre. Certaines restèrent
là, d'autres se répandirent sur la soie.

Du sac, il tira un abaque minuscule mais magnifique, dont le cadre était en bois de rose et les billes,
en ébène. En silence, Wing compta les baguettes – bien
que Karl n'arrivât pas à comprendre comment il s'y
prenait pour calculer sur l'abaque. Il en vint à un total.
Il se tourna vers Morianna et dit quelque chose en
mandarin que celle-ci parut comprendre. Elle plongea
le bout du pinceau dans l'encre et traça sur le carré

de papier de riz une ligne brisée. À droite de la ligne, elle traça un petit cercle.

Wing ramassa les baguettes et, lorsqu'il fut prêt, les lança de nouveau et les recompta. À partir des indications qu'il lui donna, Morianna peignit une autre ligne brisée et, à côté, un petit cercle.

Une fois qu'il y eut six lignes sur le papier de riz, Wing ramassa les baguettes d'achillée, les attacha ensemble avec le ruban noir sur lequel étaient peints des dragons dorés et ouvrit le livre. Pendant qu'il s'exécutait, Julien ouvrit la version anglaise.

« J'ai capté l'énergie de cette assemblée, laquelle est composée des grandes questions que nous partageons tous et des questions individuelles que chacun vous vous posez, leur dit Wing. Le *Yi-King* vous répondra individuellement et collectivement. Il communiquera aussi certaines choses à ceux qui, parmi vous, sont prêts à assimiler ce que nous trois avons fini par si bien comprendre, sans toutefois pouvoir l'exprimer adéquatement par des mots. »

Wing commença à lire ce qui était écrit dans son livre en chinois et, simultanément, Julien lut la traduction. Les deux voix ne s'enterraient pas l'une l'autre mais se mêlaient et, étrangement, Karl eut l'impression qu'il comprenait le mandarin.

« L'hexagramme créé est le 23, PO, ce qui signifie l'Usure », dit Julien.

Karl put presque sentir le frisson de terreur parcourir la pièce. Dans l'hexagramme qu'avait tracé Morianna, il distingua cinq lignes brisées et une sixième, pleine, les surmontant. Même lui voyait bien qu'il s'agissait d'une image marquée par l'instabilité, car les lignes brisées ne pouvaient supporter la ligne lourde et pleine.

Julien continua à lire. Le passage du livre évoquait une obscurité sur le point de croître et de submerger la dernière ligne en exerçant sur elle une influence désintégratrice. De sombres puissances finiraient par avoir raison de la force en la minant graduellement jusqu'à ce que tout s'effondre.

« Le Jugement, lut Julien, est l'Usure. Il n'encourage pas l'individu à aller où que ce soit. »

Il poursuivit la lecture et, selon ce que Karl en saisit, l'essentiel du message était qu'ils devaient demeurer immobiles et ne rien faire. En ces moments dangereux, tout menaçait de s'effondrer à chaque instant. Il s'agissait de savoir comment affronter l'inévitable.

Enfin, Wing et Julien en arrivèrent à la signification des lignes prises individuellement. Après que toutes les six furent interprétées, Wing expliqua que certaines d'entre elles, singulièrement pleines ou brisées, avaient une signification particulière. « Elles nous indiquent la voie à suivre, révèlent notre destin », dit Wing. C'était comme si un souffle collectif avait traversé la pièce.

Karl remarqua que Morianna avait tracé un symbole à côté de quatre des six lignes et présuma qu'il s'agissait des lignes importantes.

La première ligne brisée parlait de la patte d'un lit qui se dérobait. « Si vous persévérez, vous serez détruits. Vos projets sont voués à l'échec. »

La seconde ligne brisée ressortait aussi du lot. « Ici, le cadre du lit est brisé. Encore une fois, la destruction attend ceux qui sont assez fous pour persévérer. »

La quatrième ligne disait que le lit était rompu jusqu'à la peau – Karl se dit que cela devait faire référence aux anciens lits faits de peaux de bêtes. Le résultat : la malchance.

Enfin, la dernière ligne primaire était la ligne pleine surmontant les autres. L'écriture dépeignait de gros fruits encore intacts. Aux yeux des anciens, cela devait vouloir dire la perte inutile d'un bien précieux et nécessaire à l'existence. Cependant, il apparaissait clairement que ce fruit tombait sur le sol, ce qui signifiait une semence nouvelle, une note positive dans la grisaille. Au-delà de ce symbole, l'image révélait que l'homme supérieur recevait un chariot, soit un merveilleux cadeau qui permettait le mouvement. À ce stade, l'homme inférieur voyait sa maison réduite à des ruines.

Wing referma le livre, imité par Julien. « Comme nous le dit le *Yi-King*, reprit Wing, ce sont là les lois de la nature. Le mal ne détruit pas seulement le bien mais doit, nécessairement, se détruire lui-même. Le mal est la négation et ne possède aucune force intrinsèque.

Après un moment de silence, André demanda : « Est-ce que c'est positif ou négatif ?

— La conclusion n'est pas mauvaise, dit Kathy, mais c'est sûr que ça paraît difficile en diable de se rendre jusqu'au bout, et on est déjà dedans jusqu'au cou.

— C'est bien près de la vérité, dit Morianna.

— Une destinée cruelle nous attend, dit Julien, et on ne peut tromper le destin.

— Un homme ou une femme supérieur va assumer le rôle qu'on attend de lui ou d'elle jusqu'à ce que la destinée mette cartes sur table, dit Wing. C'est la meilleure voie vers la survie. »

Le groupe fit une pause pour se reposer. Carol distribua de grands verres remplis du sang qu'elle avait sorti du congélateur et dégelé au micro-ondes. Karl déclina l'offre, parce qu'il voulait pister Gerlinde une fois de plus avant l'aube, dans deux heures. Il se sentait extrêmement faible. Il n'avait rien ingurgité de la soirée et, la veille, il n'avait bu que peu avant le lever du soleil, se privant donc des bienfaits de la nourriture au moment où il en avait besoin, c'est-à-dire lorsqu'il était réveillé. Cependant, il fallait à tout prix surveiller les déplacements de Gerlinde, et il était le seul à pouvoir le faire.

« Pourquoi n'essaierions-nous pas de retrouver la trace d'Antoine ? demanda André. Il a créé David et Karl. Indirectement, il m'a aussi créé. Et toi-même, Julien, la fille qui t'a mordu, est-ce qu'elle n'a pas été transformée par Antoine ?

— Non, j'ai été mordu par quelqu'un d'autre », dit Julien.

Karl réalisa soudain qu'il ne connaissait pas les origines vampiriques de Julien. Ce dernier ne les avait jamais révélées. Les anciens étaient ainsi.

« Eh bien, nous sommes tout de même trois », dit André.

— Tu ne peux pas le pister, lui dit Julien. Le sang de Chloé contenait des éléments traces d'Antoine, mais ils ne sont sans doute pas dominants dans ton métabolisme transformé. Ils étaient trop ténus pour qu'elle puisse le repérer à distance, et sûrement trop infimes pour que tu puisses même les détecter.

— En es-tu certain, Julien ? Après tout, Ariel pouvait pister David et, mieux encore, Michel a été capable de suivre les mouvements d'Ariel après avoir goûté seulement une goutte de son sang. Et Michel était un enfant, encore humain pour une bonne part.

— Michel est exceptionnel. Et le sang que partagent des égaux n'est pas pareil à celui qui circule entre le mentor et l'apprenti.

— Un mentor ! grogna André. J'arrive mal à voir Antoine dans ce rôle. »

Julien attendit patiemment qu'André fût plus calme. Il le connaissait bien. Il y avait autre chose.

André, dépité, concéda : « D'accord, alors David et Karl peuvent le faire, puisque c'est Antoine qui les a pris tous les deux.

— Il n'est pas facile de pister son créateur, dit Morianna. Les créateurs sont comme des mères, ils créent leur enfant. Une mère possède toujours un sixième sens en ce qui a trait à son enfant. Elle connaît ses allées et venues et sait intuitivement s'il se porte bien. Mais l'enfant ne peut percevoir sa mère. Il n'a pas encore suffisamment évolué. C'est ainsi que la nature protège les enfants.

— David et Karl ne sont pas des enfants. David existe depuis plus de cent ans et Karl, depuis près de deux siècles…

— Ce bref temps passé dans notre monde les rend pareils à l'enfant par rapport à la mère, le contredit Morianna.

— On n'en sait rien, argumenta André. Ils pourraient toujours essayer.

— J'ai essayé de pister Antoine, dit David.

— Et ? »

David secoua la tête.

« Je n'ai pas réussi non plus », ajouta Karl avant qu'André eût pu poursuivre sur sa lancée.

Karl songea à l'époque où il avait été transformé, si abruptement, si violemment, en ayant à peine entrevu l'être qui l'avait d'abord suivi sur les quais, au bord du Rhin, puis dans les rues de Düsseldorf, jusqu'à la maison où il logeait. Cette créature l'avait battu sauvagement et, l'ayant laissé à peine conscient, avait siphonné son sang à partir de sa jugulaire, si rapidement qu'il était tombé en état de choc. Tout ce temps l'autre riait d'un rire diabolique. Ensuite, il l'avait laissé pour mort. Mais Karl n'était pas mort – et plusieurs fois par la suite il le regretta. Parce que, en dépit de la haine et de la peur qu'il ressentait, Karl n'avait pas tardé à se languir de cet être qui lui avait fait tant de mal, non seulement en prenant son sang, mais en le forçant à boire le sien. Il supposa qu'il en allait de même pour tous les « enfants », pour employer les mots de Morianna. Que le parent fût affectueux ou négligent, tendre ou violent, cela ne faisait aucune différence. L'enfant avait besoin de son parent.

Il avait cherché Antoine – et, bien sûr, ce ne fut que plus tard, lorsqu'il fit la connaissance de David et de Chloé, et encore après, lorsqu'il rencontra quelques autres individus engendrés par Antoine, qu'il commença à comprendre à quel point ce dernier avait contribué à créer une communauté. Cependant, bien avant de croiser d'autres membres de son espèce, alors qu'il était encore seul, luttant contre ce qu'il considérait alors comme une « maladie », Karl cherchait déjà.

À l'époque de ses premiers balbutiements dans cette existence, il était constamment à la recherche de son équilibre. Le fait de n'exister que la nuit le consternait et s'opposait à sa logique, mais la léthargie s'était révélée être une amie déguisée – elle le contraignait à se réveiller sagement au crépuscule et à s'endormir dès l'aurore, même s'il trouvait que cela n'avait aucun sens.

Ce qui l'ébranlait le plus, c'était cette nécessité de boire du sang. Lui qui avait été jusqu'alors une personne modérée, il avait bientôt été tenaillé par la soif. Il avait toujours été capable de maîtriser ses impulsions et ses besoins physiques, mais le désir de *vita* était plus fort que tout.

Son esprit scientifique l'avait incité à mener quelques expériences. Il avait essayé d'avaler de la viande crue et découvert qu'elle n'était pas digeste. Il avait remplacé le sang humain par du sang animal – il pouvait en boire, mais cela n'assouvissait pas son besoin de sang. Il avait bu du plasma et en avait conclu que cela le sustentait, mais il était pratiquement impossible d'en obtenir en quantité suffisante. Le sang synthétique qu'il espérait voir un jour inventer n'existait pas encore, sinon il en aurait tâté !

Il avait également exploré l'abstinence et ses variantes. Il avait essayé de réguler son absorption de nourriture, de boire de moins en moins ou en quantités infimes. Il s'était pratiquement laissé mourir d'inanition en tentant de dominer la soif qui occupait tous ses instants d'éveil. Ces efforts, naturellement, avaient eu des effets dévastateurs et l'avaient fait sombrer dans les excès contraires. Toutes les nuits, comme un alcoolique qui lutte contre sa dépendance, il saisissait l'occasion et buvait. Jeunes, vieux, hommes, femmes, malades, bien portants, n'importe qui pouvait devenir sa proie, n'importe qui ayant du sang humain dans les veines. Il lui avait fallu plus de dix ans pour contrôler un tant soit peu sa consommation, et deux autres décennies pour assumer cette délicieuse dépendance.

Et durant tout ce temps il était à la recherche d'Antoine. À l'époque, il ne savait pas que ses pouvoirs nouvellement acquis lui permettaient de retrouver certaines personnes à distance. Cependant, instinctivement, il devinait que le lien entre eux était fort. Il savait que le *nosferatu* avait sucé tout son sang – il était sa proie. Cela l'avait sans doute rendu capable de retrouver la trace de son prédateur. Il y avait tant de choses que Karl avait besoin de savoir, tant de choses qu'il voulait partager, et il se languissait d'un contact avec un de ses semblables. Et à présent qu'il y songeait, la métaphore de la mère et de l'enfant qu'avait utilisée Morianna lui paraissait juste une fois de plus. Il avait besoin d'Antoine, mais Antoine n'avait pas besoin de lui.

Il avait eu beau tout essayer, Karl n'était pas parvenu à localiser celui qui l'avait mené à sa mort et l'avait laissé désespéré et seul dans ces limbes où il ne se sentait ni vivant ni mort.

À quelques reprises, il avait repéré d'autres membres de son espèce et il avait rapidement constaté qu'ils représentaient une menace les uns pour les autres. Cependant, par miracle, il avait rencontré André et David et découvert ses âmes sœurs – peut-être parce qu'ils étaient tous « nouveaux ». Ils n'existaient pas depuis plusieurs siècles, ils ne s'étaient pas endurcis, ils ne ressentaient pas le besoin d'entrer en compétition les uns avec les autres. Chloé, la tante d'André, semblait être la source de ce climat de collaboration, bien qu'André eût son lot d'expériences traumatisantes qui le tourmenteraient toujours. La nature douce mais torturée de David lui permettait de s'ouvrir affectivement, comme pas un seul des anciens ne le pouvait. Quant à Karl, il n'avait jamais eu l'esprit de compétition. Le changement n'avait pas atteint la chimie fondamentale de sa personnalité.

Karl, David et André avaient partagé leurs connaissances. Chacun d'entre eux s'était déjà essayé à pister et leur savoir combiné les avait aidés à raffiner leur technique. Malgré tout, Karl n'avait jamais été capable de percevoir Antoine. Et même à Fire Island, lorsque lui et Antoine n'étaient qu'à quelques mètres l'un de l'autre, lorsque le pouvoir de cette créature irradiait dans la nuit comme l'énergie d'un trou noir, sapant l'allégeance de Karl envers David, envers André, envers tous ses amis et l'attirant vers une source qui avait radicalement modifié sa destinée, même en ce moment où Karl luttait très fort pour conserver sa loyauté, son intégrité, son autonomie, il n'avait pas été capable de sentir la présence d'Antoine autrement que comme celle d'un être pareil à lui. Mais il savait qu'Antoine, lui, pouvait suivre sa trace. Et à Fire Island, il avait ressenti profondément les efforts que faisait Antoine pour le contrôler.

Soudain, il entendit Morianna qui avouait : « Je n'ai pas été capable, moi non plus, de retrouver la trace de mon créateur. »

Parmi tous ceux que Karl connaissait parmi ses congénères, Morianna et Kaellie étaient celles dont les origines avaient toujours été les plus auréolées de mystère. Ni l'une ni l'autre n'avaient même jamais évoqué leur changement. Karl, craignant de l'offenser par une question aussi directe, lui demanda néanmoins : « Qui t'a créée ? »

Il fut étonné de l'entendre lui répondre, mais encore plus de l'entendre dire : « Antoine. »

Nous formons un groupe incestueux, songea-t-il. Étroitement liés les uns aux autres par l'échange de sang. L'un a engendré l'autre qui a engendré l'autre, et ainsi de suite. Et il y en avait au moins un, parmi eux, qui en avait engendré un très grand nombre. Antoine avait créé une foule, un monde de créatures de l'ombre. Il pouvait détruire sa progéniture aussi facilement qu'il lui avait donné naissance. Apparemment à sa guise. De l'infanticide, donc ? soupesa Karl.

Il songea à la chaîne. Chloé avait créé André qui avait créé Carol. Michel était né comme un enfant humain. David avait changé Kathy. Julien avait transformé Jeanette et ensemble ils étaient allés chercher Susan et Claude. Wing n'avait jamais révélé l'identité de son créateur, mais ce n'était pas Antoine – il avait clairement laissé entendre qu'il s'agissait d'un ancêtre. Kaellie avait transformé Gertig. Et Karl avait changé Gerlinde.

Parmi les autres, trois avaient été créés par Antoine – les trois qui étaient peut-être déjà morts – et les autres avaient tous été changés par quelqu'un de la communauté.

Si ces trois-là étaient morts, cela signifiait que David, Karl et Morianna étaient les seuls descendants directs d'Antoine à encore exister.

Comme si cette pensée était universellement partagée, Karl, David et Morianna se regardèrent. C'est clair, songea Karl. Nos jours sont comptés.

Ils se levèrent tous les trois en même temps et se rendirent dans une petite pièce à l'autre bout du couloir. Les autres comprirent – l'intuition avait tendance à rendre toute parole inutile dans leur communauté – et ils les laissèrent partir.

# CHAPITRE 8

Ils s'installèrent tous les trois dans une pièce juste assez grande pour accueillir une causeuse, deux petits fauteuils, un repose-pieds et une petite table, plus une étagère murale abritant un lecteur et quelques douzaines de CD. Karl parla le premier : « Antoine s'est juré de tous nous tuer. Il commence par sa progéniture.

— Mais comment s'y prend-il ? demanda David. Comment fait-il pour que ses victimes ne se défendent pas ? Est-ce simplement parce qu'il les a lui-même créées ? Sont-elles si impressionnées par ses pouvoirs ?

— Je sais que tu avais alors d'autres chats à fouetter, David, mais crois-moi, j'ai ressenti sa puissance à Fire Island.

— Moi aussi, admit Morianna. Je doute que quiconque soit jamais immunisé contre la puissance de sa mère – le lien cellulaire est à lui seul énorme. »

Cela n'augurait rien de bon. Si Morianna avait ressenti le pouvoir d'Antoine, elle qui existait depuis un demi-millénaire, comment Karl et David pouvaient-ils espérer résister à Antoine ?

David se tourna vers Karl. « Es-tu en train de me dire que son influence aurait été assez forte pour que tu le laisses tailler ton corps en pièces ?

— Je ne sais pas, avoua Karl. C'était intense et j'ai lutté contre, mais j'ai l'impression d'avoir réussi uniquement parce que beaucoup de choses se passaient en même temps et venaient le distraire. »

Morianna intervint : « La difficulté avec le créateur, telle que je la conçois, c'est que la relation se cristallise telle qu'elle s'est établie à la "naissance", si je puis dire. En d'autres mots, Antoine nous a pris tous les trois de force et nous serons toujours sensibles à l'usage de la force chez lui. Il nous faudra lutter de tout notre être pour transcender notre tendance naturelle à nous soumettre.

— Parce que le schéma est déjà installé ? demanda Karl. Et que nous sommes, comme les humains, des créatures d'habitude ?

— Oui.

— Je suis la preuve, n'est-ce pas, qu'on peut s'affranchir de certains schémas », objecta David.

— En effet, lui répondit Morianna. Mais Ariel n'était pas ta créatrice. »

Karl ne put s'empêcher de penser à l'exemple – mettant en scène des mortels – de ces enfants maltraités d'un parent alcoolique, qui sont toujours en proie à leur peur de cette force dominatrice et omniprésente. Il ne souhaitait pas s'attarder très longtemps à cette image. À l'instar de David, une partie de lui se refusait à accepter l'idée d'une telle impuissance.

Michel se tenait depuis un moment dans l'embrasure et Morianna alla vers lui en disant : « Précieux jeune homme, mon instinct me souffle que tu dois entendre ce que nous avons à dire. Joins-toi à nous. »

Michel, l'air pensif, s'assit sur le repose-pieds devant le fauteuil où Morianna avait pris place.

« Bon, hormis la question de la domination, et même en admettant que nous ne pouvons percevoir la présence de notre créateur, les victimes n'auraient-elles pas dû le sentir du seul fait qu'il est un membre de notre espèce ? demanda David.

— Il me semble que oui, dit Karl. C'est ce qui est si troublant.

— J'ai réfléchi, dit Michel. Je me suis demandé pourquoi j'ai senti une si forte odeur de liquide d'embaumement mais pas du tout le sang. Je n'ai vu aucun tiroir ouvert ni aucun corps à proximité… sauf celui de Chloé.

— Oui, j'y ai songé aussi, dit Karl. Est-ce que tu as remarqué si la senteur était plus forte là où se trouvait le corps de Chloé ?

— Ouais.

— Ça venait de quel côté ?

— Euh, je ne sais pas vraiment. Je veux dire, tout ça me donnait la chair de poule, alors j'ai pas remarqué grand-chose d'autre. Mais j'ai regardé autour de moi parce que j'avais peur que la personne qui avait fait ça soit encore dans les parages. »

Karl hocha la tête. « Nous n'avons trouvé aucun contenant de formol, ni aperçu quoi que ce soit d'anormal dans les voûtes. Aucun des cercueils n'était ouvert et aucun corps ne laissait s'échapper de fluide. Je crois que nous devons présumer que le formol ne provenait pas de l'un des cadavres mais qu'il avait été apporté dans le Columbarium. Cela a infecté son sang parce que quelque chose ou quelqu'un portant du formol a touché Chloé et l'a mordue, ou alors parce qu'elle a touché quelqu'un ou quelque chose qui avait été en contact avec du formol. Ce formol a infecté son sang en se répandant dans ses veines. Et tout cela s'est produit tout près de l'entrée du Columbarium. »

David soupira : « Cela ne nous avance pas beaucoup dans cette joute psychologique avec le meurtrier.

— Non, en effet, concéda Karl. Il nous manque plusieurs pièces de ce puzzle. Une des plus importante, c'est pourquoi, apparemment, Chloé et Kaellie n'ont pas résisté. Est-ce que nous savons où Kaellie est morte ?

— Je ne peux te dire où exactement, dit Morianna, mais Julien a appris de la bouche de Gertig que Kaellie aussi est morte dans un lieu relatif à la mort – un salon funéraire.

— Quoi ? » s'écria Karl, stupéfait.

« Il y a de quoi y perdre son latin, dit David en secouant la tête. Que fabriquait-elle dans ce genre d'endroit ?

— Il semble, dit Morianna, qu'elle et Gertig possédaient une chaîne de ce genre d'établissements.

— Je savais qu'ils en possédaient un, dit Karl. Je me rappelle avoir entendu Julien en parler. À Londres.

— Ils en possèdent plus d'une douzaine.

— *Man*, j'en reviens pas ! dit Michel. Je veux dire, qu'est-ce que vous avez tous à rôder tout le temps autour des morts ? »

Karl lut de la peur sur le visage de Michel. C'était une chose que le jeune garçon n'avait jamais considérée auparavant. Karl non plus, d'ailleurs. Il venait juste de se rendre compte à quel point la mort semblait importante pour certains membres leur espèce. Comment avait-il pu ne pas le remarquer ?

« Je suis peut-être en mesure de vous éclairer un peu à ce sujet, leur dit Morianna. Mais s'il vous plaît, écoutez-moi attentivement. Ce que j'ai à vous dire n'est pas un concept facile à transmettre, et je n'en ai jamais parlé auparavant. Les anciens le savent d'instinct – notre savoir part du cœur. Par conséquent, nous n'avons jamais soulevé la question parce que le besoin ne s'en faisait pas sentir. Wing a tenté de le communiquer au moyen du *Yi-King* et, qui sait, peut-être un jour, au moment opportun, la sagesse émergera-t-elle de la mare de la connaissance pour apparaître clairement aux autres. Malheureusement, toutefois, je crois que certaines choses ne peuvent être transmises uniquement par les mots. L'expérience seule permet de vraiment les comprendre.

« J'ai vu beaucoup d'eau couler sous les ponts et, bien sûr, j'ai vécu de nombreuses aventures depuis que je foule le sol de cette planète. Des changements extérieurs touchant les cultures, les nations, et même la biologie de ce monde, de cette entité vivante qui nous accueille tous, tout cela a tissé ma vie intérieure. Par conséquent, de temps à autre, j'ai été contrainte de subir une sorte de… renaissance dans mon être.

« Vous voyez, vous êtes des mâles, et c'est ce que vous avez toujours été. Aussi ne pouvez-vous pas facilement comprendre tout cela. Chez les femelles mortelles, les changements hormonaux commandés par la lune font que la femme est soumise à des cycles.

— Euh… est-ce que c'est pas un peu sexiste ? opina Michel. Je veux dire, même les êtres humains ne croient plus à ça de nos jours.

— Petit, ce que je dis va bien au-delà des développements culturels et nous ramène à quelque chose de plus grand, à quelque chose qu'on ne peut nier : la biologie. »

Michel avait cette impétuosité juvénile qui le faisait se lancer armé des modestes connaissances qu'il possédait, mais avec la certitude d'avoir en main un savoir universel. Comme si les plus vieux avaient été incapables de comprendre la position dans laquelle il se trouvait. Karl était heureux qu'ils eussent élevé Michel en l'habituant à participer. Le garçon se sentait libre de poser des questions, ce qui se révélait toujours bénéfique. Jamais, d'ailleurs, il ne se montrait désobligeant.

« Songe aux glaciers, disait Morianna. Doit-on les considérer comme inutiles juste parce qu'ils proviennent d'une autre ère ? Et l'appendice, dans le corps humain. Personne ne sait pourquoi il est là, et pourtant, soutenir qu'il ne devrait pas y être, c'est un peu se prendre pour Dieu. Ce mode de pensée constitue une interprétation culturelle de ce qui a précédé l'histoire humaine. Les faits biologiques sont inébranlables. Tout le jargon utilisé en ce monde ne peut annihiler les éléments dont la nature prouve la véracité rien qu'en leur permettant d'exister. Ce à quoi je fais référence, c'est au fait que, tous les mois, une femme est forcée de se mettre à genou, au ras du sol, là où elle peut, si elle prête l'oreille, entendre battre le cœur de ce que certains peuples appellent la Mère nourricière. Elle doit traverser une épreuve qui part de l'intérieur d'elle-même et qui la mène jusque-là, qu'elle le veuille ou non. Chaque mois elle voit la mort en face et "meurt".

« Pour vous, les mâles, il n'en va pas ainsi. Vos défis sont externes, et sans eux vous ne vous sentez jamais enracinés dans l'univers parce que la mort vous échappe.

— Je comprends ce que tu veux dire », fit Karl. Il savait que son analyse était exacte, bien que formulée en des termes désuets. Il avait longtemps eu le sentiment que c'était ce qui expliquait l'attirance entre le genre masculin et le genre féminin. De son côté des choses, il savait que Gerlinde comprenait de manière viscérale qu'il fallait traverser différentes phases, différents rites de passage. Ce qui, pour lui et les autres hommes, devait prendre la forme d'initiations qui idéalement leur permettaient de mûrir survenait automatiquement dans l'expérience des femmes. Gerlinde avait coutume de l'encourager et de l'assurer qu'il pourrait survivre à n'importe quoi. Et il lui faisait confiance parce qu'elle était passée par là.

« Je ne suis pas en désaccord avec toi, dit David, mais il reste que nous avons tous connu la mort.

— *Vous*, oui », dit Michel.

Morianna lui toucha le bras de la même façon qu'elle avait touché celui de son père un peu plus tôt dans la soirée.

« Nous sommes tous morts ou bien nous avons tous imité la mort, puisque notre corps fonctionne encore, puisque nous nous nourrissons, et tout le reste, poursuivit Morianna. Je vous parle de biologie mortelle pour la raison suivante : j'ai vécu toute ma vie de mortelle en tant que femme, des menstruations à la ménopause en passant par les années de conception, j'ai fait l'expérience de la naissance, de la mort et de la renaissance tous les mois durant quarante ans, et, par conséquent, je reconnais la nature des schémas issus de mon expérience de mortelle. Notre vie éternelle aussi obéit à des schémas. Leur ombre a plané sur ma transformation de l'état de mortelle à celui-ci, alors la seule corrélation que je puis vous présenter provient de ma condition de mortelle. Disons qu'il s'agit de schémas femelles, de schémas féminins, si vous préférez, si cela a plus de sens pour vous. Surtout que vous, les mâles de notre espèce, avez été soumis aux mêmes schémas, mais, comme je l'ai déjà dit, ils vous sont extérieurs. Bien sûr, vous possédez une énergie féminine, tout comme les femmes possèdent une énergie masculine. C'est simplement la biologie qui détermine de quel côté nous tombons – mais je suis en train de m'écarter de mon propos.

— Ces schémas, est-ce qu'on pourrait dire que c'est des archétypes ? » demanda Michel.

L'adolescent se passionnait pour la psychologie jungienne. Karl savait que c'était Chloé qui l'avait orienté dans ce sens. Michel ressentirait cruellement son absence.

« Dans un certain sens oui, Michel. Mais dans un autre sens, ces schémas sont plutôt comme des phases et, au contraire de ce qui se produit souvent pour les archétypes, ils ne peuvent être facilement personnifiés ou figurés. Un peu de la même façon que Carl Jung a répertorié les forces archétypales présentes dans l'inconscient collectif, j'ai déterminé certains schémas dominants ou phases cruciales qui influencent toute vie et touchent notre espèce d'une manière particulière.

« Laissez-moi vous raconter une histoire – cette brève incursion dans ma vie personnelle vous permettra peut-être de déduire certaines choses que je sais déjà et de vous représenter plus simplement ce qui paraît incompréhensible dans le comportement de Chloé, de Kaellie et, possiblement, des autres aussi.

« Il y a trois siècles, c'est-à-dire vers le début des années 1700, je me suis retrouvée en Belgique, plus précisément à Gand, qui n'était alors qu'une petite ville. J'ai passé beaucoup de temps à cet endroit, de même qu'à Bruges. Les canaux, la délicieuse architecture en bordure de l'eau, les châteaux et les églises, tous ces lieux si pittoresques et d'inspiration si typiquement néerlandaise ont nourri mon âme.

« À Gand, il y a une cathédrale nommée Saint-Bavon, qui conserve d'ailleurs aujourd'hui à peu près la même allure qu'elle avait lors de mon premier séjour. Les sections les plus anciennes, érigées au XIIᵉ siècle, avaient déjà disparu à cette époque. Comme pour toutes les cathédrales d'Europe, il a fallu plusieurs siècles pour terminer la construction de Saint-Bavon. Dans son cas, les travaux se sont étendus de 1300 à 1559. J'avais donc sous les yeux une œuvre qu'on avait mis deux siècles et demi à bâtir. Saint-Bavon est bien sûr aussi célèbre pour son retable *L'Agneau mystique*, peint en 1432 par Jan Van Eyck.

« Que pourrais-je vous dire sur cette peinture ? Karl, tu l'as vue. Et toi David ? »

Ce dernier fit signe que oui.

« Oui, dit Karl, c'est une magnifique œuvre d'art. » Il avait visité la cathédrale avec Gerlinde, qui avait été renversée par cette peinture très ancienne et si bien préservée. Les couleurs, toujours éclatantes après plusieurs siècles, l'expression des visages, la posture et les vêtements typiquement flamands des personnages, tout cela l'avait subjuguée. *L'Agneau mystique* était un énorme tableau, composé d'une série de panneaux qui se repliaient, tel un écran, sur un panneau central. Le cœur de l'œuvre figurait sur le panneau principal : l'apparition du Christ, l'Agneau. Les panneaux entourant l'Agneau gravitaient chacun autour d'un thème – des anges, des hommes d'Église, des saints, des gens ordinaires qui tous convergeaient vers le centre. Karl avait été particulièrement frappé par la représentation de la Vierge.

« Ce qui m'a d'abord attirée, dit Morianna, c'est l'idée d'incarner le Christ dans un agneau. L'artiste est parti de la métaphore et l'a prise au sens littéral. Toutes les autres figures de l'œuvre gravitent autour de l'agneau blanc auréolé, et tous sont en adoration. L'Agneau de Dieu devenu un simple agneau ! Une telle simplicité me touche, pas vous ? J'ai trouvé cela émouvant.

« En méditant devant l'œuvre, j'ai commencé à comprendre la nature de l'agneau, celle du Christ, la métaphore du sacrifice. Un agneau qu'on mène à l'abattoir. Quelqu'un se sacrifie et le sang est versé pour le bien du plus grand nombre.

« Dire que la métaphore me plaisait serait un euphémisme par rapport à ce que j'ai ressenti. Je suis issue d'une culture profondément enracinée dans le bouddhisme. Dans cette religion, le concept du sacrifice menant à l'illumination est fortement influencé par la vision chrétienne. Chaque religion en a d'ailleurs sa version : l'hindouisme, l'islam… Est-ce que Moïse n'a pas mené les siens vers la liberté tout en devant sacrifier sa passion afin de voir la Terre promise ? Quelque chose dans la métaphore chrétienne a touché une corde sensible chez moi. Je crois que je me trouvais au bon endroit, au bon moment, comme le disent les mortels. Ou, comme aurait pu le dire Carl Jung… » Elle regarda Michel qui la regardait. « …c'était une question de synchronicité. Ma réalité intérieure et ma réalité extérieure se sont confondues et se sont mutuellement réfléchies.

« Au cours des décennies qui ont suivi, je suis devenue obsédée par la métaphore de l'agneau sacrificiel. C'était comme si tout cela donnait un sens à mon existence. Vous devez comprendre que, comme tous ceux de notre espèce – excepté Michel –, j'avais passé la majeure partie de mes heures d'éveil dans la solitude. À l'époque, j'étais coupée des miens et coupée de l'humanité, telle une créature venue d'ailleurs dérivant dans l'univers ou un embryon flottant dans son liquide amniotique. Pour les plus âgés d'entre nous, le chemin a été plus douloureux. Nous n'avions pas la faculté – à cause de nos peurs, bien sûr – de nous regrouper. L'isolement nous paraissait normal, car c'était le fondement de notre existence depuis notre conception. Nous n'envisagions pas d'autres voies. Si nous avions pu profiter des avantages d'une communauté, qui sait, peut-être serions-nous différents aujourd'hui. Ou peut-être pas.

« Quoi qu'il en soit, mon obsession allait grandissant et j'en étais venue à croire que mon sacrifice servirait à réunir mes semblables. Je ne les connaissais pas, mais j'en avais fugitivement aperçu ici et là et savais qu'ils existaient. Pour notre propre sécurité, cependant, nous nous évitions. Naturellement, cela m'a conduite au désespoir. J'ai élaboré un scénario dans mon esprit, très complexe et détaillé. Si j'arrivais à mettre fin à mes jours, me disais-je, cela aurait un effet sur les autres. Car nous avons toujours ressenti la perte de l'un des nôtres. Je vous épargnerai les détails de mon processus mental. Sachez seulement que j'étais convaincue que, s'ils pouvaient comprendre que je n'étais pas morte aux mains de l'un des nôtres ni aux mains des mortels, mais que je m'étais volontairement menée à l'abattoir tel l'agneau de mes fantasmes, alors ma mort, comme celle du Christ, correspondrait à une offrande transcendant toutes les règles. Un sacrifice susceptible de mener à une valeur supérieure et par lequel les autres seraient sauvés de leur cruel isolement. J'espérais ardemment que les autres, ceux qui étaient venus avant moi et ceux qui viendraient après moi, trouveraient un moyen de surmonter leurs peurs pour enfin s'unir. Je n'avais pas d'idée précise de la façon dont cela pourrait s'accomplir, mais ma mort leur révélerait que quelqu'un se souciait assez de notre espèce pour se sacrifier. Enfin, et surtout, cet acte allait donner un sens à ma naissance dans le monde des ténèbres. Comme l'agneau, vous comprenez. Né pour être sacrifié, voilà sa raison d'être. »

Morianna s'interrompit. Elle paraissait exténuée. C'était la première fois que Karl la voyait aussi vulnérable. « Je crois que nous méritons quelques rafraîchissements », dit-il en faisant un signe à Michel, qui se leva immédiatement pour aller chercher des provisions.

Morianna jeta un coup d'œil à Karl, qui lut de la gratitude et de l'hostilité dans son regard. Cela était assez compréhensible. Leur espèce en était venue à coopérer, mais cela ne signifiait pas que leur nature intrinsèque avait changé. Leur vulnérabilité était plus grande devant les leurs. L'autre, dont ils percevaient immédiatement la présence, leur était comme un livre ouvert. Ils repéraient ses moindres forces, ses moindres faiblesses, profitant à leur guise de ces dernières pour attaquer.

Michel revint rapidement et distribua des tasses de sang. Karl laissa la sienne sur la table, sans y toucher.

Morianna but lentement, tout comme David, tandis que Michel ingurgita la sienne à toute vitesse, comme n'importe quel adolescent avalant un Coca-Cola.

«Merci, dit Morianna. Me voilà désaltérée et prête à continuer.»

Elle changea légèrement de position avant de poursuivre. David, qui semblait fasciné, se cala dans son fauteuil. Michel alla rejoindre Karl dans la causeuse. Ce dernier sentait que le garçon était à la fois intrigué et perplexe. Il voyait lui-même avec un certain malaise où Morianna voulait en venir, et cela le troublait. Sans compter l'odeur du sang – il avait décidément très faim. Cependant, il devait suivre la piste de Gerlinde et désirait demeurer le plus réceptif possible à son énergie.

Morianna reprit: «Je vous parle d'une époque où j'étais attirée par la mort. Cela fait partie du schéma de notre existence. Nous sommes des créatures coincées entre deux pans de réalité. Nous ne sommes pas vivants et nous ne sommes pas morts. David, je crois que c'est toi qui as si bien formulé le phénomène, lorsque tu as décrit notre âme comme ayant commencé à quitter notre corps et s'étant arrêtée à mi-chemin. Cela trouve un écho en moi. Et parce que nous ne sommes ni ici ni là, nous sommes à la merci de ces deux extrêmes.

— Je crois, dit David, que je sais où tu veux en venir. J'ai moi aussi ressenti l'attrait de cette force en moi, c'est comme une sorte de balancement entre l'ombre et la lumière. À Manchester, avant de rencontrer Kathy, je me sentais glisser dans une agonie.

— Oui, voilà exactement où je veux en venir, confirma Morianna. Toutefois, aussi pénible que cela a dû être pour toi, je crois que ce n'était qu'un avant-goût. Parce que nous évoluons dans un monde intermédiaire, nous sommes constamment tirés d'un côté et de l'autre.

Les plus jeunes ressentent cela plus fréquemment et avec plus d'intensité ; ils n'ont pas encore eu l'occasion, dans la perpétuité, de s'attarder à la signification globale. Par conséquent, ils traversent et retraversent si vite cette phase qu'ils ne s'en trouvent pas marqués ni assujettis de la même manière. Nous qui sommes plus âgés percevons ce cycle tel qu'il est. Dans notre cas, ces périodes durent d'ailleurs plus longtemps. Beaucoup plus longtemps. L'expérience ne peut être instantanément assimilée et l'énergie repose au fond du gouffre, ce qui ne nous mine que davantage. »

Karl sentait que sa propre compréhension des choses était plus théorique que pratique. Certes, il avait déjà été déprimé, si c'était bien le mot à employer pour désigner le phénomène décrit par Morianna. Avant de rencontrer Gerlinde. Mais les extrêmes qu'André et David avaient traversés, et ce dont Morianna leur avait parlé, tout cela lui demeurait étranger.

Enfin, Michel lança de la manière directe qui caractérisait son jeune âge : « Donc, tu voulais mourir. Est-ce que c'est ça qui est arrivé à Chloé ?

— Oui.

— Mais elle aimait la vie ! » s'exclama Michel. Manifestement, le garçon était troublé. « Je veux dire, elle parlait toujours de la nature et ses yeux brillaient et elle riait comme si plein de choses lui plaisaient, et… »

Morianna fit signe à Michel de s'approcher. Le garçon se leva, se dirigea vers le repose-pieds et s'assit face à elle. Elle passa alors un bras autour de lui, dans un geste que Karl jugea protecteur. La plupart des adolescents se seraient rebellés devant une telle attitude, mais Michel avait assez confiance en lui pour l'accepter. « Tu es très très jeune. On ne peut s'attendre à ce que tu comprennes. Notre désespoir n'est pas toujours visible. Et, en vérité, nous sommes parfois éloignés même de ceux en qui nous avons confiance. Nous vivons nos souffrances et nos chagrins en solitaire et, la plupart du temps, en silence.

« C'est pourquoi je parle d'une énergie féminine, bien qu'elle influence les deux genres – la phase morbide survient sans crier gare et repart comme elle est venue, un peu comme les menstruations ou la ménopause. On ne peut jamais tout à fait s'y préparer.

— Oui, dit David, c'est ce que j'ai ressenti. Une minute j'allais bien, la minute d'après j'étais réduit à rester coucher dans un cercueil en me nourrissant à peine. Et cela s'est poursuivi jusqu'à mon expérience à Fire Island. »

Morianna hocha la tête.

Michel paraissait secoué. C'était comme s'il n'avait jamais imaginé que l'existence eût ses inconvénients. Comme s'il s'était attendu à ce que tout fût toujours facile et amusant, à ce que les gains l'emportassent largement sur les responsabilités. Même s'il ne partageait pas la joie et l'espoir que Michel éprouvait en raison essentiellement de sa jeunesse, Karl savait que sa propre traversée du vrai désespoir était encore à venir. Ou peut-être, songea-t-il, suis-je différent et ne pénétrerai-je jamais dans un univers aussi sombre.

Morianna se cala dans son siège. « Je ne raconterai pas en détail mon calvaire qui a duré au total deux décennies. Je vous dirai simplement que cette attirance pour la mort m'a fait considérer toute chose par une lunette déformante. Ma propre mort était la seule pensée qui occupait mon esprit, je songeais à sa valeur et à la façon la plus significative de l'accomplir. Mes émotions reproduisaient cette pensée des milliers de fois chaque nuit. J'étais attirée par tous les aspects que prenait la mort – maisons où une mort s'était récemment produite ou était sur le point de se produire, cimetières, funérailles. Je m'abreuvais au deuil des autres. Je déterrais des cadavres de mes mains nues et je berçais dans mes bras leurs restes décomposés. Je dormais auprès des squelettes de jeunes d'enfants, les pressant maternellement sur ma poitrine. Et j'ai tenté de me suicider de nombreuses fois et d'une foule de manières. Néanmoins, pour avoir traversé tout cela, je me dis que je possédais aussi un fort instinct de survie. En effet, comme vous pouvez le voir, toutes mes tentatives ont échoué et me voilà assise devant vous, plus de deux siècles plus tard. »

Karl, David et Michel regardaient Morianna. C'était *réellement* une gargouille vivante, une créature qui avait connu l'élévation bienheureuse et les profondeurs de l'enfer. Une survivante qui en avait vu d'autres. Qui regardait maintenant de haut les préoccupations triviales de ses semblables et en percevait toute la naïveté. Qui savait ce qui les attendait. Elle détient la clé de l'univers, songea Karl ; c'était à elle qu'il lui faudrait s'adresser si jamais il se heurtait à une porte close.

« Ce que j'essaie de vous dire, c'est que Chloé, Kaellie et sans doute les autres traversaient une phase morbide. Elles étaient attirées par la mort. Elles ont simplement tissé une histoire dans leur esprit, *leur* histoire, dans laquelle elles étaient les protagonistes, et leur disparition, d'une certaine manière, donnerait un sens à leur existence.

Michel s'était tourné à demi. La tête contre l'épaule de Morianna, il dit : « C'est comme si elle était en pleine psychose. Les autres aussi. En pleine paranoïa.

— Si de telles étiquettes t'aident à affronter ce que tu as devant toi, alors ne te gêne pas. Mais il ne nous appartient ni à toi ni à moi de juger qui que ce soit. Personne ne peut connaître l'étendue de l'univers et comment ces phases en constante évolution influencent les suivantes. Nous vivons dans une réalité causale traversée par un soupçon de synchronicité ; cela signifie que nous faisons partie d'un continuum qui subit l'effet de tout ce qui s'est produit auparavant et qui déterminera la suite à son tour. C'est là le paradoxe de l'existence : nous sommes captifs d'un moment éternel, universel et tout à la fois très personnel, et chaque moment de l'existence est tout ce dont nous disposions. Ce moment cristallise notre être et donne du sens à notre passage sur cette planète. Tout ce que je peux vous dire, c'est que lorsque le processus de la phase morbide est enclenché, ce n'est pas là une chose contre laquelle il est facile de lutter. Il nous faut la vivre organiquement. C'est une phase qui doit être traversée, jusqu'à son aboutissement inévitable et naturel, quel qu'il soit. Nous ne pouvons déterminer qui succombera et qui sera épargné par l'ange de la mort. Mais les survivants sont catapultés à l'autre bout du spectre. Dans mon cas, le dénouement fut marqué par la continuation. Pour Chloé, Kaellie et les autres, ce fut la disparition. Au bout du compte, j'ai appris ce que les premiers enseignements bouddhistes tentaient de me transmettre : on doit éviter les deux extrêmes du parcours du pendule, et pourtant ils ne peuvent être évités.

— Ça paraît si cruel, dit Michel. Et j'arrive pas à croire qu'il n'y a rien à faire.

— Oh, nous devons faire ce que nous devons, et nous ne pouvons prévoir en quoi cela affectera le résultat, si même une telle chose est possible. Peut-être tout est-il écrit d'avance, nous l'ignorons. Encore une fois, c'est un paradoxe, et il est difficile d'admettre les paradoxes. »

Karl demanda : « Est-ce que tu veux dire qu'Antoine, parce qu'il est leur créateur, savait qu'elles traversaient cette phase ? Et qu'il en a profité ?

— Je crois, oui.

— Mais pourquoi maintenant ? s'exclama Michel. Je veux dire, comment ça se fait qu'il ne t'a pas tuée ?

— Antoine avait d'autres préoccupations à l'époque. Mais depuis ta naissance, Michel, la donne a changé. Tu représentes un symbole à ses yeux. Et c'est un être vindicatif. Ou peut-être s'est-il donné pour but de se venger, en se disant que tel est son droit. Je crois surtout que ses gestes traduisent simplement sa propre pulsion de mort.

— Que veux-tu dire ?

— Toute joute à mort implique que l'un vivra et l'autre non. Antoine, bien sûr, essaiera de vivre, même s'il espère mourir.

— Mais pourquoi voudrait-il mourir ? » demanda Karl, encore très perplexe face à cette attirance extrême pour l'entropie. « Et comment cela s'accorde-t-il avec ton concept du sacrifice ? »

Morianna eut un petit sourire douloureux. Un sourire qui laissait entendre à Karl que le moment viendrait où il comprendrait tout à fait. « En dépit de vos sentiments à son égard, Antoine est comme nous. Il doit avoir une *raison d'être*[7]. Karl, tu as réalisé toi-même, sans aucun doute, que l'éternité peut nous paraître bien longue. Imagine ce que seraient tes pensées, tes sentiments et le poids de ton expérience après plus de cinq siècles. »

---

[7]  NDT : En français dans le texte.

# CHAPITRE 9

Le soir suivant, Karl en était venu à certaines conclusions, aidé en cela par un nouvel apport d'information.

On avait eu des nouvelles de deux des trois personnes qui manquaient à l'appel. Elles avaient été retrouvées, mutilées, l'une en Grèce, sur l'île de Santorini, gisant dans une tombe fraîchement creusée près du corps d'un parent récemment enterré, l'autre dans un laboratoire de cryogénisation californien. Les deux corps avaient été découverts à temps, c'est-à-dire que les mortels n'avaient pas eu le temps d'examiner les restes. De toute évidence, ni l'une ni l'autre n'avaient lutté contre leur assaillant.

À la demande de Julien, Gertig avait envoyé par un service de messagerie des échantillons de sang prélevés sur le corps de Kaellie et sur les lieux de l'assassinat. Un second saut au laboratoire de médecine légale et une séance de tests avec le chromatographe en phase gazeuse révélèrent ce que Karl s'attendait à trouver : des traces de formol. Les échantillons provenant des deux corps retrouvés à Santorini et en Californie n'étaient pas encore arrivés, mais Karl soupçonnait que le sang ne contiendrait pas de formaldéhyde. D'une part, le formaldéhyde n'était pas utilisé en cryogénisation. D'autre part, d'après ce qu'il savait des pratiques d'inhumation dans les régions isolées de la Grèce, l'embaumement était une pratique coûteuse que la plupart des gens ne pouvaient se permettre ; la substance n'aurait pas été prédominante dans le cimetière d'une petite île perdue au milieu de nulle part et dont la population était inférieure à sept mille habitants.

Mais que les deux corps eussent été ou non embaumés, Karl était parvenu à se faire sa petite idée sur ce qui s'était produit et il communiqua aux autres ses conclusions.

« Ma théorie, c'est qu'Antoine a utilisé le parfum de la mort comme déguisement.

— Que veux-tu dire par là ?

— Je veux dire qu'à tous les endroits où les corps ont été mutilés, l'odeur envahissante habituellement associée à la mort est ce qui a servi à Antoine pour masquer sa propre odeur sanguine, sa présence.

— Alors, au Columbarium, dit Michel, il a utilisé du formaldéhyde pour que Chloé n'ait pas conscience de sa présence. Elle s'attendait à trouver cette odeur.

— L'odeur lui aurait semblé plus forte qu'à l'habitude, dit lentement Carol, mais pas suspecte. Cela l'a peut-être mise sur ses gardes, mais peut-être pas non plus. Quoi qu'il en soit, elle ne s'attendait pas à tomber sur Antoine. Est-ce que c'est à ça que tu veux en venir ?

— Oui, et d'après ce que nous a dit Michel, poursuivit Karl, Chloé était attirée par cet endroit parce qu'il lui rappelait sa propre mort. Selon ce que Morianna nous a expliqué hier soir, à David, à Michel et à moi, ça n'a rien d'étonnant. Chloé était probablement attirée ainsi parce qu'elle était dans… une phase morbide. » Il regarda Morianna, qui l'approuva d'un hochement de la tête.

« Une phase morbide ? demanda Kathy.

— J'essaierai de t'expliquer ça plus tard », lui répondit Karl.

Carol regarda André, qui haussa les épaules, puis Michel, qui dit : « Je pense que je comprends. En tout cas, je peux vous raconter ce que Morianna a dit.

— Lorsque les échantillons nous arriveront de Californie, je crois bien que nous y détecterons des traces d'azote liquide. Cela a dû rendre l'air du laboratoire pareil à l'atmosphère des bacs de cryogénisation.

— Mais est-ce que l'azote liquide a une odeur ? demanda David.

— Non, mais la substance devait remplacer le sang dans son corps.

— Comment ?

— Par injection.

— *Mon Dieu*[8] ! dit André. Est-ce que tu es en train de nous dire que si Antoine s'injecte dans les veines du liquide d'embaumement ou de l'azote ou n'importe quoi d'autre, nous sommes incapables de percevoir même sa présence ?

— Si nous sommes dans un lieu lié à la mort où cette odeur domine et si nous sommes… comment dire… obsédés par ces lieux, oui. »

Carol intervint : « Mais à supposer qu'Antoine se soit injecté du liquide d'embaumement dans les veines et que Chloé n'ait pu sentir sa présence, cela n'explique tout de même pas pourquoi elle n'a pas opposé de résistance. Même s'il s'est approché par-derrière, elle devrait avoir lutté.

— C'est l'aspect le plus difficile à accepter, concéda Karl. La phase morbide telle que nous l'a décrite Morianna correspond non seulement à une attirance envers la mort, mais à une tendance suicidaire.

— Alors, Chloé voulait mourir. Et Kaellie. Et les autres. »

---

8   NDT : En français dans le texte.

Morianna corrigea : « Il serait peut-être plus pertinent de dire que c'est la mort qui les a appelées et qu'elles ont répondu. »

Un frisson parcourut la pièce. Karl le sentit. Ils avaient chacun le pressentiment que cet état les guettait tous autant qu'ils étaient. Maintenant. Plus tard. Qu'importe. Et le jour venu, ils seraient vulnérables. Devant cette condition elle-même. Et devant un tueur. Ils vivraient longtemps, sans doute éternellement, mais Antoine aussi – il pouvait se permettre d'attendre.

Julien reprit : « Qu'Antoine ait exterminé cinq des nôtres si rapidement, en une semaine, cela dévaste notre communauté – comme il l'avait escompté.

— Nous devons riposter, dit André.

— Oui, approuva David. Nous ne pouvons laisser ce monstre détruire ce que nous avons mis si longtemps à bâtir.

— Si on se serre les coudes, dit Kathy, il nous aura pas. »

Carol l'appuya : « C'est probablement la meilleure stratégie. »

Jeanette secoua la tête. « Nous ne pouvons rester ensemble vingt-quatre heures sur vingt-quatre. C'est impossible. Et nous sommes vulnérables pendant notre sommeil. C'est un miracle qu'Antoine n'ait pas trouvé comment nous attaquer durant le jour. »

Wing dit : « Il est peu probable qu'il en vienne là. »

Morianna était d'accord. « Antoine joue un jeu intègre.

— Quoi ? hurla André. Pas du tout !

— *Au contraire, mon ami*[9], dit Julien. Antoine a ses propres règles – ses propres projets – et à l'intérieur de ces paramètres, il s'astreint à respecter un code d'hon-

---

[9]   NDT : En français dans le texte.

neur. Nous devons respecter les règles de l'ennemi ou, sinon, c'est comme s'il avait déjà gagné. »

Morianna ajouta : « Dans cette optique, pour nous détruire durant le jour, il lui faudrait recourir à des mortels. Et même si nous avons constaté par le passé qu'il n'hésite pas à faire appel à eux à l'occasion, en leur faisant jouer des rôles mineurs dans sa tragédie personnelle, il préfère de beaucoup le défi.

— Comment peux-tu savoir ça ? demanda André.

— Pense à ceux qu'il a transformés. Aucun d'entre eux n'est faible, chacun sans exception mérite d'être son enfant, le descendant d'une force puissante. Antoine ne s'est pas attaqué à des mortels sans recours, car cela aurait été contraire à son sens de l'éthique. »

André grogna : « Nous ne savons rien de ceux qu'il a essayé de transformer et qui sont morts en cours de route.

— Non, nous n'en savons rien, mais nous pouvons extrapoler. Il n'est pas fou. Et ses instincts sont forts », dit Karl.

Julien les ramena au problème plus immédiat. « Allons jusqu'au bout de notre pensée. Nous savons qu'il ne peut se résoudre à employer de stupides tactiques et de banals subterfuges. Il ne passera pas par des moyens détournés. Il est déterminé à regarder sa création en face et à la détruire. Il veut que ceux qu'il a créés reconnaissent en lui le dieu créateur *et* destructeur. Pour qu'une telle chose demeure évidente, sa créature doit être consciente au moment où il l'occit. »

Morianna enchaîna : « Antoine, avec chacun de nous, a créé sa propre histoire, dont il est la vedette. Sans conflit, il n'y a pas d'histoire. Je crois qu'il se perçoit comme un archétype.

— Antoine, expliqua Wing, a placé la barre très haute pour lui-même. À ce prix seulement la victoire ou la défaite peuvent avoir un effet. Vous devez comprendre que, après une existence si longue, il n'y a pas grand-chose qui, pour lui, représente un défi. Vient un moment où l'on doit choisir de se tourner vers l'extérieur ou vers l'intérieur, et sa nature ne lui permet pas de se livrer au type d'introspection vers lequel nous nous dirigeons fatalement en prenant de l'âge.

— Alors, dit André, nous allons nous contenter de rester assis et d'attendre que la phase morbide nous assaille. Ensuite, il ne nous restera qu'à espérer qu'Antoine vienne nous tailler en pièces vite fait. C'est ridicule !

— Je ne crois pas que personne ici envisage cela, objecta Julien. Mais nous ne pouvons nous protéger de la phase morbide.

— Peut-être, dit Jeanette, pouvons-nous nous protéger les uns les autres. »

La discussion s'engagea sur les façons dont ils pourraient mutuellement se jauger. Il semblait plausible que si l'un d'eux entrait en phase morbide, les autres pourraient monter la garde à tour de rôle, même pendant des décennies. Une telle chose n'avait jamais été expérimentée dans la communauté, disait Morianna, et il n'y avait pas moyen de savoir si cette approche serait efficace. Cependant, la majorité des individus présents jugeaient que, devant ce qui leur apparaissait comme un adversaire de taille, il fallait tenter la chose.

« C'est Antoine notre plus gros problème, dit Michel, mais ce truc des phases morbides fait de nous notre pire ennemi. »

Le fait d'exercer une surveillance réciproque signifiait qu'ils passeraient plus de temps ensemble et resteraient en contact les uns avec les autres lorsqu'ils seraient séparés. Par ailleurs, la plupart adhéraient à l'idée de rester en groupes. David et Kathy seraient ensemble, tout comme André, Carol et Michel. Julien et sa famille ne faisaient qu'un. Il en allait de même pour les autres. Ces groupes pourraient se réunir et former de plus grands ensembles, puis s'unir à d'autres groupes. Wing et Morianna, cependant, ne voulaient rien savoir de cette éventualité.

« Nous ne sommes pas faits pour cette époque et nous n'avons pas mis en place les éléments nécessaires comme l'a fait Julien », dit Wing en faisant référence au principe d'un noyau familial.

« Autant je suis incapable de me promener en plein jour, autant je ne peux voyager avec quelqu'un sur les talons, ajouta Morianna. C'est contraire à ma nature. Je sais que Wing ressent la même chose.

— Eh bien, dit Jeanette, nous pouvons tout au moins communiquer régulièrement avec vous. C'est possible, non ? »

Wing et Morianna restèrent silencieux. « Nous pourrions nous arranger », dit enfin Wing à contrecœur. Karl eut le sentiment que Wing et Morianna maintiendraient le contact non pas tant pour eux-mêmes que pour rassurer le reste de la communauté.

Un problème demeurait : comment déterminer que l'un de leurs proches était en phase morbide ? Ils étaient déjà si secrets. Même le plus extraverti d'entre eux se repliait souvent sur lui-même, surtout en ce qui avait trait aux éléments les plus intimes.

David dit : « Bien sûr, ce sera évident pour chacun, lorsque notre compagne ou notre compagnon deviendra obsessif. »

Karl savait très bien à quoi tous les autres songeaient : comment sauraient-ils si Morianna ou Wing étaient en train de perdre les pédales ? De plus, certains étaient seuls, quelque part dans le monde ; c'était le cas de Gertig et du troisième individu dont ils restaient sans nouvelles. Et de Gerlinde. Si cela se trouvait, ils étaient peut-être tous les trois en pleine phase morbide.

« Je détiens un autre renseignement qui vous sera peut-être utile, dit Karl. Les échantillons de sang de Chloé et de Kaellie que j'ai observés au microscope contenaient une cellule humaine portant un noyau. C'est inhabituel. Les globules rouges adultes n'ont pas de noyau.

— Eh bien, nos cellules sont différentes… commença Jeanette.

— Oui, mais j'ai examiné suffisamment de sang de notre espèce pour en connaître la composition, et nous répondons tous au même schéma.

— Que signifie la présence d'un noyau dans un globule rouge ? demanda David.

— Eh bien, chez les mortels, c'est une aberration. Une cellule déviante. Une distorsion. Habituellement, c'est un signe de maladie. Je parie que lorsque la phase morbide s'abat sur nous, cela se manifeste dans nos cellules. Nous devons alors avoir, dans un échantillon de notre sang, une ou plusieurs cellules comportant un noyau. Les cellules nucléées sont nécrophiles.

— Autrement dit, compléta pour lui Jeanette, les cellules déviantes nous rendent malades.

— Ou alors, le fait d'entrer en phase morbide modifie notre composition cellulaire. Nous ne le saurons pas tant que nous n'aurons pas fait plus de recherches afin de déterminer, tout d'abord, si ce phénomène est lié ou non à la phase morbide. Peut-être est-ce simplement une anomalie qui est apparue dans les échantillons sanguins que j'ai analysés. Et il est possible que l'assassin puisse, d'une manière quelconque, trafiquer les cellules, mais j'en doute. J'imagine mal que cela survienne au moment de la mort. »

Pendant que cette nouvelle information créait un bourdonnement dans la pièce, Karl s'enfonça dans son fauteuil en songeant à Gerlinde.

Il pensait toujours à elle, désormais. Il avait suivi sa piste à la première heure après le coucher du soleil et avait retrouvé sa trace à Düsseldorf, là où Antoine l'avait attaqué et transformé. Le fait que Gerlinde fût là-bas dans ce climat meurtrier produisait l'effet d'une enseigne au néon sur laquelle son nom aurait clignoté en toutes lettres : « Karl ». Il savait au fond de son cœur qu'elle se trouvait avec Antoine et qu'on était en train de l'attirer sur les lieux où sa vie de mortel avait pris fin.

Bien qu'il sût tout cela et en dépit des nouveaux éléments qui faisaient apparaître clairement le *modus operandi* d'Antoine, Karl était déterminé à sauver Gerlinde. Il fit part de ses intentions aux autres.

« Il n'en est pas question ! s'exclama André. C'est du suicide. »

David se montra aussi inflexible. « Antoine essaie peut-être de t'attirer là-bas, il se peut aussi que Gerlinde voyage seule, mais, d'une façon ou d'une autre, ce n'est pas le moment de partir en solitaire.

— Souviens-toi de ce que disait le *Yi-King*, lui rappela Kathy. T'es pas censé aller nulle part en ce moment.

— Je dois aider Gerlinde, insista Karl. Elle ferait la même chose pour moi ou pour n'importe lequel d'entre vous. Rappelle-toi, David, c'est Gerlinde qui a aidé Kathy à persuader les autres de se battre. Je croyais que vous étiez ses amis.

— Nous le sommes, dit André avec agacement. Nous n'avons peut-être pas toujours été comme les deux doigts de la main, mais tu sais que j'ai beaucoup d'affection pour elle. Nous l'aimons tous. Le simple fait que tu dises cela m'incite à me demander ce que tu peux bien avoir en tête.

— Ce que j'ai en tête, c'est que Gerlinde a disparu et n'a pas communiqué avec nous. Qu'elle a laissé un message bizarre chez David. Que j'ai retrouvé sa trace à Düsseldorf, la ville où Antoine a fait de moi ce que je suis. Qu'Antoine est en train de tuer tous nos amis un à un et que Gerlinde est peut-être en phase morbide. Pour parler franchement, je crois qu'elle a été kidnappée.

— Mais ce n'est pas Antoine qui l'a créée, dit Carol.

— Non, ce n'est pas lui. Mais peut-être qu'il est en train d'élargir son répertoire. Lorsque nous l'avons affronté, il a promis de tuer tous les individus qui se trouvaient à Fire Island, pas seulement ceux qu'il avait créés.

— Eh bien, si tu pars, je pars avec toi, dit David.

— Impossible, lui dit Karl.

— Pourquoi pas ?

— Il serait capable de sentir ta présence, puisque c'est lui qui t'a transformé.

— Toi aussi, alors.

— Oui, mais s'il voit que nous sommes deux à approcher, il risque de la tuer. De toute évidence, il essaie de m'attirer là-bas.

— Pour te tuer, dit André. Puisque Antoine est incapable de me pister, je viens avec toi.

— Il en est incapable, mais lorsque nous arriverons dans son champ de perception, et j'imagine que ses sens sont plus aiguisés que les nôtres, il saura, encore une fois, que nous sommes deux, et il risque de la tuer.

— Ça n'a aucun sens que tu partes seul, dit André visiblement outré.

— Je suis d'accord. Nous ne pouvons te laisser y aller seul, renchérit David.

— Je ne crois pas que nous devions te laisser partir tout court », lui dit Carol.

Karl fut soudain sur la défensive. « Vous ne pouvez pas m'arrêter. Personne parmi vous ne le peut. J'y vais, et j'y vais seul.

— Peut-être, suggéra Michel, que tu es en phase morbide.

— Si c'est le cas, alors je dois aller jusqu'au bout, comme les autres.

— Mais si Antoine te tue en premier…

— J'espère que ça n'arrivera pas. Je sais comment il procède, alors ça me donne une longueur d'avance.

— D'accord, tu connais ses méthodes, mais il va essayer de te détruire dès qu'il en aura l'occasion, dit David. Qu'est-ce que tu as l'intention de faire si tu parviens jusqu'à lui ? Comment comptes-tu te défendre ?

— Je ne sais pas encore. Mon but premier est de rejoindre Gerlinde et de voir de quoi il retourne. Peut-être qu'elle ne fait *que* voyager. Je ne le crois pas, mais on ne sait jamais. Si elle est seule, alors il n'y a pas de problème et nous reviendrons ici sur-le-champ. Si Antoine la garde en otage, eh bien, j'imagine que je vais commencer par essayer de lui parler.

— *Merde !* éclata André. As-tu perdu la tête ?

— C'est ridicule ! dit David.

— Peut-être que ça ne marchera pas, admit Karl. Mais je doute que quiconque ait jamais tenté cette approche. Et, franchement, je ne crois pas que personne ait de meilleure solution à me proposer. »

De toute évidence, c'était là une stratégie que nul n'avait envisagée. Personne ne croyait qu'Antoine pût être raisonné. Surtout après les meurtres. Et Fire Island. Sans compter la violence avec laquelle Antoine avait transformé un si grand nombre d'entre eux. Karl lui-même ne se leurrait pas : son plan n'était pas à toute épreuve. Cela ne fonctionnerait probablement pas, mais il ne voulait pas écarter l'évidence pour la seule raison qu'il s'agissait, précisément, d'une évidence.

Personne ne dit mot durant quelques secondes, puis Julien parla : « Je crois que c'est Winston Churchill qui a eu ce mot mémorable : "Un conciliateur, c'est quelqu'un qui nourrit un crocodile en espérant qu'il sera le dernier à être mangé." »

Karl réussit à trouver une place sur un vol pour Londres. Il arriva à Heathrow juste un peu avant le lever du soleil. Il prit une chambre dans un hôtel de l'aéroport et sauta dans un avion pour Cologne dès le crépuscule. De Cologne, il irait à Düsseldorf, qui se trouvait à moins d'une heure de train.

Durant le vol vers Londres, il avait eu tout son temps pour forger un plan. Malheureusement, les possibilités étaient limitées. De plus, deux grandes peurs dominaient ses pensées. D'abord, il craignait que Gerlinde n'eût été blessée. Il savait qu'elle vivait toujours, parce qu'il venait de la pister – elle se trouvait encore à Düsseldorf. Cependant, encore plus grande était la terreur qu'il ressentait à l'idée de devoir faire face à Antoine une fois de plus et de subir le pouvoir de cette force dominante qui, il le savait, pouvait très facilement l'anéantir – et n'hésiterait pas à le faire si l'occasion se présentait.

Pourtant, il devait aider Gerlinde. Il l'aimait. Et il ne pouvait exister sans elle. Cela, par-dessus tout, était devenu extrêmement clair pour lui au cours des derniers jours. Il ferait l'impossible afin de la sauver, même s'il lui fallait pour cela sacrifier sa vie.

# DEUXIÈME PARTIE

*Parmi tous les mécanismes de fuite,
la mort est le plus efficace.*

H.L. Mencken

# CHAPITRE 10

Karl arriva à Düsseldorf avec un pressentiment. D'ordinaire, il n'avait pas de pressentiments. Il lui vint à l'esprit que cet état mental pouvait très bien découler du choc entre ses peurs et une situation sinon insoluble, du moins sans issue évidente. Mais peu importe la source, cette prémonition n'augurait rien de bon. C'était comme regarder un film noir en sentant le dénouement lugubre se profiler. Gerlinde lui avait toujours dit de se fier à ses sentiments, mais ce soir il faisait tout pour les ignorer.

La ville avait beaucoup souffert depuis sa dernière visite. On était alors au début des années trente et le pouvoir d'Adolf Hitler gagnait du terrain en Allemagne. Les événements de Düsseldorf étaient un signe avant-coureur du sang qui serait versé quelques années plus tard.

Automatiquement, comme par habitude, lui sembla-t-il, Karl fit à pied le trajet entre la gare et la vieille ville située pas très loin. Il avait vécu dans ce quartier. À deux reprises. Et ces rues avaient été chaque fois le décor d'un drame bien particulier – l'un faisait partie de la petite histoire, et il n'en avait été que le spectateur. Cependant, parce que l'Allemagne avait été très touchée par les bombes alliées lors de la Deuxième

Guerre mondiale, ce quartier n'était plus ce qu'il était. La Mettmannerstrasse, maintenant bordée de boutiques marocaines, débouchait sur des immeubles résidentiels sales et déprimants, construits à une époque où l'on ne se souciait guère d'architecture et où l'on s'efforçait d'entasser le plus de logements possible dans le temps le plus court et au moindre coût. Avant la guerre, cette rue accueillait pourtant de charmantes maisons qui, avec leurs façades à colombages et leurs toits pointus, représentaient la plus pure tradition germanique. Certains de ces édifices de trois, quatre ou cinq étages dataient de plus de sept cents ans. Il y avait aussi la place centrale – toutes les villes allemandes possé-daient la leur – constituée de l'église et de son clocher, de la mairie et de boutiques disséminées le long des rues qui rayonnaient depuis ce carrefour névralgique. Cette ville était jadis si belle. Karl comprenait tout le sens des paroles de Goethe : « Les Allemands com-pliquent tout, à la fois pour eux-mêmes et pour les autres. »

Karl savait que la maison où Peter Kurten avait habité avec sa femme aurait disparu. Il se la rappelait comme une maison tout à fait ordinaire. Nullement comme un endroit où pût vivre un vampire.

Il parcourut à grandes enjambées la Mettmanner-strasse, en revoyant les événements qui s'étaient dé-roulés à Düsseldorf la dernière fois qu'il y avait habité. C'était une époque singulière. Des réparations avaient été imposées à l'Allemagne après la guerre de 1914-1918 et la pauvreté s'était généralisée. Il se souvenait d'avoir aperçu, un soir, une femme fraîchement arrivée de la campagne et qui errait dans la ville en traînant sa marmaille. Elle poussait devant elle une brouette débordant de marks, dans l'espoir de les échanger contre du pain pour nourrir ses enfants. Des gens avaient eu pitié d'elle et lui avaient donné une demi-miche en lui disant qu'ils ne voulaient pas de son argent dévalué.

Le contexte social était propice à la montée d'un dictateur et Hitler attendait son heure. Le peuple allemand se faisait saigner à blanc. Peter Kurten et Adolf Hitler allaient lécher ses plaies. Et d'autres avant eux, mais Karl ne voulait pas ressasser des événements trop anciens.

D'après ce que Karl avait réussi à en reconstituer plus tard par le biais des articles de journaux et des potins locaux, Kurten avait été au départ un enfant perturbé. Il était né en 1883, à Mulheim, plus au sud, près de la frontière française. L'endroit n'avait rien d'idyllique.

L'année de la naissance de Kurten, Karl vivait déjà depuis soixante ans, dont trente en tant que buveur de sang. Il savait reconnaître un autre amateur de sang lorsqu'il en rencontrait un. Et c'est ainsi qu'il percevait Peter Kurten – un homme terne et effacé aux manières délicates, toujours impeccablement vêtu d'un complet et d'une cravate, un foulard dépassant de la poche supérieure de son veston. Ses yeux pâles sans expression et sa bouche pincée le trahissaient, du moins aux yeux de Karl. Kurten était le genre d'individu très anxieux mais réussissant à projeter devant la plupart des gens l'image d'un homme stable, pilier de sa communauté. Pourtant, sous cette couche de normalité se tapissait un esprit sauvage et, pour l'avoir remarqué dans les rues de la ville, Karl savait que quelque chose du vernis de la socialisation avait été soit arraché, soit jamais véritablement fixé.

Tout cela avait fasciné Karl par la suite, après qu'on eut découvert ce que le *Vampir* avait fait durant la plus grande partie de son existence. Il lisait tout ce qu'il pouvait trouver sur la vie de Kurten, comme si le fait d'étudier des rapports sur l'anormalité chez un mortel pouvait, en quelque sorte, jeter un éclairage nouveau sur sa propre condition.

Pourquoi Kurten et sa femme s'étaient-ils installés à Düsseldorf en 1925 ? Cela restait un mystère. Les articles de journaux parus après l'arrestation de Kurten avaient mentionné qu'il venait d'une famille de dix enfants, mais cela ne présentait rien d'inhabituel à l'époque. Son père, un alcoolique, le battait. Cela non plus n'avait rien d'extraordinaire.

Lorsqu'il était enfant, Kurten adorait martyriser des animaux. Dans un des dossiers écrits à son sujet, on rapportait qu'il avait vécu un certain temps avec le préposé de la fourrière de son village et que c'était là qu'il avait appris à tuer des chiens errants.

À neuf ans, Kurten avait « accidentellement » noyé un camarade de jeu, puis avait essayé de noyer un autre de ses amis qui tentait de porter secours à la victime. À dix-sept ans, il avait essayé de violer et de tuer une jeune fille. En raison de ce crime et d'autres méfaits, il avait durant vingt-quatre ans effectué des séjours intermittents en prison, où il avait, selon toute apparence, assassiné deux codétenus – du moins s'en était-il vanté. Profitant d'un séjour à l'air libre, il s'était marié. Lorsque lui et sa femme s'étaient établis à Düsseldorf, il venait d'entrer dans une folie meurtrière qui devait durer dix-sept ans, et qui le pousserait à commettre des crimes à faire rougir les tueurs en série contemporains.

Avant même que Kurten fût désigné comme l'auteur de ces atrocités, Karl s'était souvent surpris à observer l'individu lorsqu'il rôdait dans les rues après la tombée de la nuit. Un *Herr*[10] d'un caractère si égal, à l'air si incroyablement passif, et pourtant en proie à une énergie pulsionnelle primale qui rappelait à Karl l'attitude d'un animal en laisse et pourtant toujours en chasse – le même genre d'énergie que Karl discernerait chez

---

[10]    NDT : "monsieur", en allemand.

Hitler, quelques années plus tard, lorsque ce dernier prendrait le pouvoir. La même énergie qu'il avait ressentie, près d'un siècle auparavant, la nuit où Antoine l'avait attaqué. C'était cette même force que Karl reconnaissait en lui-même quand la passion du sang menaçait de prendre possession de tout son être. Mais contrairement aux autres – les obsédés du sang, mortels ou immortels –, il avait toujours été capable de maîtriser ses obsessions.

Kurten avait réussi à tuer un très grand nombre de personnes, pour la plupart des enfants, avant d'être démasqué. Étrangement, en dépit de son passé violent, la police ne le soupçonnait pas d'être le responsable du nombre croissant de disparitions – ils préféraient croire que Kurten était un citoyen modèle. En fait, les autorités de la ville étaient allées jusqu'à exécuter un aliéné jugé coupable du meurtre d'un des enfants disparus. Mais, bien sûr, les meurtres n'avaient pas cessé.

De toutes les méthodes, Kurten préférait le couteau, dirait-il plus tard à un reporter. Il aimait trancher la gorge de ses victimes ou les poignarder en pleine poitrine, quoiqu'il étranglât aussi volontiers certaines de ses proies à mains nues. Il adorait la vue du sang. Son odeur. Son goût. Il avait coutume de faire parvenir aux journaux des messages anonymes à la Jack l'Éventreur, dans lesquels il se moquait de la police et se décrivait comme un buveur de sang. Karl jugeait le style des lettres un peu trop mélodramatique à son goût – le genre qui plaisait bien aux tabloïds. Elles ajoutaient cependant une pièce au puzzle et aidaient à comprendre le fonctionnement de ce tueur en série.

Kurten affirmait que le sang le mettait en transe. Karl pouvait comprendre cela. À cause de cet envoûtement, Kurten multipliait les meurtres. Poussant toujours plus loin l'horreur, il devait en avoir tué ainsi des dizaines afin de répondre à une même obsession, celle de plonger les mains et les lèvres dans leur sang.

Finalement, il avait kidnappé Maria Budlik et l'avait ramenée chez lui. Il avait essayé d'étrangler la jeune fille, mais elle avait entrepris de le convaincre de la relâcher. Étonnamment, il avait accepté. Bien sûr, elle était allée directement à la police et leur avait donné le nom et l'adresse de celui qui avait failli devenir son meurtrier. Les autorités s'étaient rendues sur place et avaient parlé à sa femme de ces allégations. Cependant, ils voyaient toujours en lui un citoyen exemplaire que, même avec un dossier criminel, ils n'arrivaient pas à croire coupable de cette série de meurtres.

Plus tard ce soir-là, madame Kurten avait interrogé son mari et, curieusement, il s'était confié à elle. Ensemble, ils avaient conçu un plan pour quitter la ville. Cependant, l'épouse avait fini par craquer et par collaborer avec la police. De concert avec les policiers, elle avait tramé une rencontre avec son mari à l'église donnant sur la place centrale. C'était là qu'on l'avait arrêté. Malgré les circonstances accablantes, ce ne fut que lorsque Kurten avait décrit les détails de ses nombreux meurtres à la police que les autorités avaient accepté de croire en sa culpabilité.

Au contraire du vampire de Hanovre, apparu presque au même moment dans l'histoire de l'humanité, Kurten n'était pas allé jusqu'à mettre sur pied un commerce bénéficiant de ses pratiques meurtrières. Ses appétits étaient clairement sexuels. Une fois, Karl l'avait observé de près. Il avait vu sa peur métissée d'une jouissance morbide. Ses traits creusés encore plus profondément dans son visage toujours inquiet. Il agissait comme s'il se prenait lui-même sur le fait dans une situation douteuse, la main dans le sac, comme on dit. Comme si quelqu'un d'autre, à sa place, avait violé, étranglé et tué tant de personnes. Karl pouvait le comprendre, lui qui durant les premières années avait si souvent ressenti cette dissociation intérieure. Il y avait alors deux êtres différents en lui : le Karl qu'il était avant de boire et celui qui retirait ses lèvres de la plaie béante à laquelle il venait de se nourrir. Cela ne lui faisait ressentir aucune pitié à l'égard de Kurten, mais tout de même une certaine empathie – à laquelle, même s'il avait été capable de l'exprimer verbalement, aucun mortel n'aurait rien compris.

Kurten avait été condamné à mort pour avoir commis neuf meurtres et, en 1930, il avait été décapité à la prison de Klingelputz. Cette même année, le parti de Hitler avait connu lors du scrutin une importante percée et était devenu le deuxième parti politique en importance au pays – il donnerait bientôt naissance au Troisième Reich, et ce serait l'avènement du parti nazi.

Tout cela avait fasciné Karl – c'était l'histoire en marche. Il avait devant les yeux des êtres humains qui, comme lui, goûtaient la puissance du sang. Qui étaient prêts à tout pour l'obtenir. Cependant, Karl n'était jamais intervenu dans les activités de Kurten – ni dans celles de Hitler. Observateur désintéressé appartenant à une espèce entièrement différente, il estimait que ce n'était pas son affaire. Lorsqu'il avait raconté l'histoire de Kurten à Gerlinde, cette dernière avait déclaré : « C'est une attitude typiquement allemande, ça ! Occupe-toi de tes fesses ! C'est ce trait de caractère qui a permis à Hitler de piéger tout un pays. »

Elle avait raison, bien sûr, mais il avait le sentiment qu'il ne pouvait aller à l'encontre de ce qu'il était. Il était né en Allemagne, qu'y pouvait-il ? Pas grand-chose, manifestement. Il était Allemand, il était aussi un prédateur. Pas plus que Kurten ou Hitler, Karl n'était en mesure de transformer sa nature intrinsèque. Plusieurs des plus grands philosophes germaniques avaient d'ailleurs soutenu la même thèse : nous ne pouvons changer qui nous sommes, et le mieux est de vivre un jour à la fois, en essayant de faire en sorte que chacune de nos décisions soit la bonne.

Karl s'arrêta à l'endroit où, selon son souvenir, se trouvait jadis la maison de Kurten. Quand il se trouva devant l'immeuble en béton qui avait oblitéré toute trace de l'ancienne maison, il prit toutefois conscience qu'il n'était pas venu là par hasard. Il y avait été attiré. Ces lieux étaient chargés, et les événements se révélaient par strates dans sa mémoire. Les multiples meurtres commis par Kurten, mais aussi une autre mort – au milieu du XIX$^e$ siècle, trente-huit ans avant la naissance du vampire de Düsseldorf, Karl avait habité, lui aussi, cette même maison.

L'attaque avait eu lieu pratiquement devant la porte.

C'était tard en automne. Les feuilles mortes jonchaient la rue et le vent hurlait sans répit. Il avait eu froid, cette nuit-là. Il voulait échapper à l'inclémence des éléments et se réfugier dans la chambre qu'il louait dans cette maison. La modeste demeure appartenait à une veuve, qui y habitait avec l'une de ses filles et l'époux de celle-ci. La fille avait fait une fausse couche parce qu'elle avait contracté la rubéole, une maladie dont les vivants ne mouraient guère mais qui pouvait entraîner des malformations chez le fœtus. Karl était venu à Düsseldorf afin de travailler à un remède contre ce qu'on appellerait bientôt la rougeole allemande, et la veuve avait été ravie d'accueillir le jeune scientifique dans sa maison.

Soudain, l'énergie émise par ces lieux lui parut comme une entité vivante et grouillante sur le point de l'envahir. Un tourbillon puissant, synonyme de sang et de transformation, se rua sur lui. Maintenant qu'il y prêtait attention, il reconnut cette énergie d'un coup. Antoine. Quelque part, à l'intérieur de l'édifice moderne. L'espionnant depuis l'un des appartements. Et avec lui, Gerlinde !

Karl fut submergé par un flot de souvenirs. Inconsciemment, il s'était mis à reculer, mais il ne s'en rendit compte qu'au moment où il se retrouva de l'autre côté de la rue, cherchant un appui contre un réverbère. L'air prisonnier dans sa poitrine comprimait son cœur, lui faisait tourner la tête.

Cette nuit-là, il y avait plus de cent cinquante ans, Antoine avait surgi de l'allée, tel un *Schwartz Geist*[11]. Avant même d'être touché, Karl avait senti une humeur diabolique et corrompue pénétrer par les pores de sa peau. C'était comme si le tissu de l'univers s'était déchiré et qu'une puissante énergie néfaste l'avait aspiré dans son giron pour l'avaler, déchirant sa chair au passage, l'extirpant violemment de son corps, siphonnant le sang de ses veines dans un bruit de succion monstrueuse qui l'avait laissé exsangue avant même qu'il eût pu réagir. Retenu comme par un étau et contre sa volonté, il avait senti un liquide froid et visqueux pénétrer entre ses lèvres et glisser dans sa gorge, et il avait constaté avec effroi que ce sang recyclé était le sien. Il suffoquait, mais le sang noir restait en lui, comme s'il savait qu'il était dans son plein droit de retourner et de demeurer dans cette enceinte qui était sienne. Tandis qu'il avalait et s'étouffait, Karl se disait «Ce n'est pas là la bonne façon de me sustenter», mais cette pensée rationnelle n'enlevait rien à l'horreur de ce qu'il était en train de vivre et de ce qui suivrait.

Laissé pour mort, il s'était débrouillé pour récupérer avant l'aube. Son seul souvenir, dans un premier temps, avait été ce rire brutal et démoniaque. Il ne savait ni où il était ni qui il était, et seule sa force de caractère lui avait permis de s'arracher au gouffre de cette réalité distordue qui ressemblait davantage à un cauchemar, et à reprendre pied sur la planète Terre.

D'instinct, il avait rampé vers l'entrée, s'était servi de sa clé et avait regagné sa chambre. Là, toujours

---

[11]  NDT : "esprit noir", en allemand.

par instinct, il avait verrouillé la porte, tiré et fermé les volets, avant de s'enrouler dans trois couvertures. Il se sentait glacé jusqu'aux os. Son corps tremblait de manière incontrôlable. Les bruits lui parvenaient altérés et chaque tic-tac de l'horloge grand-père, chaque craquement de la moindre planche, chaque chien hurlant dehors lui semblaient avoir dix fois l'intensité normale. Et lorsque la lumière avait commencé à poindre dans le ciel, un épuisement qui confinait à l'anéantissement l'avait submergé et il avait presque espéré que c'était la mort qui venait. Il avait été le premier surpris de se réveiller au crépuscule.

L'entité sombre qui l'avait projeté de force dans cet état altéré se révélerait comme le catalyseur d'un changement qui allait toucher la moindre parcelle de son être, sur le plan génétique autant qu'affectif. Et voilà que cette créature froide et infernale qu'il savait maintenant être Antoine le guettait sans nulle sympathie, ni empathie, ni remords, telle une énorme araignée venimeuse tapie dans une toile vers laquelle Karl était attiré comme si le tissage de soie était sa propre maison. Dans chaque cellule de son corps, il sentait que Morianna avait raison : Antoine était son parent. Et lui, il était la progéniture impuissante d'un despote.

La terreur le saisit comme s'il avait été prisonnier des mâchoires d'un monstre d'acier. Malgré tout, Karl se sentit avancer, un pas à la fois, vers la porte de l'immeuble. Courant, soupçonnait-il, à sa perte.

Il pénétra dans l'édifice par la porte principale, puis franchit la porte intérieure et commença à gravir l'escalier. À en juger par le nombre de boîtes aux lettres qu'il aperçut au passage, il devait y avoir une douzaine de logements. Il n'avait pas besoin de connaître le nom de la personne qui habitait l'appartement vers lequel il se dirigeait. Il savait pertinemment où Antoine et Gerlinde se trouvaient. Il lui aurait fallu être raide mort pour ne pas percevoir l'énergie qu'ils émettaient.

À l'étage, au bout du couloir en marbre usé, la porte était entrouverte, comme si quelqu'un l'attendait. Attendu, il l'était effectivement. Ils savaient qu'il se trouvait dans les parages, tout comme lui savait qu'ils étaient là.

Karl atteignit la porte, la poussa et pénétra dans l'appartement. Gerlinde était assise sur un petit support à plantes, près de la fenêtre. Elle paraissait tendue, jugea-t-il. Ses yeux bruns étaient trop brillants, fiévreux, et rivés sur lui. Ses mains s'agrippaient au rebord du support. Elle était habillée comme la dernière fois qu'il l'avait vue : collant noir et robe asymétrique à longues manches et à l'encolure en biais. Elle tourna légèrement la tête et ses cheveux courts se balancèrent en dégageant sa figure et en révélant son cou, comme si elle avait voulu lui présenter les marques sur sa gorge.

Antoine était derrière lui. Karl ne le voyait pas mais se sentait paralysé par son énergie, comme si un mur avait été pressé contre son dos, paroi intangible mais tout aussi efficace qu'une cloison de un mètre d'épaisseur. Ce contact impalpable l'immobilisa, le cloua sur place. Il se dit qu'il n'avait nul besoin de se retourner, mais il savait qu'il en aurait été incapable. Il n'était pas dans sa nature de regarder la bête en face. Pas encore.

Puis, un grondement se fit entendre, comme si la terre tremblait sous ses pieds. C'était un son caverneux, diaboliquement hideux. Un fossé s'était-il creusé vers l'enfer, libérant toutes les forces sombres dans un monde auquel elles n'appartenaient pas ? Il reconnaissait ce bruit pour l'avoir déjà entendu. C'était Antoine qui riait. De lui. Cela laissa Karl tremblant de frayeur, soumis à un pouvoir qu'il était hors de ses forces de combattre.

Abruptement, le son mourut comme si une tête venait juste d'être tranchée par une hache bien affûtée. Karl sentit qu'Antoine quittait l'appartement, le corridor, l'édifice. L'énergie mauvaise s'estompa à mesure qu'il s'éloignait, laissant Karl faible et fragile. Mais il avait trouvé Gerlinde et cela lui redonnait des forces.

Il fit un pas vers elle.

« Non ! dit-il elle brusquement en levant la main. Ne m'approche pas !

— Il t'a fait du mal », dit Karl d'une voix chevrotante, stupéfait devant sa réaction de rejet et tentant de la justifier dans son esprit. Évidemment qu'Antoine l'avait maltraitée. Il avança.

Gerlinde se leva d'un bond et grogna comme un animal : « J'ai dit : ne t'approche pas de moi ! » Sa voix avait monté d'une octave et son visage prit une expression féroce. Elle paraissait sur le point de l'attaquer.

« D'accord. Reste calme. Tout va bien », dit-il, autant pour lui-même que pour elle. Il l'avait vue se mettre en position d'attaque à quelques reprises, mais cela n'avait jamais été dirigé contre lui. Il était dérouté de se voir ainsi en être la cible.

Elle ne s'assit pas, mais ne donna pas l'assaut. « Il est parti », dit Karl, constatant combien l'évidence sonnait creux ainsi énoncée, mais se disant que Gerlinde avait peut-être besoin d'être rassurée. « Viens. Nous allons partir tout de suite pour l'aéroport et attraper un vol pour Montréal, les autres nous attendent là-bas, et…

— Je ne repars pas avec toi.

— Quoi ? Tu… Tu n'es pas toi-même. Il s'est servi de toi. Je sais comment il procède. Je comprends ce que tu ressens, mais…

— Tu ne comprends rien à ce que je suis ! Tu n'as jamais rien compris. »

Cela, plus que tout, l'atteignit au plus profond de lui-même, comme si elle avait utilisé un couteau. Et celui-ci toucha la cible, son cœur. Pourtant, Antoine exerçait son influence sur elle, c'était évident. Elle doit être sous son emprise pour dire de pareilles choses, se dit-il.

« Je sais ce que tu penses, dit Gerlinde. Il ne me contrôle pas. C'est moi qui suis venue à lui. De mon plein gré. Je suis allée à sa rencontre.

— Non. Il t'a appelée. Seulement, tu l'ignores. Il a utilisé le lien qu'il a établi avec moi afin de t'attirer, à travers moi. Il est puissant…

— Oui, il l'est. C'est pourquoi je le désire. Karl, j'en ai assez de la façon dont ça se passe avec toi, avec les autres. Notre espèce n'est pas faite pour une telle convivialité. Nous sommes des démons, nous sommes impitoyables, et plus nous devenons puissants, plus nous tenons en main notre destin.

— Gerlinde, ça ne te ressemble pas. Tu n'as jamais parlé ainsi…

— C'est ce que je ressentais au fond de moi, mais tu n'as jamais rien voulu en savoir. Tu étais trop occupé à bien t'entendre avec les autres…

— Tu as toi aussi fait passablement d'efforts conciliatoires…

— Parce que je ne connaissais rien d'autre. Parce que toi, David et André vouliez que les choses se passent ainsi. Mais pas moi. Tu fais leurs quatre volontés. Eh bien, qu'est-ce que tu fais des tiennes ? As-tu déjà seulement voulu quelque chose ?

— Je te voulais.

— Vraiment ? J'en doute. »

Maintenant, Karl sentait la colère monter en lui. Peu importe ce qu'Antoine avait fait, cela pouvait être défait, du moins l'espérait-il. Mais il n'allait pas la laisser continuer sur cette voie. « Tu sais que j'ai beaucoup d'affection pour toi…

— De l'affection ? Après quarante années passées ensemble ? Et que fais-tu du mot *amour* ?

— Je t'aime, tu le sais…

— Ne sois pas ridicule. Nous sommes incapables d'aimer. Tu ne peux m'aimer, je ne peux t'aimer. Et les autres, avec leur notion d'attachement, se font des illusions. Tu ne peux pas t'ouvrir avec moi, ni même me donner ce qu'un homme mortel serait en mesure de m'offrir.

— Je me suis ouvert avec toi. Je t'ai dit tout ce qu'il y avait à savoir sur moi.

— Tu crois ?

— Écoute, tout ça est ridicule. Tu dois venir avec moi.

— Je n'ai pas à aller avec toi et je n'irai pas. Tu ne veux rien comprendre, hein ? Notre espèce ne connaît que l'isolement. Il en a toujours été et il en sera toujours ainsi. Nous nous regroupons à des fins égoïstes. J'étais avec toi par peur de me retrouver seule. Tu m'as créée, est-ce que j'avais le choix ?

— Tu avais tous les choix du monde. C'était ce que tu voulais. Tu m'as supplié de le faire…

— Mais je ne savais pas ce qui m'attendait. Ce que je devrais sacrifier. Tu ne m'as jamais expliqué clairement.

— J'ai essayé.

— Et tu as échoué, Karl. Tu as échoué. Je restais avec toi parce que tu étais mon créateur, plus puissant que moi grâce au sang. Mais à présent je veux plus. Je veux quelque chose que tu ne peux me donner.

— Tu crois qu'Antoine le pourra ? Tu crois qu'il pourra t'aimer ?

— Non. Il admet qu'il est incapable d'aimer. Au moins il est honnête. »

Ces paroles le laissèrent bouche bée. Quoi qu'Antoine eût pu lui faire, ses mots, des mots qu'il ne lui avait jamais entendu prononcer, avaient des relents de vérité. Tout ça est insensé, se disait-il. Elle est ensorcelée. Mais il savait qu'il se leurrait. Elle ne paraissait nullement victime d'un sort. Ses idées semblaient plus claires que jamais.

« Qu'est-ce que tu es en train de me dire ? demanda-t-il enfin.

— Je suis en train de te dire de t'en aller. Je ne veux pas partir avec toi. Tu peux m'emmener de force, bien sûr…

— Pourquoi ferais-je une telle chose ? Qu'est-ce que j'en retirerais ? »

Durant un bref moment, il la vit prendre une expression étrange, qu'il ne put déchiffrer. Il ne savait s'il interprétait correctement ses pensées, mais il eut l'impression qu'elle était blessée. Puis, l'instant d'après, ses traits se recomposèrent, se durcirent, et elle dit : « Alors pars. Ma décision est prise. Je veux être avec Antoine. »

Karl sentit se creuser sous ses pieds une fosse qui menait directement en enfer et ses jambes se mirent à trembler. « Je… Je suis venu te sauver…

— Est-ce que j'ai l'air de quelqu'un qui a besoin d'être sauvé ?

— Mais… Qu'est-ce qu'il a à t'offrir ? Si ce n'est pas de l'amour, alors c'est quoi ?

— Il m'offre ce que tu n'as jamais pu et ne pourras jamais m'offrir : la puissance. Maintenant, fous le camp ! »

Mais Karl était incapable de bouger. Il se sentait rivé sur place, avec le gouffre noir qui s'élargissait sous ses pieds. Et tandis qu'il restait planté là, sonné, Gerlinde s'éloigna de la fenêtre en disant : « Si tu ne peux pas me quitter, alors c'est moi qui vais te quitter. » Elle passa en coup de vent près de lui et se dirigea vers le couloir. Il entendit ses bottes claquer dans l'escalier en marbre, entendit la porte s'ouvrir, la sentit s'éloigner dans la rue sur les traces d'Antoine. Il sentit décroître son énergie.

Une énorme cavité s'ouvrit sous lui, et celle-ci fut bientôt tout autour de lui, jusqu'à ce qu'un néant corrosif l'enchâssât. Il se sentait vidé. Ses sens ne percevaient rien. Suspendu dans le temps, il n'était traversé par nulle pensée, nulle émotion. Un constat surgit lentement en lui : *C'est donc ainsi qu'on se sent lorsqu'on est mort !*

# CHAPITRE 11

Le premier réflexe de Karl fut de téléphoner à la maison. Comme n'importe quelle créature qui se retrouve dans un milieu étranger, il avait besoin d'établir le contact avec ce qui lui était familier, ne fût-ce que pour préserver son équilibre mental.

Après quelques heures d'engourdissement, une douleur s'était installée en lui, croissant telle une moisissure et devenant une émotion acide, le dévorant jusqu'à ce qu'il la reconnût pour ce qu'elle était désormais : la souffrance absolue. L'intensité qu'il sentait se développer à l'horizon de sa psyché lui fit peur. Il ne savait que faire, vers quoi se tourner. À la fin, il se tourna vers ses amis.

« Rentre à la maison, *mon ami*[12], dit André.

— Oui, reviens. Saute dans le prochain avion, ajouta David qui avait pris l'autre téléphone. Nous irons te chercher à l'aéroport.

— Que peux-tu faire de plus en Allemagne ? Rien. Tu dois revenir ici, tu y seras plus en sécurité. Ensuite, nous pourrons concevoir un plan.

— C'est trop dangereux là-bas, avec Antoine à tes trousses.

---

[12]  NDT : En français dans le texte.

— S'il avait voulu me faire du mal, leur dit Karl d'un ton morne, il n'aurait eu aucune difficulté à le faire.

— Je crois qu'il t'a *déjà* fait du mal », dit David.

Pendant qu'ils discutaient, Karl se sentait de plus en plus déterminé à ne pas retourner à Montréal. Il savait qu'André et David s'inquiétaient pour lui. Ils avaient traversé ensemble beaucoup d'épreuves et, malgré tout, étaient demeurés des amis loyaux. Cette fois cependant, il faisait face à une situation qu'il ne pouvait partager véritablement avec eux, ni avec qui-conque. C'était sa peine, sa douleur à lui.

« Nous savons ce que tu traverses, dit David. Nous sommes tous les deux passés par là. »

Mais c'était faux. Ils n'avaient rien vécu de vrai-ment pareil. Ce qui s'était passé entre André et Carol, puis entre David et Kathy n'avait rien de commun avec ce qu'il vivait. Absolument rien. Gerlinde et lui étaient ensemble depuis près d'un demi-siècle. Elle était à ses côtés depuis toujours, lui semblait-il, bien que ce ne fût pas exact. Comment il avait réussi à vivre avant de la rencontrer, il l'ignorait. Et comment il continuerait à vivre à présent qu'elle était partie…

« Nous avons tous les deux été rejetés », disait André.

Mais aucun des deux n'avait souffert de manière aussi absolue, aussi inéluctable.

« C'est Antoine, il n'y a pas de doute. » David connaissait Antoine aussi bien sinon mieux que Karl. Antoine, le monstre furtif qui surgissait de nulle part, qui semait la destruction, puis s'évanouissait preste-ment dans la nuit comme une brume sombre. Une force si maléfique, si libre de toute attache qu'il paraissait tout-puissant, ne serait-ce qu'en vertu de sa complète autonomie et de sa totale imprévisibilité.

« Il la manipule, poursuivit David. Songe à l'influence qu'il exerçait sur Ariel. Et sur Kathy. Et sur moi-même, d'ailleurs. Tu te rappelles sûrement la nuit où il t'a pris…

— Bien sûr que je me rappelle », le coupa Karl d'une voix cinglante. Il regretta instantanément d'avoir répondu sur ce ton. Tout ce que voulaient ses amis, c'était l'aider. « Je suis désolé. J'ai les nerfs à vif.

— Ça se comprend, dit André. Tu dois rentrer à la maison.

— Je n'ai pas de maison », rétorqua Karl. Les deux autres gardèrent le silence à l'autre bout du fil, comme s'ils venaient de recevoir une gifle verbale.

David essaya encore de le convaincre, d'une voix si douce que Karl ne put facilement l'interrompre. « Si tu repenses à la nuit de ta transformation, tu te rappelleras, comme moi, le sentiment d'impuissance qui te submergeait. Antoine suscite ce sentiment chez ses victimes, puis s'en nourrit. Tu le sais aussi bien que moi. Il lui a tourné la tête, en quelque sorte, et il l'a fait pour te causer du mal. Il te veut impuissant, et c'est la seule façon d'y arriver, maintenant que tu as pris tes distances par rapport à lui. Ne le laisse pas y parvenir.

— David a raison, renchérit André. Antoine se sert de Gerlinde pour arriver jusqu'à toi. C'est évident.

— Je ne suis pas stupide ! » dit Karl. Il était en train de perdre patience avec ses amis. Mieux valait raccrocher et cesser de les torturer. Il soupira et tenta une dernière fois de leur expliquer : « Ce que vous dites est vrai, je l'admets. Mais quels que soient les motifs voilés d'Antoine, le résultat pour moi est le même : sans elle, à quoi bon survivre ? »

Entendre les mots sortir de sa bouche cristallisa la douleur qui montait en lui par vagues. Antoine était peut-être en train de manipuler Gerlinde et de le manipuler, lui. Après tout, il avait affirmé qu'il ferait tout en son pouvoir pour détruire encore d'autres membres de son espèce. Mais si tel était le cas, il avait déjà gagné. Karl ne pouvait le combattre, de toute évidence. Et Gerlinde l'avait quitté, ce qui voulait dire qu'une partie de lui s'en était allée. Il se sentait comme un amputé, comme si tous ses membres avaient été arrachés de son corps et que seul un tronc sanglant, en proie à une souffrance éternelle, lui était resté. Et pourtant, en dépit de tout cela, il éprouvait un détachement étrange, comme si cette douleur était infligée à un autre. En bon scientifique, il s'affairait à analyser les événements tandis qu'ils survenaient, et cette aliénation à l'égard de sa propre existence contribuait plus que tout à gonfler son désespoir.

Que suis-je devenu? se demandait-il. Plus de cent cinquante années passées sur cette terre m'ont rendu pareil à la pierre. La partie de moi qui est morte aux mains d'Antoine gagne du terrain. Vers quoi cela me conduit-il, sinon vers l'oubli?

David et André faisaient tout ce qu'ils pouvaient pour contredire les déclarations fatalistes de Karl. Ils employaient les arguments dont ce dernier aurait usé ou ceux-là mêmes qu'il avait utilisés en discutant avec eux durant toutes ces années. Mais leurs paroles n'apaisaient pas sa souffrance. Il avait l'impression que rien ne saurait jamais calmer ses tourments.

Morianna finit par prendre le combiné, tandis que Julien et Michel écoutaient dans l'autre téléphone. «Le temps guérira la blessure», le rassura-t-elle d'une voix incertaine. Il avait l'impression qu'elle s'exprimait à contrecœur. Ses paroles lui paraissaient si banales, pareilles à celles de n'importe quelle mortelle ne sachant que dire à une personne à qui l'on vient d'annoncer qu'elle est en phase terminale. Il ne lui avait pourtant jamais rien trouvé de banal auparavant.

Julien ne disait rien.

Les paroles de Michel trahirent son affolement. « Tu dois revenir. S'il te plaît, Karl. Reste pas là-bas. Nous allons trouver un moyen de ramener Gerlinde, nous allons nous y mettre tous ensemble. Mais là-bas tu es seul. S'il te plaît. »

L'amour que le jeune garçon éprouvait pour lui l'atteignit. C'étaient les premières paroles qui égratignaient sa carapace de désolation. Mais au bout du compte, Karl savait que retourner à Montréal signifierait pour lui sombrer dans un profond coma. « Je ne peux pas rentrer. Pas tout de suite.

— Mais Antoine va te pister…

— Il en a toujours été capable. S'il avait voulu me détruire, il aurait pu s'exécuter en maintes et maintes occasions.

— Son plan est plus sournois », avertit Julien. D'ordinaire, ce que ce grand ancien avait à dire le pénétrait au plus profond de lui-même et le forçait à prêter attention. « Comme l'a dit un écrivain parmi les mortels, le cœur est en effet un chasseur solitaire. Tu ferais mieux de te le rappeler et de te souvenir des paroles que Morianna vous a adressées juste avant ton départ.

— À propos de la phase morbide ? Eh bien, si j'y suis destiné, qu'est-ce que je peux y faire ? Il semble que je ne peux qu'aller de l'avant et voir où tout ça me mènera.

— Mais nous pouvons t'aider », dit Michel, tendant, comme le font les jeunes, tout entier vers l'espoir, essayant de l'atteindre, s'y accrochant comme à un fil aussi fragile qu'un nuage. Karl en fut ému. Si quelqu'un pouvait le faire changer d'idée, c'était bien Michel.

« Peut-être une aide de la communauté est-elle envisageable, mais pas maintenant. En ce moment, j'ai besoin d'être seul. »

Deux heures durant, il parla avec eux tous. Leur inquiétude à son égard était palpable. Et pourtant rien ne le fit changer de cap, car il était figé sur place. Le désespoir pesait sur lui. Il ne pouvait aller les retrouver. Il n'avait rien à leur offrir et ne pouvait rien recevoir d'eux. Si être seul signifiait qu'il s'autodétruirait durant la phase morbide ou qu'Antoine le tuerait, alors il s'inclinerait, rempli d'espoir et de gratitude, devant son destin. C'était peut-être le seul pouvoir qui lui restait.

Lorsqu'il raccrocha, il savait où il s'en allait. Ce ne serait pas vers Gerlinde qui, il le sentait, avait quitté Düsseldorf. Il décelait en fait sa trace au nord-est, près de Hanovre. Il ne pouvait pas pister Antoine, bien sûr, mais il avait la conviction qu'ils étaient ensemble. Hanovre. Une autre ville allemande qui avait produit un « vampire » humain, songea Karl avec cynisme et amertume. Peut-être Antoine avait-il le sens de l'humour, après tout !

Il ne pouvait les suivre. À quoi cela aurait-il servi ? Gerlinde était peut-être envoûtée ou peut-être ne l'était-elle pas, mais Antoine avait une bonne longueur d'avance sur Karl. Comment pouvait-il lutter contre son créateur ? Eh bien, il le pouvait, mais il mourrait sur-le-champ. Et si le fait de lutter et de mourir devant la femme qu'il aimait séduisait l'irréductible romantique qui sommeillait en lui, cette image tenait du rêve éveillé. Dans les faits, sa mort serait atroce. Antoine le taillerait en pièces et Karl serait probablement forcé de demander grâce. Ce n'était pas là une fin qu'il voulait laisser en héritage. Et il entendait d'ici Gerlinde ricaner devant un si minable trépas.

Non, si nulle existence n'était possible, le seul élément encore en son pouvoir était sa propre mort. Comment et quand il mourrait. Antoine l'attaquerait peut-être, mais il en doutait. Comme il l'avait dit et comme il le pensait en effet, celui-ci en avait eu trop

souvent l'occasion. De plus, Antoine aimait les défis.
Karl ne faisait pas le poids comme adversaire. Antoine
connaissait son rejeton et en avait conclu que Karl, si
on le laissait un peu seul, finirait par creuser lui-même
sa tombe.

Jouer le jeu d'Antoine ne lui plaisait guère, mais
avait-il le choix ? L'alternative était entre les mains de
ce père tout-puissant, qui pouvait le créer ou l'annihiler. Et il avait fait les deux.

Le cœur gros, Karl prit le train vers le sud en direction d'Oberwesel. Quel meilleur endroit pour mourir
que la ville où il était né ?

# CHAPITRE 12

Le train filait le long de la vallée du Rhin, s'arrêtant brièvement dans les petites villes pour laisser monter ou descendre des passagers : Porz, Bad Honnef, puis Bonn, ville basse avec de hautes églises et de longs parcs industriels, ville propre et efficace. Tandis qu'il voyait défiler le long de cette route pittoresque des dizaines de châteaux médiévaux nichés au sommet des montagnes, Karl sentit l'odeur fertile et familière de la terre remplir ses narines. Il posa son regard sur le visage des autres passagers et nota combien ils ressemblaient à tous ceux qui les avaient précédés. Ces impressions et ses plus lointains souvenirs finirent par s'imbriquer, et Karl sut alors qu'il était rentré chez lui.

Le Rhin ondulait entre les montagnes. Des pentes escarpées couvertes de vignobles disposés en terrasses s'étalaient dans tout ce pays du raisin blanc. Ces fruits donnaient le délicieux vin du Rhin que Karl aimait tant dans sa jeunesse. Cette contrée avait fait de lui ce qu'il était.

Le sifflet du train retentit, inutilement, à son avis – à cette heure du jour, il n'y avait pas d'autre circulation sur les voies : ni le train européen à grande vitesse, qui ne s'arrêtait pas dans ces petites villes, ni les wagons de marchandise transportant leur cargaison entre le Nord et le Sud. Ce simple train en bois, à l'aménagement si narcissique, consistait en deux wagons et une locomotive. Construit dans les années trente, à l'époque de la guerre, il aurait pu servir de modèle à ces miniatures qui tournent en rond sur leurs voies ferrées au pied des arbres de Noël.

Le train négocia un large virage. Le fleuve était bas ce soir et Karl apercevait au loin la pointe de *die Lorelei*, ces rochers à fleur d'eau qui, telles les sirènes de la mythologie grecque, avaient entraîné tant de marins dans de fatals naufrages, à l'époque où la voie navigable était le seul accès entre le Nord et le Sud. Heinrich Heine était un contemporain de Karl, et les mots du célèbre poète lui revinrent en mémoire :

> *La plus belle des filles est assise*
> *Là-haut, sur le bord du rocher ;*
> *Ses bijoux magnifiquement luisent,*
> *Elle peigne ses cheveux dorés.*
>
> *Son peigne, d'or pur, les caresse*
> *Et elle chante une chanson doucement,*
> *Une mélodie pleine de tendresse*
> *Qui captive par son ton séduisant.*
>
> *Le batelier dans son navire*
> *D'une langueur indicible est pris,*
> *Il ne regarde, tout en délire,*
> *Que là-haut, où l'ange est assis.*
>
> *J'ai peur que les ondes du fleuve*
> *L'engloutissent, avec son bateau ;*
> *Que le chant de Lorelei, dure épreuve,*
> *Finisse par les briser dans les flots.*

Ce n'était pas le poème le mieux écrit au monde, mais les vers lui allaient droit au cœur. Oui, c'était lui le batelier dans son navire, qui écoutait, contemplait, se languissait… et courait vers sa mort.

Soudain, la petite ville d'Oberwesel fut en vue. Il était chez lui. Les lieux avaient changé depuis son enfance, mais restaient pourtant pareils. À ses yeux, Oberwesel était encore un village, demeuré intact depuis sa naissance, en 1820, et même, soupçonnait-il, au cours des cinq derniers siècles. Son regard évacuait de manière sélective tout ce qui ne coïncidait pas avec ses souvenirs. Ce qu'il voyait, ce n'était pas le Oberwesel d'aujourd'hui, mais celui du passé.

Jadis, la ville était plus petite, bien sûr. Comme toutes les localités environnantes. Le même voyage le long du Rhin aurait pris à l'époque peut-être une semaine, sinon plus. Il n'y avait alors pas de routes, à peine des chemins en terre battue reliant les villages. Le fleuve était source de vie. Aucun bateau de plaisance ne constellait ses eaux, seulement les navires des marchands qui se fiaient au vent pour avancer. Et lorsque le vent tombait, des chevaux les tiraient depuis la rive afin de les aider à accoster. Ces bateaux naviguaient de manière irrégulière, et surtout pour approvisionner les fiefs isolés. En ce temps-là, on n'avait besoin d'aller nulle part et les gens ne voyageaient pas.

Devant lui, il vit ses souvenirs faire place à la réalité – il se rappelait *der Mauseturm* – la tour aux Souris – et le château fort du Chat, et l'autre – ah oui, la tour du Gardien des vaches – toutes trois se dressant depuis le Moyen Âge mais éclairées maintenant à l'électricité. Dans son temps, on utilisait des chandelles, mais le but était le même – leur lueur jaune servait de phare le long de la rivière sombre et sinueuse. Les tours se trouvaient dans la vieille ville qui, dans son enfance, était la ville tout court. En ce temps-là, Oberwesel ne regroupait qu'une centaine de maisons – la population ne dépassait pas mille habitants –, plus la cathédrale Notre-Dame, près du port, l'église Saint-Martin, plus loin dans les terres, les cloîtres et, perché sur la plus haute colline et surmontant toutes ces constructions, *die Schönburg*.

Sous le clair de lune, Karl distingua la brique rouge de l'aile reconstruite, qui contrastait brutalement avec les pierres gris brun de la structure originale de la massive forteresse. Une lubie architecturale avait créé un engouement pour ce genre de restaurations. Il devait y avoir une centaine de châteaux le long du Rhin et plusieurs avaient été ainsi remis en état. Le résultat se révélait peu agréable pour l'œil, mais, tout au moins, se dit Karl, tout le monde sait où commence et s'arrête la construction originale.

Le château Schönburg avait toujours été là, du moins en apparence. Sa construction avait débuté mille années plus tôt, puis progressé au gré des nombreux princes guerriers qui avaient occupé les lieux. La propriété en avait souvent été remise en question au fil des siècles.

De la gare, Karl appela l'un des deux taxis qui desservaient la ville et indiqua au chauffeur de se rendre au château Schönburg. S'il avait appris une chose au cours de ce siècle et demi d'existence, c'était que les riches peuvent se permettre d'être excentriques. On s'attendait d'ailleurs à ce qu'ils le fussent. Dans ce château, où il payait pour un service haut de gamme, il lui serait facile de demander que le ménage de sa chambre fût effectué après vingt heures. Beaucoup plus facile que dans une auberge quelconque, où sa requête serait ignorée, peu importe le prix qu'il y mettrait.

Le taxi arriva enfin à la gare. Le chauffeur, en fait une femme aux allures de matrone, lui adressa l'habituel « *Guten Abend!* » et fila aussitôt le long de l'autoroute sinueuse qui allait jusqu'en haut de la montagne. Elle tenta d'engager la conversation avec lui, mais Karl laissa ses questions en suspens. Oberwesel avait toujours été une petite ville. C'était encore le cas. Il était un étranger, arrivant au beau milieu de la nuit. La nouvelle de son arrivée, sa description, tout et n'importe quoi viendrait nourrir le moulin à rumeurs. D'ici midi, toute la ville aurait eu vent de sa présence.

La même chose se produisait durant sa jeunesse. On connaissait ses moindres gestes. Il sortait un soir et, le matin suivant, son grand-père pouvait lui dire où il était allé, avec qui et de quoi ils avaient parlé, dans les moindres détails. Quelqu'un avait vu ceci, un autre avait entendu cela, un troisième avait remarqué telle ou telle chose. La vie dans une petite localité, quoi. Pas étonnant que les non-morts préférassent les grandes villes ! L'anonymat avait ses avantages.

Juste au-dessus de lui, se rapprochant toujours, se dressait le mur d'enceinte, un des remparts les plus énormes qu'il eût vu en Allemagne. À l'intérieur des murs, il y avait cinq bâtiments et la vieille chapelle. Ils parvinrent enfin à un promontoire en bois au-delà duquel le taxi ne pouvait continuer. De là, Karl gravit à pied le chemin pavé menant au pont-levis, franchit les douves et aboutit dans la cour intérieure. Devant ses yeux s'érigeait l'arche pointue de l'entrée et, derrière lui, la massive barrière en pierre et en métal de la tour. En dépit du vent glacial qui, à cette altitude, le fouettait violemment, il s'arrêta un instant pour contempler le château depuis sa cour.

Karl, comme tous les jeunes de son époque, avait appris durant son enfance l'histoire du château. Oberwesel avait été, plus de mille ans auparavant, un campement romain appelé Voslvia ou Ficelia – il ne se rappelait pas trop. Des excavations successives effectuées avant sa naissance, ainsi que des fouilles ultérieures dont il avait lu un compte rendu dans le *National Geographic*, avaient mis au jour les ruines de manoirs romains avec leurs colonnes, leurs canalisations, leurs puits, leurs planchers. Le château lui-même avait sans doute servi de tour de guet. Après tout, ce point culminant offrait une vue privilégiée sur le Rhin et, en raison de son emplacement, la forteresse devait être facile à défendre.

Des serfs avaient construit le château entre 966 et 1166. La famille Schönburg était originaire de Oberwesel – Karl en était un lointain parent tout comme, soupçonnait-il, beaucoup de gens dans cette ville. Au-dessus de la porte il remarqua un blason – les armoiries familiales, décernées à un chevalier de la famille Schönburg par Charlemagne en 744 en récompense de sa bravoure dans une bataille et, en particulier, pour avoir sauvé la vie du roi.

Au fil des siècles, le château avait été le cadre de beaucoup d'intrigues et d'autant de morts. On racontait que le comte Palatine avait retenu captif dans le donjon son rival, le jeune Otto de Rheineck fils, et qu'il avait fini par l'y étrangler. Les histoires d'espionnage et de conspirations politiques abondaient. Un complot passablement tortueux s'était terminé en affrontement entre l'empereur de l'époque et le pape et, une fois rompue l'entente, la propriété de la terre avait été arrachée aux Schönburg, quoique la famille eût toujours l'autorisation d'y demeurer. En l'espace d'une nuit, la cité impériale libre d'Oberwesel était redevenue un fief qui allait être dirigé par toute une série de seigneurs. Plus tard, le château serait divisé en trois, et chaque part serait accordée à un clan distinct de la famille Schönburg. Jusqu'à deux cent cinquante personnes pouvaient avoir vécu à la fois dans cette spacieuse demeure.

Il regarda autour de lui. Ces murs épais se dressaient depuis des siècles. Que de secrets ils devaient contenir ! Les deux tours cylindriques visibles de ce côté – une des tours s'était effondrée en 1880 – étaient imposantes. Il savait qu'il y avait aussi des tours de l'autre côté, car, durant son enfance, il avait joué dans les bois qui couvraient le flanc de la colline derrière le château. La cour abritait des canons en fonte, disposés le long du mur donnant sur le fleuve, à l'est. À proximité, s'amoncelaient les boulets, ces grosses boules en pierre qu'on utilisait dans des catapultes, prêts à être projetés en direction d'un vaisseau ennemi – autant de vestiges des batailles importantes qui s'étaient déroulées en ces lieux au fil des ans, chacune causant beaucoup de dégâts. À l'époque la plus récente, cela avait commencé avec Frédéric II, puis il y avait eu les Espagnols en 1632, les Suédois en 1639 et les Français en 1646 – il était impossible de savoir de qui provenait chacune des cicatrices qui avaient été infligées à la structure. Karl se rappela en souriant que Victor Hugo avait décrit les ruines du château de Schönburg comme « un des décombres les plus admirablement écroulés qui soient en Europe ».

En 1820, année de la naissance de Karl, aucun Schönburg n'habitait plus dans le château en ruine. Mais leur héritage demeurait. Karl se rappelait avoir lu durant sa jeunesse le *Dialogus miraculorum* de Césarius von Heisterbach, un chroniqueur de la fin du XIIe et du début du XIIIe siècle. Cet ouvrage soulignait les constantes disputes entre la population de la ville et les Schönburg. Et chaque fois, médita Karl, les citoyens en ressortaient perdants. Un certain Otto Schönburg avait tenté de faire chanter certains notables d'Oberwesel, maltraitant la femme et les enfants de tous ceux qui avaient fui devant ses menaces. Les Schönburg avaient aussi utilisé leur position dans l'Église et au gouvernement pour renforcer leur pouvoir et ils avaient contribué à la colonisation vers l'est au cours du XIIe siècle, en particulier en territoire saxon – du moins avaient-ils bonne réputation à l'extérieur de leur propre région. Chez eux, les trahisons se multipliaient et on racontait que la mise à sac de la ville par les Français au milieu du XIX$^e$ siècle n'était pas le fruit du hasard. Le conflit avait laissé la ville et le château en ruine. Oberwesel avait mis du temps à s'en remettre et le traumatisme restait gravé dans la mémoire des gens. Karl avait l'impression que le nom des Schönburg n'était toujours pas très bien vu dans la région.

Il en connaissait plus long sur l'histoire du château que sur sa restauration. Il réussirait peut-être à en apprendre davantage à ce sujet une fois qu'il aurait pris une chambre.

Il pénétra par l'entrée massive, gravit les marches en pierre et aboutit immédiatement au comptoir vitré de la réception. Une suite de Händel jouait en sourdine depuis un lecteur de CD. Un homme d'un certain âge l'accueillit avec une déférence tout allemande. « Combien de temps durera votre séjour ? demanda-t-il.

— Je ne sais pas trop encore. »

L'homme inséra dans sa machine la carte American Express or de Karl afin d'y prélever un dépôt. Il demanda à Karl s'il préférait tel ou tel forfait, certains incluant le petit-déjeuner, d'autres le repas du soir. Il déclina toutes ces offres et demanda simplement qu'on fît sa chambre plus tard qu'à l'habitude. « J'écris le soir et je dors le jour, expliqua-t-il.

— Oh, vous êtes écrivain, s'enthousiasma son hôte. J'aime bien la lecture. Vous écrivez de la fiction ?

— Non. Je prépare un livre sur les châteaux de l'Allemagne. »

Il savait que cela lui assurerait un statut privilégié et que le gérant veillerait à ce qu'on ne dérangeât pas sa tranquillité durant le jour.

Une jeune fille vietnamienne apparut et le conduisit à sa chambre. Comme les choses ont changé, songeat-il. Le monde est vraiment un grand village.

Le petit ascenseur s'éleva lentement dans la tour du château, tandis que la jeune fille sympathique et souriante lui décrivait dans un allemand fluide les services offerts sur place, l'horaire des déjeuners et des soupers ainsi que les diverses attractions de la ville située en contrebas. Elle ne cessait de répéter que, s'il avait besoin de quoi que ce fût, il n'avait qu'à communiquer avec la réception.

Lorsque l'ascenseur s'arrêta, elle lui fit emprunter un étroit corridor en pente, rempli à craquer d'artefacts du passé. Ils aboutirent devant une porte qui, coïncidence, portait le numéro 23, soit le nombre correspondant à l'hexagramme que Wing avait interprété.

Tout en continuant de papoter, la jeune fille ouvrit la porte et le fit entrer, puis elle disparut. La chambre était luxueuse. Un grand lit antique en bois sombre dominait la pièce, autrement décorée de manière délicieusement éclectique : d'un côté, un bureau en noyer faisait cohabiter de manière improbable une fausse plume émergeant fièrement d'un encrier en argent, une vieille radio à lampe et une demi-douzaine de livres d'histoire sur la région. Deux tringles en fer se repliant l'une sur l'autre et supportant de lourds rideaux en velours rouges ornaient les fenêtres à treillis de plomb – très médiéval, jugea-t-il. La direction de l'hôtel avait veillé à tous les besoins de ses clients en disposant sur une petite table ronde une bouteille de vin du Rhin glacé, un décanteur à porto, des verres en cristal ainsi qu'un bol de fruits accompagné d'un couteau et d'une assiette assortis. Dans un coin de la pièce, il y avait deux fauteuils en velours moelleux et un canapé. Sur le papier peint à motif de petites fleurs étaient accrochées des armoiries et des peintures représentant des animaux sauvages ainsi que des miroirs au cadre ouvragé. Il y avait aussi un chandelier en cristal, un vase de fleurs coupées et, sur l'oreiller, des chocolats.

Gerlinde aurait adoré. Gerlinde aurait détesté. Elle en aurait ri de ravissement.

Mais il ne l'entendrait jamais plus rire, sauf dans sa mémoire. Et il savait que lui non plus ne rirait plus. Ni ne pleurerait. Tout espoir lui avait été arraché, laissant son cœur pareil aux pierres qui composaient l'enceinte de cette forteresse. Comment donc G. K. Chesterton avait-il exprimé la chose ? Le fou n'était pas celui qui avait perdu la raison, mais celui qui avait tout perdu *sauf* la raison.

Il s'assit et regarda un long moment par la fenêtre ouverte, contemplant l'eau qui coulait sous le château, la lune suspendue dans un ciel clair et rempli d'étoiles. Finalement, il prit un des livres. Il racontait l'histoire d'un individu qu'on appelait *Herr Rhinelander*, un Américain d'origine allemande – ses ancêtres venaient de l'autre côté du Rhin. À la fin du XIX<sup>e</sup> siècle, *Rhinelander* avait fait l'acquisition du château et englouti des millions de marks d'or dans la restauration de l'infrastructure. Afin de lui rendre sa gloire d'antan, il s'était inspiré d'anciens dessins et de vieilles gravures. En 1950, son fils avait vendu le château à la ville. À présent, il appartenait de nouveau à des intérêts privés qui y avaient établi un hôtel quatre étoiles.

Le changement. Tout change, disaient les gens. Mais comment Karl pouvait-il accepter le changement si celui-ci n'était pour lui que synonyme de douleur ? Le château avait toujours été présent dans sa vie, dans son sang. C'était un endroit comme un autre pour mourir.

Il referma le livre et décida d'aller se promener. L'air nocturne lui parut glacial et, même s'il n'était pas sensible au froid, il enfila un épais blouson afin de ne pas éveiller les soupçons. Il se sentait affamé mais n'avait pas faim, comme n'importe quel mortel trop déprimé pour se soucier de manger.

Plutôt que d'opter pour le chemin pavé, il escalada un des murs et prit une petite sente qu'il avait souvent empruntée durant sa jeunesse et qui passait par la forêt. Le sentier n'était pas trop envahi par les broussailles, signe que les enfants l'utilisaient toujours. Tout au moins, certaines choses ne changeaient pas.

Gerlinde n'était jamais venue à Oberwesel. Bon d'accord, c'était sa faute à lui. Karl n'avait jamais vraiment voulu y revenir. Comme tant de personnes qui s'acharnaient à couper leurs racines, il avait ses raisons, dont certaines tenaient à des souvenirs mitigés. Peut-être aurait-il dû s'ouvrir davantage à elle, comme elle l'avait dit. Il s'était toujours cru limpide à propos de son passé, de ses sentiments. Vraisemblablement, ce n'était pas le cas. Ou peut-être cela n'avait-il aucune importance.

*Oberwesel am Rhine* lui apparaissait telle qu'il l'avait toujours vue la nuit : rues étroites, légèrement incurvées, plongées dans le noir. Pas une seule boutique ouverte dans la rue principale – bien sûr, on était la nuit. Même les *Bierlokals* étaient fermés – comme s'il avait eu l'intention de prendre une bière !

La ville était densément remplie de demeures traditionnelles allemandes, avec leurs toits pentus et leurs façades à colombages à partir de l'étage. Il dépassa le *Hauptstadt* et fit une pause pour contempler l'énorme pressoir à vin, dont les solides poutres en chêne avaient traversé trois siècles. Son père, comme la plupart des hommes d'Oberwesel, pressait ses raisins ici.

Il erra dans les rues résidentielles jusqu'au cloître presque entièrement en ruine. Ce qui restait encore debout avait été converti en appartements chics. Cela l'ébahit et il comprit quelque chose sur lui-même : même s'il savait que le changement était inéluctable, il n'était jamais préparé à y faire face.

La plus vieille partie de la vie l'attira. Il gravit le *Katzenturm* jusqu'au sommet – il l'avait fait si souvent quand il n'était qu'un gamin. De cette tour, on pouvait observer à loisir Oberwesel et le fleuve. Elle n'était pas aussi haut perchée que le château, loin s'en fallait, mais offrait un point de vue plus humain. Humain, songea-t-il. Je perçois tout cela comme un être humain, comme un mortel. Et, bien sûr, il dut encore une fois reconnaître son désir de voir les choses par la lorgnette du passé.

Il y avait une autre tour plus loin sur la rive et il y grimpa pour découvrir une église minuscule, où il décida d'entrer. Il y avait un certain temps qu'il n'avait pas mis les pieds dans une église. Celle-ci était toute simple, mais ses murs latéraux s'enorgueillissaient de tableaux finement ornés, des œuvres qui, d'après leur style, devaient dater au moins de son époque. Cette église lui était pourtant inconnue. Il n'y était jamais venu.

Le bruit d'une porte qui s'ouvrait troubla sa tranquillité et il sentit que quelqu'un s'approchait. Il ne voulait voir personne en ce moment, alors il sortit prestement. Peut-être était-ce un prêtre prêt à entendre la confession d'un paroissien tourmenté.

Tandis qu'il dévalait les marches en pierre et en bois, il se demanda ce qu'il aurait bien pu avoir à confesser. Qu'il avait pris le sang d'un mortel chaque nuit au cours des cent cinquante dernières années ? Plus de cinquante mille mortels l'avaient nourri, mais il n'en avait jamais tué un seul – à moins que d'avoir transformé Gerlinde ne comptât pour un meurtre –, alors cela l'exonérerait peut-être. Ou peut-être pas. Ses autres péchés semblaient bien anodins en comparaison. Mais il avait converti quelqu'un d'autre à cette existence – pour certains péchés, il n'y avait aucune absolution possible.

Il monta la côte jusqu'à Saint-Martin, une église déjà vieille à l'époque de son enfance. C'était celle que fréquentait sa famille. Celle où ses parents et ses grands-parents, ainsi que tous ses ancêtres, reposaient. Où il comptait trouver ses frères et sœurs et leurs enfants. Où, assurément, un lotissement l'attendait au milieu des siens.

Dès sa transformation, il avait choisi de ne pas retourner chez lui. Sa famille lui manquait, mais il savait que cela créerait une situation invivable. Il ne vieillirait pas, eux oui. Il ne pouvait survivre sous la lumière du jour. Il ne pouvait boire que du sang. Et que sa famille et les habitants de la ville devinssent bientôt son pressoir à vin personnel, cela, il ne pouvait le supporter.

Mais il avait continué à les suivre à distance jusqu'à la mort de ses parents. Sa mère ne s'était jamais faite à l'idée que son fils préféré eût disparu. Il savait qu'ils devaient avoir beaucoup souffert de ne pas savoir ce qui lui était arrivé, et il s'en sentait coupable. Si cela avait été à refaire, il aurait peut-être mis en scène sa propre « mort » et aurait demandé qu'on retournât son corps à son village natal pour qu'il y fût enterré dans le cimetière parmi ses proches parents. Cela aurait permis à ses parents de le pleurer, puis de s'en remettre.

Mais après sa transformation, plusieurs années durant, il n'avait pas les idées claires. Il consacrait tous ses efforts à lutter contre son appétit et à trouver du sang toutes les nuits sans courir de risques. De plus, il y avait l'effet de l'aube imminente qui le pétrifiait, ainsi que l'inquiétant sentiment de confusion qui le submergeait avant l'aurore, parfois durant plusieurs minutes, parfois pendant des heures, de façon chaque fois imprévisible. Sans compter l'isolement, le fait d'être complètement coupé de tout contact humain. Il lui avait fallu des années pour se réconcilier avec son nouveau moi et pour prendre conscience de l'étendue de ses pouvoirs. Du vivant de ses parents, il avait été incapable d'élaborer le moindre plan pour les épargner.

Derrière l'église s'étendait le cimetière. Il franchit la basse clôture métallique et s'engagea entre les tombes illuminées par la lune. Ces pierres tombales étaient si récentes ! Où se trouvaient les monuments funéraires vieillissants qui auraient dû se trouver là ? Horrifié, désorienté, il lut les inscriptions – rien ne subsistait de l'ancien cimetière. Où avait-on transporté les morts de son époque ? Les gens bien nantis, les prêtres et les martyrs étaient inhumés dans de gros sarcophages en pierre, dans les murs ou sous le plancher des églises. Mais les gens ordinaires avaient des tombes. Ses parents, ses proches avaient été enterrés ici, dans ce coin tout près de la forêt, mais où étaient-ils à présent ? Leur absence diffusa un frisson dans tout son corps, un frisson qui le laissa avec l'impression d'être plus isolé que jamais.

Éberlué, il se rappela soudain que les lotissements n'étaient pas réservés pour toujours. Le sol était réutilisé, et le délai habituel était de cent ans. Les morts disparaissent, réalisa-t-il. Physiquement, ils sont réduits en poussière. Ils ne subsistent que dans la mémoire de ceux qui les connaissaient, puis, lorsque ces esprits meurent et se désintègrent, il n'y a plus personne pour se souvenir des morts. Même les morts meurent.

« *Guten Abend*. La nuit est belle. »

Karl se retourna d'un coup. Derrière lui un prêtre vêtu de noir se tenait immobile. Comment pouvait-il ne pas avoir entendu venir ce mortel ?

« C'est très tranquille ici. Je me promène souvent dans le jardin derrière l'église tard le soir. Cela élève mes pensées vers un royaume plus spirituel.

— Oui, bafouilla Karl. Je peux comprendre ça. Je suis désolé d'avoir troublé vos méditations.

— Oh non, c'est moi qui vous ai dérangé. Ou peut-être nous sommes-nous dérangés l'un l'autre, et c'est peut-être pour une bonne raison. Je… je sens que vous êtes troublé. Venez dans l'église, il y fait plus chaud. Nous pourrions boire un verre de vin ensemble. »

Karl restait perplexe. Comment avait-il pu ne pas l'entendre approcher ? Peut-être à cause de la confusion de son esprit, il se laissa guider passivement par le prêtre jusqu'à l'église Saint-Martin.

Il n'était pas entré dans ces lieux depuis 1844, soit l'année avant d'être forcé par Antoine à adopter cette vie païenne. L'odeur n'avait pas changé. Un édifice de cet âge, datant du XVe siècle, portait les marques du temps telle une odeur. Les murs et les piliers blancs, qui en constituaient la charpente, dataient du Moyen Âge. Les fresques avaient pâli avec le temps, à commencer par les pigments d'origine. Il s'en souvenait très bien : la nativité, la crucifixion, l'ascension, saint Martin lui-même, déchirant un pan de sa cape pour en couvrir un homme pauvre et infirme. Karl entendait encore l'écho des litanies, humait l'odeur de l'encens. Une prière lui revint et elle demandait que la paix lui fût accordée.

Il suivit le prêtre dans l'allée centrale, vers l'autel, qu'ils dépassèrent pour emprunter une porte de côté. Le prêtre le fit pénétrer dans une petite pièce aux meubles clairsemés. Les poutres de bois au plafond, les croisillons en plomb, des meubles lourds et sombres, un petit autel et un prie-Dieu. C'était la sacristie, l'endroit où le prêtre s'habillait pour les services. Les vêtements sacerdotaux étaient suspendus à un cintre, lui-même accroché à un portemanteau comme un vulgaire imperméable. Cette image fit sourire Karl.

Le prêtre esquissa un geste et Karl s'assit sur un banc massif, devant une table non moins massive. Il observa son hôte soulever un décanteur en verre et verser le vin blanc dans des gobelets en métal ornés de volutes qui s'unissaient pour former une croix.

Karl se demanda si ces verres étaient utilisés pour l'office, mais il en doutait.

Lorsque le prêtre s'assit, Karl réalisa soudain que l'homme était aveugle. L'éclairage électrique révélait qu'il s'agissait d'un homme jeune, dans le début de la trentaine. La carnation douce et pâle de son visage formait des traits délicats, comme si son handicap l'avait aidé à s'élever plutôt que de simplement le rendre amer. Ses pâles yeux bleus regardaient droit dans la direction de Karl et ne vacillaient sous nulle émotion apparente.

Ils restèrent ainsi en silence durant quelques minutes, puis le prêtre dit : « Vous avez une histoire à raconter. Je suis une bonne oreille. »

Karl n'aurait jamais songé qu'il devrait se confier à un étranger. Durant toutes les années où il avait foulé cette terre, il avait surtout fait preuve de circonspection. Et pourtant, le visage accueillant de cet homme, son authentique sollicitude et le fait qu'ils fussent ensemble cette nuit en particulier, alors que Karl se sentait dépassé par les événements…

Durant son existence de mortel, il avait été pratiquant. L'année avant sa transformation, Karl avait entendu Marx lire un texte dans lequel il affirmait que la religion était l'opium du peuple. En 1844, ces paroles étaient hérétiques et trop radicales pour que Karl doutât alors de ses croyances religieuses – et il n'avait nul besoin de remettre en question sa foi.

Depuis qu'Antoine en avait fait ce qu'il était, cependant, il avait souvent douté de l'existence de Dieu. Cela se comprenait. Mais ses réserves ne l'avaient jamais conduit à une mise au point décisive dans laquelle ses croyances auraient été en jeu. Il conservait en lui un fond de respect pour les questions théologiques. Comment aurait-il pu en être autrement ? La théologie et la philosophie étaient jumelles.

« Je vois l'avenir sous un jour sombre », dit-il soudain, étonné de s'entendre parler avec autant de franchise à un étranger et à un mortel.

Le prêtre ne répondit que par un hochement de la tête.

« Et mon histoire vous paraîtra peut-être étrange, l'avertit Karl, mais je ne sais pas comment je peux la raconter sinon en étant sincère.

— Racontez-la de la manière qui vous conviendra, dit le prêtre. Ce que je ne peux lire avec mes yeux, je peux l'entendre avec mes oreilles. »

Cela avait toutes les apparences d'une confession officielle et Karl se demanda si les temps avaient changé au point que les prêtres n'avaient plus besoin d'isoloirs.

« Je veux que vous me donniez votre parole que vous ne divulguerez pas ce que je vais vous révéler.

— Ayez l'assurance que tout ce que vous me direz restera confidentiel. Même si votre histoire se révèle choquante ou vos actions, haineuses.

— Je ne suis pas un meurtrier.

— Je n'insinuais pas une telle chose. Et ce n'est pas une confession, n'est-ce pas ? Simplement une conversation. »

Ils gardèrent de nouveau le silence. Karl essaya de déterminer dans son esprit la différence entre une confession et une conversation, puisqu'un seul d'entre eux s'apprêtait à mettre son âme à nu.

Comme le prêtre ne l'invitait pas davantage à poursuivre, Karl continua. Tout en parlant, il se sentait passer en revue les dossiers dans son esprit, feuilleter l'album d'instantanés de son passé de mortel. L'air même de cette église semblait pousser à la réflexion.

« Je suis né ici, dans le village d'Oberwesel. C'était il y a très longtemps. Longtemps avant votre naissance. » Une fois de plus, seul un hochement de tête de la part du prêtre lui indiqua qu'il avait entendu. Son visage n'affichait aucune trace de répréhension ou de scepticisme.

« Ma vie était agréable à plusieurs égards. J'avais une mère, un père, quatre sœurs et quatre frères. J'étais l'enfant du milieu. Notre jeune sœur est morte à la naissance et deux de mes frères – le plus jeune et le plus vieux – étaient déjà morts. Tous mes grands-parents vivaient encore lorsque j'étais enfant. »

Le prêtre hocha la tête une fois de plus et prit une gorgée de vin. Ses yeux bleu pâle paraissaient sérieux. À l'évidence, ils avaient déjà entendu beaucoup d'histoires.

« Mon père et ma mère ont vécu assez vieux pour devenir grands-parents à leur tour, et ils sont morts paisiblement dans leur sommeil. Cela, je l'ai découvert plus tard… après ma transformation. Je ne suis pas en vie. Je ne suis pas mort. Je suis quelque chose d'autre. Est-ce que ça vous fait peur ? »

Le prêtre garda le silence un moment. « Il y a plusieurs mystères dans l'univers de Dieu. Ce que je ne peux comprendre, je dois l'accepter. »

Karl eut une envie soudaine de boire du vin, bien qu'il ne pût le digérer. Il le fit. Le goût, l'arôme du vin d'un blanc jaunâtre – aigre-doux – tout cela tourbillonna en volutes autour de lui, laissant une trace qui, pareille aux miettes de pain que Hansel et Gretel semaient derrière eux, lui indiquait comment rentrer chez lui.

« Mes parents m'aimaient autant que peut l'espérer un enfant qui grandit au sein d'une famille de neuf enfants. Ils n'étaient pas riches mais pas pauvres non plus. Mon père travaillait aux champs pour les Schönburg, qu'on ne voyait jamais. Les champs produisaient plusieurs tonnes de raisin chaque automne, et le moment de l'année où l'on pressait le vin était prétexte à une semaine de célébrations.

— C'est toujours le cas aujourd'hui bien que, évidemment, nous ayons à présent d'autres industries. Les touristes », dit le prêtre en riant.

Karl le regarda. Pourquoi cet homme ne lui posait-il pas plus de questions ? Ce qu'il disait était pourtant stupéfiant ! Peut-être le prêtre le prenait-il pour un fou furieux et avait-il décidé de le laisser parler. « J'ai étudié avec un prêtre qui se trouvait ici à l'époque, le père Ballard. »

C'était la première fois que le mortel devant lui affichait autre chose qu'un calme absolu et de la mansuétude. Karl le vit se recueillir un moment, comme s'il était en train de faire défiler la liste des noms des prêtres qui étaient passés à Saint-Martin. Enfin, le prêtre trouva le père Ballard sur la liste, au milieu du XIX$^e$ siècle. Son regard aveugle vacilla.

« Le père Ballard considérait que je possédais un esprit exceptionnel et il a encouragé mes parents à m'envoyer à l'université. C'était pour le moins inhabituel à l'époque, mais cela s'était déjà vu : un garçon venant d'un petit village le long du Rhin, qu'on envoie à l'université pour le destiner à la prêtrise.

« J'ai étudié à l'université de Cologne. Croyez-moi, mon père, après quinze années passées dans ce village, vivre à Cologne fut toute une expérience. Avant d'y séjourner, je n'étais jamais allé plus loin que Bonn. La liberté à elle seule était grisante. Le décor, le bruit et l'ambiance de la métropole, le fait d'avoir accès à tous les écrits du monde et de s'y plonger – dès la première année, j'ai su que je ne pourrais jamais retourner habiter à Oberwesel ni embrasser la prêtrise. J'avais trouvé quelque chose qui me captivait plus que la religion. Les sciences physiques, qui étaient en train d'entrer de plain-pied dans la modernité à cette époque, sont devenues ma passion.

— Cela a dû être une décision difficile pour vous, dit le prêtre en versant deux autres verres de vin.

— Mes parents en ont eu le cœur brisé. Je l'ai su lors de ma dernière visite à la maison. J'ai lu une infinie tristesse dans les yeux de ma mère. Mon père cherchait à m'éviter, en prenant un air affairé. Ils avaient toujours espéré que, parmi leurs fils, je serais le pur, l'ascète, celui qui leur procurerait la clé du paradis. S'il y a un paradis, mon père, s'il y a un Dieu, alors j'imagine que mon destin leur a fermé les portes des cieux.

— Avez-vous quelque chose à confesser? demanda soudain le prêtre d'une voix douce.

— Je… Je ne sais pas.

— Vous paraissez singulièrement triste. Votre passé vous a rattrapé, comme il le fait pour nous tous. Mais je sens quelque chose d'autre en vous.

— Vous êtes perspicace », reconnut Karl. Il prit une profonde inspiration. « Mon père, je suis ce que vous pourriez appeler *der Vampir.* »

Le prête inspira brusquement. Il cligna des yeux. Il se signa. Karl entendit son cœur se mettre à battre plus fort.

« Je ne vous ferai pas de mal », le rassura-t-il avec empressement.

Son ton apaisant eut pour résultat de faire ralentir presque imperceptiblement le cœur du prêtre ; cela se remarquait à peine.

« Nous ne sommes pas comme l'Église nous a décrits, précisa Karl en tentant désespérément de calmer le prêtre. Nous ne sommes pas diaboliques, seulement des créatures qui luttent pour survivre.

— Mais vous n'avez pas d'âme ! » hurla le prêtre en faisant un nouveau signe de la croix et en se tassant sur son siège.

Cela fit à Karl l'effet d'une douche froide. Pourquoi devaient-ils toujours être si étroits d'esprit ? « Bien sûr que nous avons des âmes ! Peut-être plus que vous, les mortels. Nous avons vécu les affres de la mort, ou d'une demi-mort. Voyez ça comme une expérience de mort imminente.

— Est-ce que vous vous nourrissez de créatures vivantes ?

— Oui.

— Dieu du ciel ! » gémit le prêtre. Il commença à marmonner une prière et saisit le gros crucifix qu'il portait au cou pour le brandir devant lui sous les yeux ébahis de Karl.

« Je n'ai jamais tué qui que ce soit, expliqua celui-ci rapidement, mais j'ai rendu quelqu'un pareil à moi. Quelqu'un qui maintenant m'a abandonné. Qui me tient responsable de sa transformation. Je suis coupable d'avoir créé quelqu'un à mon image. »

À présent, les yeux du prêtre révélaient qu'il était en état de choc. Les choses s'étaient précipitées au cours des dernières minutes et avaient changé un homme prêt à l'aider et à l'écouter en une créature apeurée. Il était devenu ce paysan terrifié qui croit avoir en face de lui un démon de l'enfer. Le fils de Satan. Ou peut-être le diable en personne.

Karl se leva, furieux. Cela n'avait pas fonctionné par le passé et cela ne donnait rien aujourd'hui. La religion qui avait été tout pour lui lorsqu'il était enfant lui refusait encore une fois son appui. Il sortit rapidement de la pièce, plantant là ce pathétique être humain, renonçant au sang tel l'Ange de la Mort survolant un seuil marqué d'une croix. Karl était incapable de boire lorsqu'il était en colère, car alors il risquait de perdre la maîtrise de lui-même. Il n'en était pas moins tenté, à tel point qu'il s'enfuit de l'église avant que l'inévitable ne survînt.

Tandis qu'il rentrait en courant à l'hôtel, il se demanda pourquoi diable il était revenu sur les lieux de son enfance. Qu'espérait-il trouver ici ? Les souvenirs de sa jeunesse se trouvaient à portée de main pour la première fois depuis longtemps, mais que lui apportaient-ils ? Ils lui faisaient simplement revivre la déception qu'il savait avoir représentée aux yeux de sa famille. Le fait de retourner dans le passé ne l'aiderait pas à foncer vers l'avenir. Dans un grognement amer, il hurla : « Je n'ai pas d'avenir ! »

Il n'avait pas encore défait ses valises, alors il lui serait facile de quitter l'hôtel. La jeune fille vietnamienne lui proposa de monter à sa chambre, et il l'invita. Elle se transforma en une fontaine consentante à laquelle il étancha sa soif.

Il y aurait sûrement un train pour quelque part, et il avait l'intention d'y monter.

# CHAPITRE 13

Karl sauta dans le premier train régional qui allait à Bonn. Une fois arrivé, il trouva à se loger pour la journée dans un bon hôtel. Au crépuscule, il s'abreuva à une employée du quart de soir, puis monta dans le TGV européen. Sans raison particulière, Metz lui apparaissait comme une destination acceptable. Il y serait environ dans une heure.

Il atteignit la ville avant minuit, descendit dans un hôtel décent et laissa les indications habituelles à la réception. Seul avec ses mornes pensées, désireux d'y échapper, il prit le soir d'après le train pour Nancy, qui se trouvait tout près, pas très loin non plus de la frontière allemande.

La ville de Nancy, dans la région de la Lorraine, transpirait la prospérité. Toute l'activité tournait autour de la place Stanislas, nommée d'après un des souverains de cet ancien duché. Cette place éblouissait par ses énormes grilles dorées, ses sculptures en bronze hautes comme deux étages et les figures gravées dans la frise des édifices de style Régence qui bordaient le square. L'inspiration rococo de la Ville-Vieille plaisait bien à Gerlinde. Tout cela était si exubérant, si excessif, disait-elle. Ce décor non seulement l'inspirait, mais la rassurait en lui montrant que, sur le plan artistique, l'éventail des possibilités était infini. Elle et lui étaient passés par Nancy, autrefois, en se rendant à Paris. Le souvenir de ce voyage rendit Karl mélancolique.

Il quitta la place Stanislas pour s'engager dans les rues tranquilles. Il dépassa d'abord la basilique Saint-Epvre – une église néogothique construite en moins de vingt ans à la fin du XIXᵉ siècle –, passa par la porte de la Craffe – édifice médiéval construit en 1336, et dont la façade était ornée d'une croix à double traverse – et pénétra dans un quartier de la ville plus paisible et moins cossu. Il trouva là un nancéien éméché qui étancha facilement sa soif. L'homme chancela un peu lorsque Karl l'arrêta pour lui demander sa route. Dans une allée tout près, Karl le fit prestement s'étendre et lui transperça la peau. Il l'abandonna endormi et prit la direction de la gare centrale sans trop savoir pourquoi, conscient seulement que le sang l'avait susté, vide de toute autre pensée. Il aurait pu aussi bien avaler une capsule de sang.

Rien ne l'inspirait. Rien ne venait remplir le néant qui croissait en lui. Il ne pouvait retourner chez lui – il n'avait plus de chez-lui. Ni à Montréal avec ses amis ni à Oberwesel avec ses ancêtres… Il ne savait que faire, alors il continuait d'avancer, sachant pertinemment que c'était lui-même qu'il cherchait à fuir. Conscient que c'était là une tentative vaine, il persistait tout de même. Il sentait une humeur noire s'accumuler tout autour de lui, et cela le terrifiait. C'était intolérable, comme un poids qui menaçait de le broyer et de le réduire en pièces, sans pour autant le tuer. Ne lui laissant que son existence soumise à une douleur éternelle. Lorsqu'il s'arrêtait à y réfléchir, il semblait à Karl que les mots les plus justes avaient été griffonnés sur les murs d'un métro par un anonyme poète de la rue du XXᵉ siècle : « Le problème avec la vie, c'est que personne ne s'en sort vivant. »

C'était une nuit sans lune, mais la Ville Lumière brillait de tant de feux qu'il n'y ferait jamais complètement noir.

Il marcha et marcha dans Paris, passa devant la maison où avait vécu Victor Hugo, franchit la place de la Bastille, dont la haute colonne était le seul souvenir de la terrifiante prison du même nom – cette geôle qui avait accueilli les pauvres avant la Révolution et les riches durant celle-ci, avant bien sûr qu'ils ne soient décapités durant la Terreur.

Ce quartier de la ville était jadis un marais. Il s'en souvenait très bien. Il faut dire qu'à l'époque Paris était bien différente d'aujourd'hui.

Les rues étroites bourdonnaient de vie à cette heure, et l'animation perdurerait au moins jusqu'à minuit. Il traversa les zones résidentielles, s'éloignant toujours plus de la rive droite du fleuve, évitant l'avenue Ledru-Rollin et le boulevard Voltaire bordés de boutiques et de bistros bondés. Il filait vers le nord, suivant son intuition mais sans pouvoir se cacher à lui-même où il allait.

Il parvint au boulevard de Ménilmontant et escalada sans peine le muret en pierre.

Le cimetière du Père-Lachaise était une dense nécropole au cœur de la dense métropole. Mais il y avait longtemps que les vivants ne l'avaient pas intéressé, et ils ne l'intéressaient pas plus maintenant, sinon pour les nutriments qu'ils pouvaient fournir à son métabolisme. De plus en plus, c'étaient les morts qui importaient.

Le cimetière s'étendait sur quarante-quatre hectares. Plus de un million de personnes étaient enterrées là, et il y avait au moins mille monuments funéraires. La ville des morts était conçue comme la plupart des villes – rues bordées d'arbres et avenues plus étroites. Plutôt que d'emprunter les artères principales, il s'engagea dans les plus petits chemins juste assez larges pour laisser passer une personne, devant et derrière les caveaux. Les sentiers étaient en terre battue et il n'y poussait aucune herbe. Les feuilles mortes craquaient sous ses pieds. Il aurait été assez facile de se tapir derrière les caveaux et de se jeter sur un promeneur insouciant. Mais il n'y avait aucun promeneur nocturne – il était seul avec les morts.

Il croisa plusieurs structures magnifiques. Certains des caveaux ressemblaient à des cathédrales en miniature, avec leurs pignons ornés de torsades et de crochets. Les portes à elles seules étaient des œuvres d'art. Les volutes de leurs grilles métalliques venaient à former des croix, des rosettes ou des arabesques romantiques et leurs vitraux représentaient la Vierge ou d'autres personnages religieux. Quelques-unes des vitres colorées avaient pâli avec le temps, mais la plupart étaient encore intactes. Des clôtures basses et de petites grilles protégeaient ici et là de minuscules jardins entourant les sépultures, les sculptures ou les nombreuses pierres tombales en forme de cercueils. Un ange en bronze, dont les traits étaient usés et noircis par le temps, planait au-dessus d'une sculpture de marbre à l'effigie d'un individu mort depuis peu. Un ange pour tout compagnon. Au moins, tu n'es pas seule, dit Karl à la statue. Ce fut alors que l'envahit une douleur nouvelle et soudaine, à laquelle il n'était pas préparé.

La souffrance s'étendait en lui comme un cancer et promettait de triompher tôt ou tard. Il ne pouvait se cacher que tel était son destin. Il avait peut-être déjà eu un but dans l'existence, mais tout cela était parti en fumée. Pour lui, c'était clair comme de l'eau de roche : Gerlinde était son pivot, son point de référence. Sans elle, il perdait pied et tombait dans l'univers, sans rien pour l'arrêter. Il ne pouvait croire qu'elle l'avait abandonné, et il ne pouvait admettre qu'il s'y était résolu si facilement. Avait-elle été soumise au pouvoir d'Antoine? Était-ce sa propre décision? Dans un cas comme dans l'autre, Karl le savait au fond de lui-même, Antoine n'était qu'en partie responsable. Il avait berné Gerlinde en l'attirant jusqu'à lui. Karl le ressentait au plus profond de son être et se savait aussi impuissant devant cette réalité que face aux pouvoirs d'Antoine. C'était comme si cette première rencontre où Antoine l'avait attaqué de manière si perverse avait créé un précédent dont il serait incapable de se libérer. Et peu importe si lui-même avait transformé Gerlinde tout en douceur, il n'en demeurait pas moins qu'il avait détruit sa vie naturelle pour la remplacer par une autre qui ne l'était pas. Tout cela, parce qu'il la voulait. Par pur égoïsme.

Il s'arrêta devant une sépulture qui capta son attention – une structure gris blanc à la surface régulière, au toit en ogive et à la fenestration gothique, dont la rosette de verre lui rappela la rosace sud de la cathédrale Notre-Dame. À l'intérieur, sous le plafond voûté, un prie-Dieu se dressait devant l'autel à deux niveaux. Sur l'autel, posée près d'un assortiment de crucifix et de bougeoirs ternis, une figurine en faïence représentant la Vierge tournait son visage pieux vers le ciel et joignait les mains dans une posture de supplication. Il fut frappé par les yeux entièrement blancs, macabres selon lui. Puis il se ravisa: non, c'était simplement là comment les morts percevaient les choses. Comment, lui, il les considérait. Par des yeux sans couleur.

Plusieurs morts célèbres reposaient dans ces lieux. Au passage, il aperçut le dernier repos de Colette et de Rosini, de Charles Nodier, l'auteur d'histoires de vampires – sa pierre tombale était surmontée d'un buste le représentant. Il croisa aussi la sculpture de Epstein qui ornait la tombe d'Oscar Wilde, puis la tombe de Kardec. Gertrude Stein était enterrée ici, et de même, Édith Piaf et son époux. Molière et Maria Callas. Proust et Apollinaire. Modigliani, Chopin, ainsi qu'Abélard et Héloïse. Jim Morrison avait été inhumé au Père-Lachaise, quoique les Américains fussent prêts à le rapatrier et que les Français n'eussent manifesté aucune opposition. C'était une tombe basse et moderne, composée d'une pierre rectangulaire à la tête et d'une autre qui évoquait la forme d'un lit, le tout en marbre sombre. Y étaient déposés des fleurs séchées, de courts messages, des cailloux, et même des billets d'autobus, offrandes de ses fans. La tombe serait passée inaperçue n'eût été de la présence de tous ces graffitis peints à la bombe sur les pierres et sur tous les caveaux du voisinage – « Jim, 3 000 miles pour te voir. Ça valait le coup ! » Pas étonnant que les Français fussent si désireux de se débarrasser de Morrison !

À partir de là, le terrain montait en une pente abrupte. Karl gravit la colline en passant entre les tombes et les caveaux. Il trouva enfin un endroit sûr pour se poster et observer la vallée des morts qui s'étendait en contrebas.

Le concept était remarquable, vraiment. Toutes ces petites structures – des cabines téléphoniques gothiques, on aurait dit – érigées par-dessus les cercueils et abritant des autels. Les noms des morts étaient gravés sur des croix en métal ou, sinon, en haut de la porte des caveaux. Plusieurs de ceux-ci étaient ouverts ; ou bien leurs portes n'avaient jamais été verrouillées, ou bien les serrures s'étaient brisées, rongées par l'âge. La plupart des autels étaient nus, leur contenu depuis longtemps dérobé et vendu à quelque brocanteur, mais sur quelques-uns on trouvait encore des chandelles, des crucifix et, parfois, la photo du disparu. Dans un des caveaux, il avait découvert des chaussures à talons hauts ; dans un autre, un journal et un magnétocassette dont le cordon pendouillait mélancoliquement. Il se demanda si la personne endeuillée qui avait mis là cet objet s'attendait à ce que le mort y enregistrât un message ou si elle avait elle-même laissé un enregistrement.

Loin de l'inquiéter, le cimetière silencieux l'apaisait – c'était la première fois qu'il se sentait paisible depuis… depuis qu'on avait trouvé les restes de Chloé. Depuis ce soir affreux où son monde avait commencé à s'effondrer, jusqu'à ce que, en un claquement de doigts, se recomposât sur ces ruines une réalité nouvelle et morne qui lui paraissait immuable.

Sous ses yeux se déployait une contrée de gris calmes et de noirs estompés, une cité tapissée de feuilles mortes et d'os en décomposition. Les structures étaient à moitié cachées par les chênes et les érables, comme si les morts, eux aussi, avaient désiré un peu d'intimité. Un peu partout dans la pénombre, il distinguait les silhouettes des croix, des toits pointus, des anges et des chérubins, et aussi, autour de la corniche de l'une des tombes surmontée d'un dôme, le profil nocturne de hiboux. Un parfum automnal flottait dans l'air, l'odeur de la vie qui se retire, qui périt et s'installe pour un long repos sous le sol gelé. Le léger bruissement des feuilles remuées par le vent. Et puis… rien.

Son monde, le monde tel qu'il le connaissait, l'existence qu'il avait vécue, tout cela s'en était allé. S'il existait une raison de continuer, il ne pouvait l'entrevoir. Il avait visité des lieux, avait fait des choses. Il avait exploré toutes les réalités susceptibles à ses yeux d'être sondées. C'était désormais le règne de la répétition et l'existence entière lui laissait une désagréable impression de déjà-vu. Et à quoi cela servait-il ?

Gerlinde était tout pour lui. Tout. Au moment où il avait fait sa connaissance, il se sentait aspiré par la solitude. Elle disait souvent qu'il l'avait sauvée, qu'il avait enrichi la palette où elle puisait les couleurs de son existence. Il lui avait donné de l'amour. Un amour dont, manifestement, elle ne voulait plus ou n'avait plus besoin.

Mais Karl avait toujours été capable de voir la vérité en face, et la vérité, c'était que *lui* avait besoin d'*elle*. Il l'avait toujours désirée. Elle le revigorait. Mais, par-dessus tout, elle représentait pour lui un chez-soi, un visage qui le connaissait en profondeur, qui le reconnaîtrait toujours. Un être qui rendait les interminables nuits non seulement supportables, mais vivifiantes. Sans cela, sans elle, il revenait à la case départ. Cherchant… quoi? Une autre compagne? Si elle avait pu lui être enlevée si aisément, il n'y avait aucune raison de croire qu'Antoine lui permettrait de nourrir de quelque autre façon son existence.

Un aboiement aigu brisa le silence. Un chien. Deux, pouvait-il détecter grâce à son ouïe extrêmement sensible. Des chiens de garde, présuma-t-il. S'il ne bougeait pas, ils ne percevraient pas sa présence. Son odeur ne leur serait pas familière, ou peut-être leur serait-elle trop familière, trop semblable à celle des corps qui reposaient sous la terre.

Les chiens filaient rapidement vers l'ouest, en direction du muret en pierre qu'il avait escaladé. Au même moment, il sentit quelque chose vers le sud. Des mortels. Ils étaient trois, non, quatre. Ils semblaient venir de l'intérieur du cimetière, comme s'ils s'y trouvaient déjà sans qu'il eût perçu leur présence. Tous les sens de Karl furent en alerte.

Les chiens étaient attirés par quelque chose, cela paraissait évident. Il les sentit qui rôdaient. Puis il huma une odeur de sang portée par le vent. Probablement de la viande, qu'on avait laissée là pour détourner leur attention.

Entre-temps, les mortels avaient continué à avancer. Il les vit bientôt déboucher sur l'avenue Transversale, un peu plus bas devant lui. Ils se faufilaient entre les caveaux, deux hommes et deux femmes d'à peine vingt ans, tous quatre vêtus de noir.

Couvrant leur odeur corporelle, se dégageait une forte senteur de patchouli – on aurait dit qu'ils s'étaient tous les quatre baignés dans cette huile essentielle, en y plongeant aussi leurs vêtements ! Il y avait également un autre effluve, mais il ne pouvait exactement la définir à cause de l'odeur forte du parfum. Aussi immobile que les statues environnantes, il les observa s'approcher. À cette distance, il leur trouva une ressemblance, sinon familiale, du moins culturelle, ou liée à une sous-culture. Les deux filles étaient vêtues de longues robes noires qui frôlaient le sol et elles avaient des croix en argent au cou et aux oreilles. Les garçons portaient des pantalons noirs, des chemises à jabot – l'un d'eux avait enfilé une veste en velours – et arboraient aussi des bijoux en forme de croix. Un des jeunes hommes avait attaché une série de chaînes à son costume : une était enroulée autour de son épaule, plusieurs lui entouraient les hanches, et une autre, plus petite, venait lacer son pantalon à l'extérieur des mollets. Ils avaient tous de longs cheveux droits leur arrivant au moins jusqu'aux épaules.

Ils appartenaient à une sous-culture communément appelée « gothique ». Gerlinde était attirée par tous ces « gothiks », comme elle l'épelait. « Après tout, disait-elle en riant, le mouvement vient de l'Allemagne, non ? » Elle faisait référence aux Teutons qui avaient connu leur âge d'or du XIII$^e$ au XV$^e$ siècle. Elle blaguait, bien sûr. Les barbares qui leur servaient d'ancêtres, à Gerlinde et à lui, avaient peu en commun avec la sensibilité raffinée de ces jeunes d'aujourd'hui, qui avaient un faible pour les choses délicates et pour le romantisme morbide.

La petite bande entreprit de grimper la colline et se dirigea presque droit sur Karl. Il se leva et recula subrepticement vers un coin ombragé. Une des jeunes femmes dut pourtant sentir sa présence, car elle leva la tête. Elle fit un signe discret aux autres, et ils s'arrêtèrent tous.

Quel que fût le motif de leur présence en ces lieux, ce n'était pas ses oignons. Toutefois, il ne souhaitait pas être dérangé de la sorte. Il se sentait mélancolique et suicidaire, et l'intrusion dans ce coin de tranquillité dûment mérité, aussi déprimant fût-il, lui apparaissait comme une invasion.

Ils s'immobilisèrent trop longtemps, de sorte que les chiens sentirent leur odeur. Karl perçut les bêtes qui finissaient à contrecœur de lécher le sang encore restant sur la pierre tombale pour tourner leurs museaux sensibles en direction des humains. Voilà qu'ils avançaient, deux solides molosses, peut-être des bergers allemands, ou cette nouvelle génération de chiens de garde, des bull-terriers.

Les chiens commencèrent à aboyer, excités à la perspective de se mettre en chasse, et la petite bande toute de noir vêtue comprit leur message. Qu'importe d'où venaient ces mortels, ils se trouvaient loin de cet endroit à présent, et très loin des grilles ou d'une quelconque clôture.

La plus grande des deux femmes ouvrit un sachet en plastique et jeta d'autre viande sur le sol. Les chiens trouveraient la nourriture, mais leur faim devait être calmée pour le moment. Les proies humaines seraient plus alléchantes. Danger encore plus grand, il y avait maintenant les gardiens, que les aboiements avaient alertés – Karl sentait leur présence près des grilles de l'entrée nord.

Les quatre visiteurs jetaient des regards terrifiés dans toutes les directions. Les chiens approchaient, c'était facile à deviner. Puis, soudain, la plus grande des deux filles se tourna et regarda dans la direction de Karl, ou du moins de l'endroit où il se trouvait. Il savait qu'il était impossible qu'elle l'eût aperçu, mais quelque chose dans son visage lui rappela Gerlinde telle qu'il l'avait vue pour la première fois. Si jeune. Si innocente et si confiante.

Sans vraiment comprendre ses propres motifs, Karl sortit de l'ombre relative où il avait trouvé refuge. « *Komm mit mir* ! » dit-il machinalement en allemand. Se rappelant l'instant d'après où il était, il traduisit en français. L'incompréhension qu'il lut sur la plupart des visages le fit intuitivement passer à l'anglais – ils devaient bien parler l'une ou l'autre de ces langues ! « Restez calmes. S'il vous plaît. Je vais vous aider. Venez. »

Sans se laisser le temps de réfléchir, la grande jeune fille monta en courant les marches jusqu'à lui. Avec plus de réticences, l'autre fille lui emboîta le pas, puis les deux garçons suivirent. Seuls les grognements des chiens qui approchaient les avaient convaincus de bouger. Karl leur fit signe de se dépêcher. Il les conduisit rapidement vers le sommet de la colline, à l'arrière d'un grand caveau circulaire. La sépulture se trouvait légèrement en contrebas par rapport à eux, mais ses fenêtres arrivaient à leur hauteur. Karl passa les doigts par les trous du treillis métallique et tira. La grille de la fenêtre sortit aisément de son cadre, mais le bruit indiqua aux chiens où ils se dissimulaient.

« Descendez les premiers, dit-il aux deux garçons. Et faites vite. »

L'un après l'autre, ils se glissèrent par la fenêtre ouverte et atterrirent bruyamment sur le plancher en pierre, les chaînes d'un des garçons émettant un cliquetis. C'était une chute de plus de deux mètres.

« Venez », dit-il à la plus grande des deux filles, avant de s'adresser aux garçons qui se trouvaient à l'intérieur. « Il va falloir que vous l'attrapiez et que vous l'aidiez. Et il ne faut pas traîner. »

Aussitôt qu'il l'effleura, la fille tressaillit de tout son corps, ses cellules en alerte. Elle le dévisagea. Ses yeux s'agrandirent, ses lèvres s'ouvrirent et une expression de stupéfaction envahit ses traits. Le moment était toutefois mal choisi pour laisser libre cours à sa peur, car les chiens hurlaient tout près et Karl entendait un véhicule s'approcher.

Il la souleva et la fit passer par l'ouverture, et les autres l'attrapèrent et l'aidèrent à atterrir sans encombres. Il répéta le même manège avec la plus petite, puis replaça prestement la grille sur la fenêtre. Il se campa devant celle-ci, faisant écran avec son corps – il ne se souciait pas tant de bloquer la vue que d'empêcher l'odeur des mortels d'arriver jusqu'aux molosses.

Les deux chiens traversaient maintenant l'avenue Transversale. Ils s'arrêtèrent un instant pour renifler la viande fraîche, mais, comme l'avait deviné Karl, ils n'en firent aucun cas. En quelques bonds, ils atteignirent les marches, montèrent et furent en vue. Puis, ils s'arrêtèrent tout sec. Un grondement jaillit du fond de la gorge du plus gros des chiens.

Son espèce avait toujours eu un curieux effet sur les animaux. Les plus sauvages se laissaient apprivoiser. Les animaux domestiques tendaient à se lier avec eux, comme le chat que Julien avait gardé auprès de lui durant plus d'une décennie. Karl ignorait s'il exerçait, comme le voulait la légende, un pouvoir particulier sur les bêtes. Il savait cependant qu'il pouvait semer dans l'esprit simple de ces chiens un message qui les ferait s'éloigner.

Des deux femelles berger allemand, l'une était dominante. Il plongea le regard dans les yeux de cette dernière. Elle soutint le contact, mais il voyait bien que tout ce qu'elle voulait, c'était regarder ailleurs. Il fut presque témoin de son processus mental, du cliquetis des signaux qui menèrent à la compréhension : elle se retourna et s'éloigna en trottinant vers le bas de la colline. La plus jeune et la plus soumise des deux la suivit, désorientée ; son regard allait de Karl à l'autre chienne, comme si elle essayait de saisir ce qui venait de se tramer ici.

Les deux bêtes atteignirent les dernières marches et découvrirent la nourriture. Elles étaient encore en train de se la disputer lorsque le gardien du cimetière arriva au volant de sa Renault. Il en descendit, jeta un bref regard aux restes qu'elles finissaient d'ingurgiter et présuma qu'il s'agissait d'un lapin ou d'un écureuil. «Chiens de merde ! tempêta-t-il. Vous avez interrompu mon souper ! »

Mais il rit gentiment, remonta en voiture et s'éloigna.

Une fois que les chiens eurent fini de manger, ils descendirent la colline en galopant, en quête d'autres charognes appétissantes.

Lorsque le véhicule atteignit les grilles de l'entrée principale, Karl entendit le mortel qui retournait au poste de garde. Les chiens s'étaient réinstallés près du mur à l'extrémité ouest du cimetière, espérant sans doute que d'autre nourriture leur tomberait du ciel.

Karl se retourna et regarda par la grille. Dans le noir, huit yeux le scrutaient, quatre d'un côté d'un cercueil, quatre de l'autre, tels les yeux d'une araignée au corps rectangulaire. «Vous êtes sauvés, dit-il.

— Qu'est-ce que vous êtes ? » demanda la plus grande, celle qui avait réussi à lire en lui.

Sans mot dire, il enleva de nouveau la grille avec précaution et fit signe à l'un des jeunes hommes. «Donnez-moi la main. »

L'autre garçon aida son ami à se hisser jusqu'à l'ouverture, puis ils répétèrent le même manège avec les deux femmes. Celui qui restait sortit finalement et ils furent bientôt tous à l'air libre.

« Vous feriez mieux de ne pas vous attarder, conseilla Karl. Les chiens vont rapidement déceler votre odeur et vous aurez le gardien à vos trousses. » Sur ces paroles, il tourna les talons. Sa mission était terminée. Ils pouvaient bien faire ce qu'ils voulaient maintenant, cela ne regardait qu'eux. Ils pouvaient faire montre d'intelligence ou de stupidité, il n'en avait cure.

« Attendez ! » dit la plus grande en lui touchant le bras.

Il sentit un courant le traverser, comme un choc électrique. Il se tourna pour la regarder en face. Elle avait un minois adorable, des yeux écartés aux prunelles sombres et une bouche charnue. Comme on l'aurait dit aux siècles précédents, sa peau était d'albâtre. Mais ils avaient tous le teint pâle et les gothiques étaient connus pour se maquiller en visant cet effet. Les autres avaient une coloration dans les cheveux, mais pas elle, et il voyait sous ce faible éclairage que sa couleur naturelle était le noir. Soudain, il réalisa qu'elle était italienne. Il avait détecté un léger accent dans sa voix et à présent qu'il la voyait mieux, cela se confirmait.

« Pourquoi nous avez-vous aidés ? demanda-t-elle.

— Pourquoi pas ?

— Que faites-vous ici ?

— Je pourrais vous demander la même chose.

— Nous… » Elle fit un geste en direction des autres. « …venons souvent ici. À la lune croissante et décroissante.

— Ne me dites pas que vous êtes des sorciers », dit Karl, un peu déçu. Il croyait que cet engouement avait passé de mode avec les années soixante.

« Pas exactement, dit-elle. Nous sommes…

— Ne va pas dire ça à un étranger ! objecta catégoriquement un des garçons avec un accent irlandais.

— Il nous a sauvé la vie, au cas où vous l'auriez oublié », répliqua la fille d'une voix cinglante. Puis, s'adressant à Karl : « Venez avec nous. S'il vous plaît. C'est loin, mais ça va vous plaire. »

Le garçon qui venait de protester poussa un léger grognement désapprobateur, mais la jeune femme l'ignora.

Karl ne sut trop ce qui l'incita à les suivre. La jeune fille qui s'était adressée à lui ouvrait la marche. Ils traversèrent ainsi la partie la plus élevée du cimetière, se dirigeant un peu vers l'ouest. Ils s'arrêtèrent devant un des caveaux. Gravé au-dessus la porte, il y avait le nom de la famille : NOIR. Ce patronyme aurait pu inspirer les concepteurs du caveau, mais la structure en pierre surmontée d'un toit en pignon était, comme la plupart des autres, gris-blanc. Un grand N entouré de motifs circulaires ornait le centre de la porte en métal. Celle-ci semblait fermée, mais la plus grande des deux filles avait une clé. Une vieille clé, à en juger par son apparence – une extrémité circulaire, une longue tige et, à l'autre extrémité, les deux dents qui servaient à actionner le mécanisme de la serrure.

Le caveau, de la même taille que les autres, pouvait difficilement accueillir plus de deux personnes à la fois. Seule la fille entra. Elle appuya sur le crucifix en apparence très lourd qui était posé sur l'autel au fond du caveau. Un panneau devant l'autel coulissa, accompagné par le bruit de la pierre frottant contre la pierre.

« Donnez-moi une bougie », dit-elle. L'autre fille tendit un cierge noir qu'un des jeunes hommes alluma avec un briquet en argent.

La grande jeune femme passa en premier et descendit les marches, qui semblaient mener sous le caveau. La plus petite la suivit, imitée par un des garçons. Karl emboîta le pas, après que l'autre, celui

qui lui avait manifesté de l'hostilité, lui eut fait signe
de descendre. Le garçon pénétra dans le caveau derrière lui et tira sur un levier qui referma à la fois l'ouverture pratiquée dans l'autel et la porte extérieure –
Karl entendit la serrure cliqueter.

L'escalier était étroit et sombre, les marches en
pierre étaient hautes, mais sa vision nocturne lui révéla
que l'usure avait laissé ses marques. Apparemment,
plusieurs personnes étaient passées ici au cours des
ans et depuis fort longtemps.

Il n'y avait pas plus de vingt marches. Une fois au
pied de l'escalier, il se retrouva dans une drôle de petite
pièce, dont les murs en terre battue avaient été renforcés
à l'aide de planches en bois. La plus grande des filles
attendit que tout le groupe fût arrivé. Quand le dernier
garçon les eut rejoints, elle prit des bougies dans un
rangement à l'intérieur du mur, les alluma avec celle
qu'elle tenait déjà, puis en tendit une à chacun. Elle
avait le regard rivé sur celui de Karl, mais elle ne dit
rien, seulement : « Par ici. »

Ils s'engagèrent dans un tunnel qui avait été ménagé
dans le sol. De chaque côté, il pouvait apercevoir des
restes de cercueils – les côtés, les couvercles, les poignées – et parfois des squelettes, là où les cercueils
s'étaient affaissés sous le poids de la terre détrempée.
L'air lourd et humide dégageait un dense et enivrant
parfum de terre.

Ils marchèrent et marchèrent encore. Leurs chandelles consumaient le peu d'oxygène encore présent
dans l'air et Karl percevait le changement dans la
composition de ce qu'il respirait. Il était étonné que
les mortels ne se fussent pas mis davantage à chercher
leur souffle.

Le tunnel décrivait une légère courbe, mais était
suffisamment droit pour qu'il vît assez loin devant
lui, son acuité visuelle particulière l'aidant à percer

l'obscurité. À un certain moment, le tunnel en terre se transforma – il présuma qu'ils venaient de quitter le cimetière – en un ancien égout. Il savait que les égouts de Paris avaient traversé les siècles, et ils en parcouraient les plus vieilles sections, recouvertes de vieux carreaux en céramique. La puanteur environnante provenait de toutes ces choses qui avaient pourri pendant longtemps dans un endroit peu propice à une décomposition complète. Les murs étaient humides au toucher et de l'eau s'accumulait au centre du tunnel cylindrique – bientôt, le cuir de ses souliers fut imbibé.

Les égouts s'étiraient sans fin, semblait-il. Ils parvinrent à une vieille station de métro désaffectée et ils en parcoururent la plate-forme sur toute sa longueur avant de retourner dans le tunnel. D'après la pente du sol, il déduisit qu'ils se dirigeaient vers le sud, en direction du fleuve.

Les bougies étaient à moitié consumées lorsqu'ils débouchèrent dans un tunnel en béton légèrement plus large que celui qu'ils venaient de quitter. Sans doute s'agissait-il cette fois d'un aqueduc. Il lui suffit de quelques pas pour constater un changement dans la pression d'air. Ils se trouvaient sous l'eau. Et ce ne pouvait être que la Seine.

Une fois qu'ils eurent traversé le fleuve, le corridor en béton s'incurva brutalement vers la droite, puis fut remplacé par un autre tunnel en pierre et en terre, cette fois sans cercueils ni cadavres. Très vite, ce passage se transforma aussi. Le matériau était le même, mais le plafond devint irrégulier, se couvrit de petites stalactites rappelant la crête des vagues. Des objets étaient en outre encastrés dans les murs. Des os, réalisat-il, et en un éclair il comprit qu'ils se trouvaient dans les catacombes. Bien sûr, Paris était bâtie sur les vestiges d'une ville romaine, ce qui expliquait les tunnels et les aqueducs enterrés profondément sous le fleuve.

Ces sections avaient jadis été une carrière d'où l'on extrayait des pierres. Les catacombes s'étendaient sous la rive gauche telle une gigantesque toile d'araignée. Bientôt apparurent de plus en plus d'os, empilés les uns sur les autres.

Plusieurs millions de squelettes avaient été inhumés ici. À la fin du XVIIIᵉ siècle, les cimetières à l'air libre avaient commencé à déborder en raison de l'amoncellement de cadavres à des stades variés de décomposition. La puanteur de la mort et de la pourriture s'immisçait dans les fissures du sol pour se répandre dans les rues et empoisonner les Parisiens, cependant que les miséreux se creusaient des grottes dans les cimetières pour s'en faire des maisons. Paris était alors envahie par les maladies et le gouvernement municipal s'était tourné vers une science en émergence, la microbiologie. Il fut bientôt décrété que, pour des raisons sanitaires, les restes des cadavres pourrissants devaient être déplacés et que de nouveaux cimetières seraient construits hors de ce qu'étaient à l'époque les limites de la ville. Le cimetière des Innocents avait été le premier touché. Les os des morts qui y avaient été inhumés depuis plus de cent ans avaient été déterrés et transportés dans les anciennes carrières. En cours de route, certains ouvriers avaient eu l'idée d'empiler les os de manière plus… artistique – on était, après tout, à Paris.

À mesure que le petit groupe avançait dans les tunnels remplis d'ossements, héritage des morts antihygiéniques de Paris, les murs se couvraient de fémurs et de crânes disposés pour former des fleurs, des cœurs ou des croix. Périodiquement, Karl apercevait au loin des grilles en métal, qu'il avait déjà vues auparavant, en tant que touriste, alors qu'il visitait les catacombes avec Gerlinde. À ce moment-là, il se trouvait toutefois de l'autre côté des grilles. Celles-ci délimitaient la petite section des catacombes accessible au grand public dans le cadre de visites guidées. On arguait que les tunnels étaient si vastes que la ville refusait d'être tenue responsable de la disparition de touristes – et une vue limitée sur les catacombes, c'était toujours mieux que rien. Karl savait déjà alors que l'étrange ossuaire s'étendait sur une bien plus grande distance que le kilomètre ou deux qu'on montrait aux visiteurs. Il pouvait enfin le constater *de visu*.

D'interminables rangées d'os défilaient. Ceux du bras ou de la jambe étaient à l'avant-plan et les plus petits os, disposés derrière ; les crânes, quant à eux, étaient arrangés de manière à former une ligne droite ou surmontaient deux tibias croisés, composant ainsi le fameux symbole *poison*. Des piliers en béton soutenaient les sections où les os se juxtaposaient à l'infini, et il fut bientôt estomaqué devant la quantité astronomique d'ossements réunis en ce lieu. Combien de millions d'êtres humains cela représentait-il ? À quoi cela pouvait-il ressembler que de passer toute l'éternité empilé avec ses ancêtres et ses descendants ?

Durant tout ce temps, le groupe s'était déplacé en silence. Les tunnels se succédaient, semblables. L'air était humide, dense, imprégné d'une odeur de nitrate de potassium et de calcaire. Et de l'odeur sucrée de ces humains. Il ignorait pourquoi ils tournaient à gauche plutôt qu'à droite et vice versa. Manifestement, leur leader savait s'y retrouver dans ce dédale. Les bougies, maintenant réduites à l'état de moignons, ne dureraient plus bien longtemps. Il présuma donc qu'ils approchaient de leur destination finale.

Enfin, ils atteignirent une section qui s'ouvrait vers le haut et vers le bas. Ils descendirent le long d'un plan très incliné dans les entrailles de la terre. Jusqu'où pourraient-ils s'enfoncer ainsi ? Il avait l'impression qu'ils se dirigeaient vers le centre de la Terre. Puis, soudain, ils se retrouvèrent devant ce qui ne pouvait être que les ruines d'un temple romain.

Les fragments de ce qui avait jadis été une statue suggérèrent à Karl qu'il s'agissait d'un monument à Hécate. En effet, il avait déjà visité sur la côte ouest de la partie continentale de la Grèce un temple dédié à celle-ci et il se rappelait la tenue particulière et les traits du visage qu'on attribuait à cette déesse. C'était une divinité grecque, mais les Romains n'éprouvaient aucun scrupule à piller les autres mythologies. Il lui revint à la mémoire combien les anciens Romains vénéraient cette déesse de la Terre et aussi Hadès, auquel fut identifié Pluton. Ces dieux détenaient le pouvoir sur la magie et les carrefours.

Il admira, ébahi, les colonnes doriques, la ligne pure du toit pointu ou de ce qui en restait. Le temple s'était détérioré avec les années ; le marbre pâle était criblé de trous sur presque toute sa surface, mais la majeure partie de la structure demeurait intacte. Karl savait qu'il voyait quelque chose de très spécial. Quelque chose que seule une poignée de gens, soupçonnait-il, avaient eu l'occasion de contempler.

« C'est fascinant, n'est-ce pas ? » dit la leader du petit groupe, qui se tenait à présent à sa droite.

« Comment avez-vous découvert cet endroit ? » demanda Karl, incapable de détacher son regard de cette éblouissante relique d'une autre ère.

« Ma *nonna* me l'a dit, et sa *nonna* le lui avait dit. »

Tandis qu'ils parlaient, les autres s'occupèrent d'allumer les chandelles qui se trouvaient stratégiquement rangées là. La lueur fit revivre l'édifice sous ses yeux.

« Pourquoi venez-vous ici ? Quel est le but de ce périple à partir du Père-Lachaise ?

— Pas seulement du Père-Lachaise. Nous commençons par le cimetière du Montparnasse, puis nous allons au cimetière de Montmartre, et de là au Père-Lachaise, puis nous revenons ici – le cimetière du Montparnasse est à deux pas.

— En circulant toujours sous terre ?

— Oui.

— Et vous passez sous les caveaux ?

— Oui.

— Extraordinaire ! Vous décrivez un triangle. Une trinité. La plus solide structure de l'univers. »

Elle le dévisagea. « Vous êtes plutôt intelligent pour savoir ça. Mais vous savez que le triangle est aussi la forme la plus instable…

— Parce qu'il est constamment à la recherche d'un quatrième point d'appui, oui, afin d'assurer son équilibre.

— Comment avez-vous appris tout ça ? »

Elle paraissait stupéfaite, comme seuls les jeunes peuvent l'être. Ils pensent tous qu'ils ont inventé la roue, songea-t-il.

« Quoi qu'il en soit, continua-t-elle, le trois est séduisant, mais toujours sur le point de s'effondrer pour devenir deux ou de prendre de l'expansion pour devenir quatre et retrouver sa stabilité. »

Il pensa un moment au triangle formé par Antoine, Gerlinde et lui-même. Oui, instable, c'était bien le mot, du moins pour lui. Il en avait reçu la portion congrue, et la forme s'était résorbée pour ne faire que deux. Et un, cela se désintégrait toujours.

« Tu es plus que sensitif », dit la jeune fille, utilisant un mot dont il sentait qu'elle ne percevait peut-être pas toute la portée. Mais elle essayait de l'impressionner. Elle n'en avait nullement besoin, en vérité – le temple y suffisait largement. Elle tentait aussi de le séduire. Il faut dire qu'il ne paraissait pas avoir plus de vingt-cinq ans.

« Il y a de la poésie dans ton âme. Une poésie noire issue du tombeau, dit-elle sentencieusement. Comment t'appelles-tu ?

— Karl. Et toi ?

— Donata. »

Il marqua une pause.

« Donata, comme dans le mot *don* ? L'idée d'un cadeau ?

— Oui. » De nouveau, elle parut subjuguée. Tout à la fois, elle avait l'air captivé, comme si elle s'était déjà amourachée de lui.

Le destin en marche, songea-t-il en méditant sur son nom. *Si seulement elle pouvait représenter une façon d'en finir, être la muse qui m'aidera à mettre en scène ma propre mort.*

— Karl, qu'est-ce que tu es ? »

Les autres étaient regroupés près de l'un des murs du temple et déroulaient des morceaux de tissu pareils à de la soie ou à du velours. Ils y disposaient des pierres – surtout des cristaux – et d'autres chandelles, allumaient de l'encens et s'affairaient à d'autres tâches similaires, manifestement pour un rituel auquel ils avaient l'intention de se livrer. Il s'assit sur l'une des marches devant l'édifice et Donata s'installa près de lui. « Je ne peux te dire ce que je suis, mais je peux t'affirmer que je ne suis plus humain. Il y a un mot pour ça – dans ta langue, c'est *vampiro*. Mais ça ne décrit pas très bien ce que je suis. »

Elle hocha la tête. Un léger soupçon de crainte s'attarda au coin de ses yeux, mais il voyait bien qu'elle n'était généralement pas apeurée. Elle n'en était même que plus séduite.

« Il y a longtemps que c'est comme ça : je foule cette terre depuis près de deux siècles. »

Il hésita.

« Continue, dit-elle. Tu en as plus long à me dire.

— L'heure est peut-être venue d'en finir.

— Tu veux dire que tu veux mourir.

— Tu dis les choses de manière si crue ! Eh bien, c'est peut-être épouvantable à entendre, mais, oui, je crois que c'est ce que je voulais dire. Je ne vois plus de bonne raison de continuer. »

Elle posa sa main chaude sur sa main froide. « Je crois que je comprends comment tu te sens. Je vis la même chose. »

Il se tourna vers elle : « Toi ? Pourquoi ? Tu as toute la vie devant toi. » Près de lui était assise une jeune fille éblouissante, à peine sortie de l'adolescence. Elle possédait du style et de la grâce, l'énergie et l'enthousiasme de la jeunesse, une sensibilité manifeste et une sagesse impressionnante pour son âge. « Qu'est-ce qui peut bien te donner envie de mourir ? Tu n'en as pas le droit. »

La stupéfaction qui se peignit sur sa figure contraignit Karl à revenir sur ce qu'il avait dit. « Je suis désolé. Pardonne-moi. Je ne sais rien de tes raisons. C'est juste que, de mon point de vue biaisé, eh bien, tu sembles avoir le monde à portée de main, ou être en mesure de l'avoir.

— Ça va, *mio amico*. Comme le disent les Américains, l'herbe est toujours plus verte chez le voisin, hum ? Et, oui, je réalise qu'aux yeux de la plupart des gens, j'ai l'air de celle qui a tout ce qu'elle peut désirer. Je viens d'une vieille famille italienne à l'histoire glorieuse et démesurément riche. Je me suis laissé dire que je n'étais pas vilaine à regarder – j'ai eu mon lot d'amoureux. »

Karl se mit à rire. « Je suis désolé, mais tu ne parais guère avoir plus de seize ans.

— J'en ai dix-sept, ou du moins je les aurai bientôt », dit-elle en paraissant aussi offensée qu'une jeune peut l'être dans pareil cas.

« Eh bien, c'est plutôt jeune pour avoir eu une telle quantité d'amoureux.

— Tu es Allemand. Je suis Italienne. J'ai le sang plus chaud que toi ! »

Elle repoussa ses cheveux comme Karl avait déjà vu plusieurs Italiennes le faire, mais d'une manière qui trahissait aussi un entêtement enfantin.

Karl rit de nouveau. «Peut-être.

— Dis-moi, demanda-t-elle, est-ce que d'être un *vampiro*, ce n'est pas aussi formidable qu'on le raconte?

— Je ne sais trop ce qu'on t'a raconté. Nous avons besoin de sang, du sang humain de préférence. Et nous sommes allergiques au soleil, ce qui nous fait dormir d'un sommeil aussi profond que la mort durant le jour. La plupart des croyances ne s'appliquent pas, toutefois: eau bénite, croix, ail, rien de tout ça n'a d'effet sur nous. Je ne sais pas si nous vivons éternellement. Il y a des inconvénients à vieillir, semble-t-il.»

Il les ressentait en ce moment même. Comme s'il était un vieil homme qui n'attendait plus rien de la vie, comme si plus rien ne pouvait lui faire retrouver son âme d'enfant.

Elle garda le silence un moment, puis dit: «Karl, tu es malheureux. Ça se voit. C'est l'amour qui est au centre de tout ça. Ça aussi c'est clair. Quelqu'un que tu aimais, et que tu as perdu.»

Il la regarda. «Tu peux dire ça rien qu'à me regarder?

— Je le vois dans tes yeux. Ils sont comme des parchemins anciens et, au fil du temps, ils en disent de plus en plus sur ton âme.»

Karl soupira. Il ne servait à rien de cacher quoi que ce fût à cette fille. Ses problèmes lui appartenaient à lui seul. Elle ne pouvait l'aider, mais elle ne pouvait non plus lui faire du tort.

«Je l'ai perdue. Elle est allée retrouver un plus ancien, celui qui m'a créé. Elle est peut-être victime d'un envoûtement, mais je ne peux en avoir la certitude. Et ça n'a pas d'importance. Tout ce que je sais, c'est qu'elle me déteste pour ce que je lui ai fait subir. Et qu'elle le préfère à moi. Il est tout-puissant. Je ne peux lutter contre lui. Et sans elle…

— Tu es incapable de continuer. Je comprends. »

Elle avait la sagesse d'une vieille femme. Et, pourtant, elle s'exprimait sur un ton par trop dramatique. L'angoisse lui allait très bien, jugea-t-il.

« Tu m'as demandé qui j'étais, dit Karl. Maintenant, j'aimerais savoir qui tu es.

— Je te l'ai dit. Je m'appelle Donata. Mes parents vivent dans une villa non loin de Rome. Mon père possède quelques usines qui fabriquent des bottes en cuir fin. J'ai trois frères et sœurs…

— Ce n'est pas ce que je voulais dire. Ce que je désire savoir, c'est comment il se fait que tu puisses lire tant de choses dans mes yeux. Pourquoi tu connais tout ça. » Il fit un geste en direction du temple derrière lui. « Pourquoi tu t'habilles ainsi, et pourquoi ce sont tes amis. Un peu plus, et je dirais que tu es une *strega*.

— Je *suis* une sorcière. Mon savoir provient de toutes les générations de femmes qui m'ont précédée dans ma famille. Il a été transmis de mère en fille. Mes dons particuliers viennent du fait que je vis avec la mort. Je me meurs du sida. »

Cela expliquait l'odeur singulière tapie sous le puissant patchouli. Cette belle jeune fille allait mourir. Il pouvait le sentir, le voir, le humer.

« Ne sois pas désolé pour moi », lança-t-elle, le regard fier.

« Je ne le suis pas. Je vis moi-même avec la mort. Je ne peux la voir comme une force négative. Au contraire, ces derniers temps, je la vois sous son jour le plus attirant.

— Parfait ! »

Elle croisa les jambes et s'appuya contre un pilier. Sa clavicule était saillante sous sa peau. La pâleur de son teint n'était pas due au maquillage, comme c'était le cas pour les autres, non, c'était la couleur languissante d'une rose. Il avait envie de lui demander comment elle avait contracté le VIH, mais il savait que les possibilités étaient limitées. Si elle avait déjà fait usage de drogues injectables, ce n'était pas récent, car il ne voyait aucune marque d'aiguille sur ses veines. C'était peut-être la conséquence d'une transfusion. Et il y avait toujours l'hypothèse la plus évidente – les rapports sexuels. Quoi qu'il en soit, il la regardait avec un certain regret. Elle était si charmante, un bouton sur le point de se flétrir sur la treille avant d'avoir pu éclore. C'était l'une des plus grandes tristesses de la vie, la chose la plus difficile à comprendre.

«Je ne suis pas désolée pour moi-même, dit Donata. J'ai fait la paix avec tout ça. Mes jours sont comptés. C'est pour ça que je refuse de me prêter à toutes les mascarades. La limpidité d'un avenir limité, ça te fait voir les choses telles qu'elles sont, tu comprends.»

Quelque chose dans cette affirmation plus vraie que nature l'estomaqua. Cela lui donna un choc, comme si un gouffre béant s'était creusé dans l'univers, laissant s'échapper l'inattendu. Quelque chose qu'il ne pouvait ni voir, ni toucher, ni goûter, ni sentir, ni entendre, et pourtant qu'il pouvait malgré tout percevoir. C'était encore brumeux, mais son instinct lui disait que cela lui serait révélé.

«Je vois beaucoup de désespoir en toi. Mais tu sais, Karl, rien n'est jamais aussi sombre qu'il y paraît.»

Il se rebiffa. «D'ordinaire, j'aurais été d'accord avec toi.

— Tu as un esprit scientifique», dit-elle, le surprenant de plus belle. Il n'avait rien dit jusqu'à présent qui pût lui révéler ce trait de caractère. «Tu connais bien les atomes?

— Bien sûr.

— Leurs composants, les protons, les neutrons…

— Oui, mais je suis étonné d'apprendre que tu te préoccupes de toutes ces choses.

— Parce que je suis une femme ?

— Parce que tu es jeune. »

Il se demanda s'il n'avait pas vécu trop longtemps sur cette planète à ne pas voir les gens distinctement, à ne pas s'intéresser aux mortels et à leurs mœurs.

Un soudain appétit le saisit. Il lui faudrait se nourrir très bientôt. Déjà, les premières lueurs du jour devaient poindre dans le ciel. Il avait aussi besoin de temps pour retourner à son hôtel sur la rive droite.

« Karl, tu dois savoir comme moi qu'il existe des particules subatomiques qui ne se comportent pas comme on s'y attendrait.

— Si tu parles des particules qui sont influencées par l'observateur, oui, je sais ce que c'est.

— Alors tu détiens la réponse à ton petit dilemme. »

Agacé, il se leva. « Je ne vois pas. Mon "petit dilemme", comme tu dis, n'est pas vraiment un dilemme. C'est un cul-de-sac. Il n'y a pas de réponse. Il n'y a rien que je puisse faire devant une telle situation, et je ne crois pas pouvoir continuer à vivre ainsi. »

Elle tendit le bras. « Je suis une bien pauvre offrande, je le sais, mais tu pourrais peut-être apaiser ta soif ici. J'ai autre chose à te dire. Il y a autre chose que tu dois savoir. »

Il ignorait exactement pourquoi, mais son ton l'irritait. Il ressentait une urgente envie de se laisser aller, de prendre son sang, tout son sang. Elle s'exprimait comme un personnage tout droit sorti d'un roman d'Anne Rice. Les mortels sont si pompeux, songea-t-il. Ils croient que tout peut être changé. Elle allait bientôt lui débiter des platitudes : suis le courant, la vie est changement. Il savait qu'il valait mieux partir tout de suite, avant de lui causer un tort irréparable.

« Je dois y aller. Le soleil va se lever.

— Tu peux dormir ici. Il n'y vient jamais personne d'autre que nous et le soleil n'y pénètre pas. Nous ferons notre rituel en l'honneur d'Hécate, puis nous partirons.

— Non, il faut que je m'en aille. Dis-moi quelle est la façon la plus simple de sortir d'ici.

— Bien sûr. Je ne veux pas te garder ici contre ton gré. Tu n'es pas notre prisonnier ni rien du genre. En remontant, tu verras que tu peux tourner à droite dans le tunnel. Prends ensuite le second embranchement. Ça va te conduire à une bouche d'égout – tu la trouveras sans peine. »

Les autres étaient restés en retrait à discuter, mais à présent ils revenaient. L'autre fille commença à décrire un cercle autour du temple en semant derrière elle ce qui apparaissait comme du sel qu'elle tirait d'un gros sac. Les deux jeunes hommes s'affairaient à ériger une sorte d'autel au sommet des marches en y posant une table basse autour de laquelle ils disposaient les bougies, l'encens et les pierres que Karl les avait vus déballer plus tôt. Quel que fût ce rituel, Karl ne voulait pas y participer. Et il soupçonnait que si les autres découvraient sa condition de vampire, ils essaieraient peut-être de le contraindre à rester, jugeant que sa présence et peut-être son sang donneraient de la force à la cérémonie. Peut-être même se mettraient-ils en tête de devenir comme lui !

Il avait ses propres soucis, sa première préoccupation étant de parvenir à se nourrir pour traverser cette journée. Puis, demain soir, il essaierait de trouver une façon de se détruire, car il voyait bien à présent que telle était la finalité de son errance. C'était ce qui l'avait mené ici. Il ne pouvait pas faire une belle mort en Allemagne – s'il allait se sacrifier aux pouvoirs d'Antoine, ce ne serait certainement pas dans sa terre natale. Certaines choses étaient trop humiliantes. Mais Paris… Il avait toujours aimé Paris. Gerlinde aussi.

. Il commençait à s'éloigner du petit groupe, en direction du tunnel, lorsque les paroles de Donata le firent s'arrêter : « Karl, si jamais tu as besoin de moi, et je crois que ça va t'arriver, tu me trouveras sur ton chemin. Un jour ou l'autre. À moins que je sois morte. »

Quelque chose dans ces paroles lui glaça le sang. Il ne pouvait imaginer qu'il aurait jamais besoin de ce cadeau, et pourtant, une part de lui emmagasina l'information, comme si la survie de l'univers en dépendait. Et c'est cette même partie de lui qui songea : j'espère que tu ne mourras pas de sitôt.

# CHAPITRE 14

Comment un vampire peut-il mourir ? Ce n'était pas là une question à laquelle il était facile de répondre. Parmi ses connaissances, on avait eu vent de quelques décès seulement. Karl passa en revue les possibilités, en essayant de distinguer ce qui avait des chances de fonctionner et ce qui était voué à l'échec. Les membres de sa communauté avaient discuté *ad nauseam* des différentes façons de mourir. La mort. Un sujet toujours aussi fascinant.

Il était hors de question de faire usage d'un poison – il n'avait jamais entendu dire qu'un des siens avait succombé à l'absorption d'une substance étrangère. En fait, leur corps rejetait habituellement tout ce qu'il ne considérait pas comme un nutriment. Le fait d'avoir en eux des cellules humaines, animales et végétales signifiait que pratiquement rien n'était gaspillé. Tout corps étranger subsistant dans leur corps était expulsé par les orifices corporels sans causer le moindre dégât.

La lumière solaire était une possibilité à envisager. On avait répertorié plusieurs cas d'exposition aux rayons du soleil ayant causé de graves lésions, et il tenait d'André la confirmation qu'un des leurs avait déjà succombé à une exposition prolongée. Il avait fallu plusieurs jours, cependant, mais tout au moins

Karl avait-il l'assurance que la méthode avait fait ses preuves – il finirait par mourir.

Il pouvait aussi mourir par le feu. C'était un moyen efficace, du moins l'imaginait-il, puisque l'effet était semblable à celui de la lumière solaire – quoique plus rapide. Il en avait déjà eu une démonstration tangible sous les yeux, mais le corps avait été auparavant démembré. En ajoutant ainsi l'insulte à l'injure, on s'assurait, avait dit Julien, que les morts ne reviendraient pas d'entre les morts.

Il y avait aussi la possibilité de se trancher la tête ou de rompre sa moelle épinière. De tels efforts avaient déjà été couronnés de succès – il en avait été témoin. Le problème, c'était d'arriver à se couper soi-même la tête. Il n'imaginait guère comment y parvenir sinon en construisant un mécanisme semblable à une guillotine. C'était une solution à considérer, qui n'était cependant ni simple ni rapide. Et à la seule pensée de survivre plusieurs minutes après s'être tranché la tête… Il avait vu des masques mortuaires d'individus guillotinés durant la révolution. Certains, par exemple Marie-Antoinette, avaient l'air paisible. D'autres, beaucoup moins. Il se demanda à quel moment le masque de celle qu'on appelait aussi « l'Autrichienne » avait été moulé.

Il ne voyait pas d'autre moyen. Se transpercer le cœur fonctionnerait peut-être, mais il ne pouvait songer à aucun exemple montrant l'efficacité de cette méthode. Il lui serait pratiquement impossible de mourir d'inanition – il avait le sentiment qu'ils pouvaient vivre longtemps sur leurs réserves corporelles. Il était hors de question de se pendre – il ne pouvait concevoir que cela fonctionnerait. Il pouvait se mettre du plomb dans les poches et s'immerger dans l'eau, mais, encore une fois, il n'y avait pas de précédents connus prouvant, de près ou de loin, que cela marcherait. Et à la pensée de rester coincé sous l'eau, mais toujours vivant…

Il était peut-être en phase morbide. Cependant, l'idée d'en finir ne faisait pas qu'aller et venir par intermittence dans son esprit. Elle reposait là, tout au fond de ses pensées, toujours. Comment d'ailleurs aurait-il pu en être autrement pour des êtres qui vivaient et perduraient sans même savoir s'ils allaient jamais mourir ?

La mort, en tant que concept, l'avait toujours fasciné. Même avant la transformation qu'Antoine lui avait fait subir. Ses études durant sa vie de mortel lui avaient fait pénétrer l'univers de la médecine qui, encore à ses premiers balbutiements, se résumait alors pour l'essentiel à la pratique médicinale. L'épidémie d'une nouvelle maladie, la rubéole, était survenue seulement cinq ans avant qu'il ne dît adieu à son ancienne vie et avait duré cinq années encore après sa transformation. C'était l'une des raisons pour lesquelles il s'était retrouvé à Düsseldorf. La maladie – accompagnée de fièvre, d'une congestion des voies respiratoires et de l'éruption cutanée caractéristique – n'était pas, en soi, fatale. Pour la plupart des adultes, et même chez les enfants, les symptômes duraient généralement quelques jours et étaient suivis d'une guérison complète. Ceux qui couraient le plus grand danger étaient les enfants à naître – les fœtus que portaient les femmes enceintes. Le pronostic était toujours sombre. Ironiquement, le virus lui avait donné une occasion en or d'étudier la mort.

Il avait été témoin de plusieurs morts causées par différents agents et avait vu son lot de cadavres. La mort lui apparaissait comme un événement qui ne touchait que l'aspect physique des individus. Son raisonnement était simple : on naissait, on vivait, on mourait, puis d'autres naissaient pour prendre notre place. C'était ce à quoi les générations servaient, c'était pour cette raison que les gens avaient des enfants.

Ces belles petites pensées bien ficelées lui évitaient d'être en proie aux doutes qui, au fil des âges, avaient tenaillé les visionnaires et les philosophes, sans parler des théologiens.

Ses origines catholiques l'avaient préparé à une expérience mystique. La mort était la grande inconnue, il l'avait appris au catéchisme. Elle était censée être une expérience permettant à l'âme de quitter son enveloppe charnelle – le corps n'était après tout qu'un réceptacle – et d'entreprendre un retour vers son origine. Vers ce lieu éternel où elle se fondrait à nouveau au divin d'une quelconque manière, que ce soit au paradis ou dans un autre niveau de réalité. Il s'était attendu à voir littéralement une forme quelconque quitter le corps. Cependant, malgré toutes les morts auxquelles il avait assisté, il n'avait jamais rien observé de tel.

Ce qu'il voyait surtout, en tant que médecin, c'étaient des masses difformes et distordues. Des personnes âgées, retournées à un état catatonique, leurs corps déjà presque réduits à l'état de squelettes. Leur unique désir, si elles avaient pu l'exprimer, aurait été qu'on les laissât partir. Mais il n'y avait pas uniquement les vieilles gens, il y avait aussi les plus jeunes, victimes de maladies ou d'accidents, qui luttaient et combattaient mais n'en mouraient pas moins. Encore une fois, il s'attendait à trouver autre chose qu'une simple expression tourmentée ou paisible, ou qu'un rictus que la *rigor mortis* figeait pour un moment avant que le corps ne redevînt souple.

Où donc était ce soi éthéré, ce corps spirituel dont on lui avait enseigné l'existence ? Où était la lumière blanche au bout du tunnel qui deviendrait un mythe populaire vers la fin du XXe siècle ? Les quelques expériences de mort imminente dont il avait eu vent grâce à ses lectures lui paraissaient si triviales qu'il n'arrivait pas à se défaire de l'idée qu'il s'agissait peut-être d'hallucinations causées dans l'esprit du comateux par les lumières éblouissantes de l'hôpital. Il s'était aussi demandé si tous ces survivants n'avaient pas lu les mêmes livres, écrits par les uns et par les autres. En fait, ces récits semblaient aussi douteux que toutes les histoires d'enlèvement par des extraterrestres – et il connaissait l'argument classique selon lequel la ressemblance entre ces expériences prouvait justement que nous étions tous les enfants d'êtres venus d'ailleurs. Peut-être avait-il lu trop de science-fiction. Peut-être son esprit scientifique le rendait-il plus sceptique que le commun des mortels évoluant sur cette planète.

Ce qui l'agaçait le plus, et ce qu'il avait longtemps trituré dans son esprit, c'était qu'il semblait n'y avoir aucune preuve de l'existence de l'âme. Il ne demandait qu'à croire. Cela lui aurait rendu la vie plus facile. Et, pourtant, il n'entrevoyait rien de concret qui vînt étayer ce principe. Sa propre existence constituait peut-être le lien le plus direct vers une forme spirituelle. Il était, à tous égards, une créature surnaturelle, une aberration contre-nature. S'il pouvait survivre dans cet état, à moitié vivant et à moitié mort, tout était possible. Les vues poétiques de David l'avaient touché – l'âme tentant de quitter le corps, mais demeurant coincée dans une maison de transition, comme cela se présentait chez eux. Durant toute son existence, Karl avait ressenti cette condition de tout son être. Il n'était ni vivant ni mort. Il n'appartenait à aucun des deux mondes, et pourtant il était en mesure d'évoluer dans les deux. Où que la mort le menât – au néant, comme l'avait postulé Sartre, ou à quelque royaume béni, peuplé d'anges et de démons, composé du ciel, de l'enfer et de la salle d'attente nommée purgatoire –, il le saurait bientôt, en mettant son projet à exécution. Seule la perspective d'accéder à cette connaissance lui permettait d'envisager l'impensable et de surmonter ses peurs ainsi que sa répugnance à aller à l'encontre de son instinct de survie.

Il se dit que le feu était la solution la plus simple et la plus sûre. Il n'avait qu'à s'enfermer dans un endroit en retrait d'où il ne pourrait s'échapper, puis à y mettre le feu. En moins d'une heure, il serait cuit. Rapide. Élémentaire. Probablement pas sans douleur, mais s'exposer à la lumière du jour lui serait encore plus pénible. Il pouvait tolérer l'idée de se regarder brûler – la pensée de se regarder se décapiter lui paraissait en comparaison grotesque et mélodramatique. Sa sensibilité ne pouvait s'accommoder d'une éventualité aussi absurde, quoique l'idée d'une lame tranchante comme un rasoir eût quelque chose de séduisant.

Dans la région parisienne, près de Roissy, il dégota un hangar abandonné. Le coin était suffisamment désert – c'était presque la campagne, il n'y serait pas dérangé.

Il lui fut facile d'obtenir des chaînes et des menottes, tout comme de l'essence et des allumettes. Il s'agirait d'un suicide à petit budget.

Lorsqu'il fut fin prêt, il eut le sentiment qu'il devait à ses amis une petite explication.

Tandis qu'il essayait d'obtenir la communication, il songea en particulier à David et à André. À tout ce qu'ils avaient vécu ensemble. À la façon dont ils s'étaient rencontrés. À l'intimité qu'ils avaient atteinte.

Cela s'était passé à New York, en 1946 : le moment était mal choisi pour être Allemand, aux États-Unis. Cependant, l'hostilité générale envers les nations défaites avait peu d'effet sur ses habitudes nocturnes – il n'avait jamais eu l'âme grégaire du temps où il était mortel, et les choses n'avaient pas changé depuis. L'année d'avant, Karl avait célébré, si l'on peut dire, ses cent premières années d'existence en tant que non-mort. Depuis un siècle, il était seul, évoluant toujours en marge de la société ; la perspective de franchir le cap des deux cents ans n'éveillait chez lui nulle fébrilité. Les États-Unis étaient en plein boom économique et la confiance semblait à son apogée. La guerre avait toujours un effet bénéfique sur l'économie, sauf bien sûr lorsqu'on était du côté des vaincus. En 1918, la défaite de l'Allemagne dans ce qu'on appelait alors la Grande Guerre et les réparations imposées pour satisfaire aux demandes de la France avaient semé les germes d'une désintégration économique. Cela, conjugé à la Grande Dépression des années 20 et 30, avait finalement conduit ce pays vers une autre guerre.

Karl ne pouvait approuver les actes barbares qu'avait commis l'Allemagne au cours de la Deuxième Guerre mondiale. Mais il n'avait jamais été enclin à justifier quelque guerre que ce fût, ni les atrocités qui en découlaient naturellement. Il avait toujours fui les conflits, tant personnels que politiques. Voilà pourquoi, peut-être, il s'était toujours retrouvé plus seul qu'il ne l'avait jamais souhaité.

Jusqu'à cette époque, il n'avait jamais rencontré un autre membre de son espèce, ce qui n'avait en soi aucun sens. Forcément, lui et la bête qui avait sucé son sang ne pouvaient être les seules créatures du genre au monde ! Mais s'il y en avait d'autres, ils ne s'étaient jamais présentés. À quelques reprises, il avait éprouvé quelque chose qu'il ne pouvait décrire que comme une prémonition physique, mais rien n'en était ressorti. Il estimait d'ailleurs qu'il ne s'agissait peut-être que d'une simple réaction à un quelconque stimulus : courants éoliens, odeurs, changements de température, sons à haute fréquence – et avec l'expansion mondiale de la radio et de la télé, il se répandait dans l'air beaucoup plus de fréquences qu'auparavant.

Puis il avait tourné ce coin de rue, vers l'est, près de Central Park, et avait aperçu la lueur aveuglante de deux créatures de son espèce. Il s'était arrêté pile. La mâchoire pendante. Les yeux écarquillés. Les deux autres avaient fait de même.

Une fois passé le choc initial, la circonspection avait resurgi. Ils la sentaient tous – la tension était palpable dans l'air, tels les courants électriques durant un orage. Plus tard, il avait réalisé qu'ils s'étaient rencontrés à la croisée des chemins. André venait d'obliquer vers l'ouest. David marchait vers le sud. Mais la rue était vide en direction nord. Ni eux ni aucun parmi leur espèce n'avait jamais depuis été en mesure d'expliquer cette expérience mystique si fidèle aux légendes.

Après un silence collectif, Karl avait continué à avancer, tout comme celui qui avait l'allure d'un Français. Le Britannique était à mi-chemin entre les deux et ne bougeait pas d'un centimètre. Je suis nerveux, s'était dit Karl. Les deux autres lui paraissaient aussi fébriles. Plus tard, ils l'avaient confirmé.

Lorsqu'ils avaient été tout près, ils s'étaient arrêtés et s'étaient regardés, incrédules.

« Nous… nous sommes pareils, avait dit celui qui se trouvait entre les deux autres.

— Oui. » Le Français leur avait tendu la main comme à deux animaux effarouchés. Il avait d'abord touché Karl, puis l'autre, comme pour déterminer qu'ils étaient bien vrais et non le fruit de quelque rêve étrange. Karl devinait comment il se sentait.

Ils avaient discuté à bâtons rompus, rivés à cet endroit jusqu'à ce que le soleil fût sur le point de se lever, comme s'ils avaient conservé toutes ces paroles au fond d'eux-mêmes depuis trop longtemps. Le temps avait passé vite et ils devaient déjà retourner à leurs tanières respectives – nul ne divulgua la sienne. Mais ils avaient convenu d'un rendez-vous le lendemain soir dans Central Park, près de là mare aux canards.

Le soir suivant, Karl s'était réveillé en jubilant. C'était le premier contact qu'il établissait avec autre chose qu'un mortel depuis 1845 ! Il avait l'impression qu'un énorme poids avait été enlevé de ses épaules. Il faisait fi de cette partie de lui-même qui en appelait à un optimisme prudent.

Lorsqu'ils avaient été de nouveau réunis, David, le Britannique, avait dit: «C'est la chose la plus étrange que j'aie vécue. C'est comme si nous étions frères de sang, sortis du même œuf.

— Oui, c'est ce que je sens aussi », avait admis André.

Karl avait le même sentiment. C'était comme se regarder dans une glace. Non pas qu'il y eût entre eux une quelconque ressemblance. André était grand mais pas trop, et d'une carrure athlétique ; il avait les yeux foncés et ses cheveux noirs étaient striés d'argent sur les tempes. Il paraissait avoir un peu moins de quarante ans, mais il leur avait raconté qu'il avait été transformé vers la fin du XIX$^e$ siècle. David, quant à lui, grand, mince, aux cheveux cendrés et aux yeux pâles, d'allure très *British*, était mort en 1893, à l'âge de trente ans. Cela faisait de Karl le plus vieux, et pourtant il paraissait être le plus jeune – ils en avaient tous ri de bon cœur.

Ils avaient tout de suite constaté que chacun d'entre eux parlait français, anglais et allemand – ils venaient d'une époque où une éducation classique était la norme, du moins lorsque vous aviez la chance d'être instruit. Il avait également été évident dès le départ que Karl et David avaient été attaqués d'une façon semblable, et probablement par la même créature. Une créature qui avait aussi agressé la tante d'André et en avait fait une des leurs. Cette dernière vivait alors en France. Tout au moins, Karl avait réalisé qu'il y avait plus que trois individus comme lui dans le monde – cela en faisait cinq en tout, en comptant la créature démente, si toutefois elle existait toujours.

Hormis ces personnes, aucun d'entre eux n'avait jamais rencontré d'autres membres de leur espèce, mais tous trois avaient déjà cru percevoir la présence d'individus comme eux, sans jamais aller plus loin toutefois.

« Je sens, avait exprimé pour eux André, une puissante attraction doublée d'une puissante répulsion entre nous trois.

— Oui, avait renchéri David. C'est comme si j'avais peur de me faire assassiner dans mon sommeil.

— Ou d'avoir à me battre contre vous pour de la nourriture, avait ajouté André. Je dois rester sur mes gardes. Et pourtant je ne perçois en vous aucune intention malicieuse.

— Je me demande si c'est une réaction instinctive, avait commenté Karl. Certains animaux sont ainsi. Ce ne sont pas des animaux grégaires, mais ils ne sont pas non plus enclins à vivre en solitaire. Chacun d'entre nous a été contraint à l'isolement en raison des circonstances. »

Cela paraissait avoir du sens aux yeux d'André et de David. Et avec le temps, leur peur allait se révéler sans fondement. Ils se mouraient tous d'établir un contact avec quelqu'un, et leur association s'était avérée sûre et bénéfique pour tous les trois.

Ils n'avaient pas tardé à louer un appartement ensemble à Manhattan – et ils y avaient vécu durant plus d'une décennie. Au fil des ans, ils en étaient venus à découvrir que, malgré leurs très grandes différences, ils avaient beaucoup en commun. Et la chose importante qu'ils partageaient, c'était cette expérience en tant que créatures ni vraiment vivantes ni tout à fait mortes. Cet isolement par rapport aux « mortels », comme ils avaient fini par les appeler. Cette absence d'information sur ce qu'ils étaient, sur l'histoire de leur espèce, sur leurs forces et leurs limites. La fusion de leurs trois esprits, de leurs cœurs, de leurs corps et de leurs attitudes respectives devant l'existence se révéla pour chacun précieuse, car, ensemble, ils étaient parvenus à élaborer un schéma plausible définissant leur espèce. Par-dessus tout, ce rapprochement leur procurait à tous les trois ce qu'ils désiraient peut-être le plus au monde : l'amitié.

Quelqu'un répondit à l'autre bout du fil. Karl était cruellement conscient que cet appel à Montréal n'était pas un appel à l'aide mais un adieu.

David et André, chacun à un téléphone, écoutèrent ce qu'il avait à dire. À la fin, il y eut une minute de silence, que David brisa. « Tu joues le jeu d'Antoine.

— Je le sais.

— Antoine veut que tu meures, tout autant qu'il souhaitait la mort de Chloé, de Kaellie et des autres qu'il a éliminés. Tout autant qu'il veut que Morianna et moi mourions. Ceux qui sont morts ont succombé parce qu'ils désiraient mourir.

— Et je ne ferai pas exception à la règle.

— Arrête ça ! » cria André. Karl savait qu'André n'accepterait pas la chose de bonne grâce. Ce n'était pas tellement dans sa nature. Et il était encore en train d'essayer de digérer la mort de Chloé. « Tu es complètement fou. Tu ne sais pas ce que tu fais. Dis-moi où tu te trouves et je vais aller te rejoindre.

— Non, dit Karl. Je dois quitter cette Terre, et je dois le faire maintenant. Tu dois l'accepter. Ça n'a rien à voir avec vous deux…

— Bien sûr que cela a quelque chose à voir ! Est-ce que tu penses que cela ne nous touchera pas ? Est-ce que tu crois que la vie va continuer comme elle a toujours été ? "Oh, en passant, Karl s'est immolé. Passe-moi le plasma." »

Karl ne put que sourire.

« Le départ de Gerlinde t'a troublé, n'est-ce pas, André ? Son humour, sa vitalité.

— Oui, cela m'a attristé. Cela nous a tous peinés. Je l'aime comme une sœur. Mais te tuer parce qu'elle t'a quitté, c'est… insensé.

— Tu te répètes, et ça ne nous mène nulle part. Ma décision est prise.

— Tu as *perdu la tête* !

— Karl », intervint David. Il s'était transformé avec les années et était devenu le plus raisonnable d'eux trois. « Nous voulons tous savoir ce que c'est que de mourir. Notre espèce n'en a pas le monopole. Les mortels passent aussi par là. Même les baleines s'échouent sur les plages. Toute créature vivante traverse une phase d'entropie. Nous sommes déchirés entre la santé et la maladie, la vie et la mort. Parfois, nous obliquons d'un côté ou de l'autre. Mais nous devons lutter pour survivre.

— Pourquoi ?

— Parce que c'est tout ce que nous avons.

— Il y a peut-être autre chose. Nous l'ignorons. J'ai toujours été agnostique.

— Tout comme André et moi. Et la plupart de ceux de notre espèce. Nous ne présumons pas de ce qui se trouve de l'autre côté – si toutefois il y a quelque chose et si cet autre côté existe effectivement. Nous le saurons, mais en temps et lieu.

— C'est une hypothèse. Il se peut que nous n'atteignions jamais ce stade.

— Bien sûr que nous l'atteindrons. On le voit très bien chez les plus anciens. Ils s'atrophient, en un certain sens. Antoine est le plus vieux, mais il n'a tout de même que sept cents ans. Qu'est-ce tu crois que cela signifie ? Où sont les autres, ceux qui sont venus avant lui. Il ne peut être le premier.

— Tout ce que tu me dis est sans intérêt pour moi, David. J'ai pris ma décision. Ce sont là des questions que je ne me pose plus. Je veux seulement que cesse la douleur de l'existence.

— *Merde*[13] *!* hurla André. Tu choisis la voie de la facilité tout en prétendant opter pour le chemin le moins fréquenté. Crois-moi, *mon ami*[14], ce n'est pas la bonne solution. Ce n'était pas la bonne pour ceux qui sont déjà morts, et ça ne l'est pas pour toi. Reviens vers nous. Nous essayerons de trouver un moyen d'aider Gerlinde. De t'aider. Nos connaissances collectives feront toute la différence, ça, je peux te le promettre. Nous en avons déjà bénéficié, David et moi. Et tu es notre ami. Nous ne pouvons te laisser en finir sans broncher. »

Ces paroles touchèrent Karl, mais ne l'atteignirent pas assez profondément pour modifier sa course. « Au revoir, mes amis. Je vous aime tous les deux. Vous le savez. Dites aux autres, et surtout à Michel, que je les aime. »

Ils restèrent tous silencieux un moment et avant que l'un ou l'autre ne poursuivît, Karl se mit à réciter quelques vers du « Chant d'amour de J. Alfred Prufrock » de T.S. Eliot, un de ses poèmes préférés. Le poète débutait en disant qu'il avait vu ses heures de gloire « vaciller ». Et concluait sur ces paroles : « Bref, j'étais terrifié. » Puis il raccrocha.

Ce n'était pas ainsi qu'il avait souhaité dire adieu. Il voulait leur bénédiction, bien qu'il sût que c'était bien improbable qu'ils la lui donnent. Parce qu'ils éprouvaient de l'affection pour lui, ils voulaient le voir continuer sa route. Et si leur affection seule avait pu faire la différence, cela aurait fonctionné. S'il y avait une chose dont il était certain, c'était qu'il n'aurait jamais pu avoir de meilleurs amis qu'André et David.

Mais leur amitié ne suffisait pas. Et cela, il pouvait difficilement le leur exprimer. Sa relation avec

---

13  NDT : En français dans le texte.
14  NDT : En français dans le texte.

Gerlinde était composite : mère/fils, sœur/frère, fille/père, amante/amant et, surtout, amie/ami. Elle était son âme sœur. Il ne pouvait circuler librement dans le monde sans cet amour, et il n'avait aucun espoir de recréer une telle relation avec quelqu'un d'autre. Son instinct lui soufflait qu'ils étaient comme des loups de l'Arctique qui s'unissent pour la vie ; lorsque l'un d'eux meurt, l'autre ne s'accouple plus jamais.

Il retourna au bâtiment agricole où il avait préparé sa mort. Il n'avait qu'à attacher à son corps les chaînes qui pendaient du plafond, puis à enflammer une allumette et à la laisser tomber dans le foin imbibé d'essence. Ce ne serait ensuite qu'une question de minutes.

Lorsque tout fut en place et qu'il se fut solidement attaché de manière à ne pouvoir s'échapper, il craqua l'allumette. Et la jeta par terre. Les flammes jaillirent en un instant dans le foin et l'encerclèrent. Il se sentait comme une sorcière mise au supplice à l'époque de l'Inquisition.

Les flammes se firent de plus en plus vives et la terreur le prit à la gorge. Il lutta pour se défaire de ses chaînes, mais elles étaient trop solides – il n'avait jamais été partisan des demi-mesures.

La fumée monta dans l'air tandis que les flammes se multipliaient autour de lui, léchant les poutres, dévorant le toit, les murs. Karl paniqua. Il ne pouvait croire qu'il s'était infligé cela ! Il commença à crier comme n'importe quelle masse de chair en voie d'extinction. Il était envahi par l'humiliante pensée qu'il n'était qu'un couard en train d'être réduit en cendres. Il avait peur de mourir ! Il ne voulait pas mourir !

Puis, il tourna légèrement la tête et aperçut la chose la plus hideuse qu'il eût jamais vue. De l'autre côté de la fenêtre, le visage pressé contre la vitre, se tenait Antoine qui le regardait en riant, le plus absolument réjoui. Ses énormes crocs claquaient contre le carreau.

Il avait la même expression haineuse, le même rire diabolique que Karl avait entendu résonner, cent cinquante ans plus tôt, cependant qu'il luttait pour sa vie et finalement succombait aux mains de ce monstre.

Antoine l'avait poussé vers cette fin. Ce n'était plus une simple vue de l'esprit. La réalité en avait eu raison. Trop tard.

# CHAPITRE 15

Karl entendit une sirène. La Lorelei ! Cette étrange pensée, si peu appropriée aux circonstances, fusa dans son esprit en feu. Antoine, constata-t-il, avait aussi entendu la sirène. Le grotesque visage collé sur la vitre se tordit encore davantage et devint plus démoniaque, plus minéral. Mais les sirènes hurlaient, malédiction, anathème gagnant constamment du terrain. Karl jeta un second coup d'œil à la fenêtre, s'attendant à y voir le diable en personne. Mais Antoine avait disparu.

Karl entendit des voix. Il ne pouvait discerner ce qu'elles disaient. Se pouvait-il qu'il fût dans l'au-delà ? Entendait-il les chants des chérubins ? ou des séraphins ? En quel lieu s'apprêtait-il à pénétrer ? À quoi allait-il bientôt faire face ? La panique s'empara de lui. C'était peut-être l'enfer, là où la légende reléguait habituellement son espèce !

Il cria plus fort, mais sa gorge était irritée par la fumée et seule une plainte étouffée en sortit. Les flammes avaient atteint ses pieds. Ses chaussures en cuir étaient aussi brûlantes qu'un fer rouge. Le feu léchait ses vêtements, rendant le coton intensément chaud ; le devant de son pantalon s'était déjà embrasé. Il dansait comme une marionnette en bois de la Forêt-Noire, luttant pour éloigner les flammes de son corps.

Au-dessus de sa tête, la poutre à laquelle il était attaché avait pris feu. Déjà, le métal autour de ses chevilles, de ses poignets et de sa taille était suffisamment chaud pour le brûler au troisième degré. Il s'était jeté dans un véritable enfer et, contrairement à la croyance populaire, la fumée qu'il inhalait ne l'avait pas rendu inconscient. Peut-être son espèce ne pouvait-elle jamais trouver une telle sérénité.

Un énorme bruit pareil à une explosion, puis la porte jaillit de ses gonds vers l'intérieur. Une créature venue d'un autre monde apparut. Dieu ou démon? L'arme à la main!

Karl tremblait de douleur et de terreur. Soudain, il prit nettement conscience de ce qui se trouvait devant lui: un mortel, un homme, vêtu d'une combinaison ignifuge et portant un masque à oxygène. Il traînait derrière lui un énorme tuyau et un jet puissant frappa Karl de plein fouet. Il fut projeté en direction des flammes, mais les chaînes le retinrent et l'empêchèrent de tomber. L'eau rafraîchissante repoussa immédiatement le feu. En atténuant les flammes, l'eau souleva un nuage de fumée plus compacte qui envahit bientôt la pièce. Bientôt, il ne vit plus rien, mais il entendit craquer la poutre au-dessus de lui. Elle s'était affaiblie et menaçait de lui tomber sur la tête.

Les pompiers surgirent dans le hangar, munis de haches. Ils effritèrent les fétus qui brûlaient encore, puis défoncèrent le mur calciné pour laisser entrer un peu d'air et empêcher les débris de tomber sur eux. Un des hommes plaça sur le nez et la bouche de Karl un masque à oxygène. Un autre répondit à l'appel de son collègue et arriva avec des pinces à métal afin de couper les chaînes. Juste comme ils venaient de ressortir en portant Karl, la poutre se brisa en deux et s'écrasa sur le sol. Le bois carbonisé se répandit en éclisses brûlantes.

En moins de deux, Karl se retrouva étendu sur le sol dans la nuit fraîche. Il entendit une autre sirène et comprit qu'une ambulance venait le chercher.

Un pompier s'adressa à lui en français, mais bien qu'il le parlât couramment, il décida de feindre l'ignorance et s'exprima en allemand – on s'apprêtait à lui poser des questions auxquelles il ne voulait pas répondre. Mieux valait passer pour un touriste suicidaire.

Un des pompiers parlait un peu allemand, mais pas suffisamment pour engager la conversation. Il réussit à lui dire : « Tout va bien aller. Il y a du secours qui arrive. Nous allons vous transporter à l'hôpital. »

Karl était complètement sonné et désorienté. Ses poumons et ses sinus étaient remplis d'une fumée âcre, mais ils étaient déjà en train de se dégager. Une partie de son corps s'était engourdie sous l'assaut des flammes. Cependant, son esprit fonctionnait toujours et deux pensées retenaient son attention : premièrement, il ne devait pas les laisser l'examiner ; deuxièmement, qui donc avait appelé les pompiers ?

Il ne pouvait pas simplement se lever et s'en aller. Il devrait attendre d'être dans l'ambulance, en route vers l'hôpital. Alors, il pourrait s'évader.

L'ambulance arriva sur les lieux. Deux ambulanciers descendirent de la petite fourgonnette. À peu près au même moment, d'autres personnes se présentèrent : voisins curieux, automobilistes qui avaient stoppé leur voiture pour assister à la tragédie, reporters en règle, paparazzi – juste au cas où il se serait agi d'une personnalité, ils lui assénèrent leurs flashs en pleine figure en prenant une série de clichés. Il portait encore des chaînes autour du corps : cela ferait une photo croustillante. Et ils prirent des photos des restes du hangar. Karl tourna la tête : l'édifice avait disparu. Le toit et les murs s'étaient effondrés et le bois, à présent noirci, était éparpillé dans l'herbe détrempée. Dans le ciel s'élevait un gros nuage de fumée. L'air s'empuantissait d'une odeur prégnante d'essence et de matériaux carbonisés. Karl se mit à trembler et quelqu'un dit : « *Il est en état de choc*[15]. »

On posa sur le sol une civière en métal. Les ambulanciers, un homme et une femme, se mirent en position à sa tête et à ses pieds ; après un *un, deux, trois*, ils le soulevèrent jusqu'à la civière. La femme appuya sur le levier pneumatique et la civière s'éleva jusqu'à la hauteur de sa taille. L'homme remplaça le masque à oxygène que lui avait donné le pompier. Celui-ci, Karl le sut instantanément, n'était pas un masque à recirculation – il respirait maintenant un oxygène beaucoup plus pur au lieu du mélange d'air extérieur que lui procurait l'autre appareil.

L'ambulancière chercha son pouls, écouta ses poumons. Son froncement de sourcils provoqua chez Karl une toux bruyante visant à camoufler ce qui ressemblerait à des bruits étrangers aux oreilles de la femme.

Les ambulanciers discutèrent, examinèrent ses brûlures et appliquèrent sur les plus vilaines des compresses salines – une mesure temporaire jusqu'à ce qu'un médecin eût pu examiner ses lésions et déterminer s'il lui fallait une greffe de peau.

Karl commençait à paniquer. Ils étaient bien près de voir son corps se régénérer, de remarquer que ses organes n'étaient pas tout à fait conformes. Bref, ils allaient comprendre que Karl n'était pas celui qu'il semblait être.

Rapidement, ils déplacèrent la civière jusqu'à l'arrière de l'ambulance et la poussèrent contre le véhicule. Les pattes de devant se levèrent automatiquement et le brancard se retrouva bientôt à l'intérieur du véhicule.

---

[15]  NDT : En français dans le texte.

La femme monta derrière et ferma la porte pendant que son collègue s'installait devant et démarrait. La cloison grillagée entre l'avant et l'arrière de l'ambulance était fermée. Le chauffeur ne pouvait voir ce qui se passait derrière que s'il se retournait.

La fourgonnette accéléra et fonça à travers le champ jusqu'à l'autoroute. La sirène émettait un bruit strident dans les oreilles de Karl tandis qu'ils filaient sur la route. La femme l'avait déjà recouvert d'une couverture, au cas où il se serait trouvé en état de choc. Elle s'affairait maintenant à préparer deux grosses intraveineuses. Sur l'étiquette de l'un des sacs on pouvait lire : « Solution de Ringer lactate ». C'était un liquide de remplacement du fluide corporel dont il avait déjà entendu parler. La solution se composait de lactate, de sels et de divers minéraux. Elle servirait à restaurer une partie de l'énorme quantité de fluide qu'il avait perdue. Du moins, l'ambulancière le croyait-elle. Mais Karl avait à portée de la main un meilleur substitut.

L'ambulancière sortir également un sac de plasma d'un petit réfrigérateur afin de l'accrocher à l'intraveineuse. Puis elle fixa un moniteur cardiaque à sa poitrine, mais ne prêta guère attention aux résultats pour l'instant – il était toujours conscient, signe qu'il était vivant.

Il devait se tirer de là le plus vite possible. Elle était déjà en train d'insérer une aiguille dans une fiole. Elle s'apprêtait à prélever de son sang afin de déterminer son groupe sanguin, et il ne pouvait la laisser faire une telle chose.

Soudain, le moniteur cardiaque émit un bruit étrange qui attira l'attention de la femme. Elle s'interrompit pour contempler les lignes qui ondulaient violemment, puis elle se retourna vers Karl.

Il bondit sur elle, la prenant au dépourvu. La main sur sa gorge, il pressa le gros nerf à l'avant de son cou de manière qu'elle perdît momentanément conscience et ne pût sonner l'alerte. Elle lutta quelques instants, puis ses yeux se fermèrent. Cependant, sa mine horrifiée se grava dans l'esprit de Karl – il savait qu'elle savait avoir vu autre chose qu'un être humain.

Il regarda autour de lui. Le chauffeur, occupé à se faufiler entre les voitures, semblait indifférent à ce qui se passait derrière lui. Il n'avait encore jeté aucun regard dans le rétroviseur. L'occasion était à sa portée, alors Karl la saisit. Il avait besoin de sang, elle en avait dans son corps. Il l'étendit sur le sol juste au cas où le chauffeur regarderait derrière – il ne verrait alors pas grand-chose. Puis Karl lui transperça prestement la gorge.

Le petit réfrigérateur contenait trois autres sacs de plasma. Il s'en saisit puis se débarrassa des aiguilles et du moniteur auquel son corps était branché.

L'ambulance ralentit et traversa un dos-d'âne. Il sut qu'ils étaient arrivés à l'hôpital lorsqu'il aperçut le panneau marqué « Urgence ». C'était le moment ou jamais.

Il ouvrit la porte arrière tandis que le chauffeur se garait et coupait le contact.

En moins de deux, Karl était sorti et piquait un sprint à travers la pelouse. Il courut jusqu'à l'autoroute, la traversa, puis pénétra dans un bosquet. Au-dessus de lui, un 747 volait bas ; il en déduisit qu'il était tout près de l'aéroport.

Il s'arrêta dans les bois juste assez longtemps pour réfléchir – ils ne perdraient pas de temps à le chercher et appelleraient plutôt la police. Il ne devait pas rester là. Avant de se remettre en marche, il ouvrit toutefois les sacs de plastique et but le plasma. Cela ne le rassasia pas complètement, non plus que cela n'allait accélérer sa guérison. Pour cela, il lui faudrait du vrai sang.

Instinctivement, il se dirigea vers l'aéroport. Il savait qu'il trouverait des gens à cet endroit. Le sang était sa priorité, mais il lui fallait aussi des vêtements ; les siens avaient presque entièrement brûlé.

Lorsqu'il atteignit l'extrémité du tarmac, il s'accroupit et s'efforça de demeurer dans l'ombre protectrice de la nuit. Il repéra bientôt un préposé qui conduisait un chariot élévateur emportant les contenants de nourriture vides d'un avion qui venait d'atterrir. Il y eut comme un déclic : Karl bondit, traversa la piste illuminée à la vitesse de l'éclair et fondit sur l'homme. La combinaison lui allait, mais la chemise était un peu serrée et les souliers, une pointure trop petite. Il lui faudrait bien s'en accommoder le temps de trouver un costume mieux adapté.

Le portefeuille de l'employé ne contenait que cinquante francs. Karl prit l'argent, mais laissa toutes les cartes de crédit. Il appuya ensuite l'homme à moitié nu contre la roue du chariot et le fit sombrer dans ce qui ressemblerait à un sommeil éthylique. L'homme avait consommé de l'alcool, mais juste un peu. Karl repéra dans son sang des traces de vin, du vin rouge, probablement du Bordeaux – il connaissait bien cette région.

Il téléphona à American Express afin d'obtenir l'autorisation d'effectuer des transactions sans sa carte de crédit. Il adorait American Express. Ils lui enverraient immédiatement une nouvelle carte au Hilton de l'aéroport. Ils communiqueraient même avec l'hôtel et y réserveraient une chambre pour la nuit. Dans une boutique de l'aéroport où l'on vendait des T-shirts souvenirs, des pulls molletonnés, des chaussettes et des pantalons de jogging sur lesquels était marqué « PARIS », il s'acheta une nouvelle tenue. On ne vendait pas de chaussures, mais il se débrouilla pour s'en procurer une paire dans la toilette des hommes lorsqu'une pointure 9 se présenta. Karl avait toujours été reconnaissant envers la physiologie humaine et envers monsieur Spock pour sa célèbre prise du cou.

Aussitôt qu'il fut vêtu d'une manière qui n'attirait pas trop l'attention, il fila à l'hôtel, arrivant juste à temps pour récupérer sa carte temporaire. Il eut vite fait de s'enregistrer et monta tout de suite à sa chambre. Le radio-réveil indiquait « 5 h 45 ». Le soleil se lèverait à 6 h 30 et il avait désespérément besoin de dormir. Mais d'abord, il lui fallait réfléchir.

La mort, réalisait-il maintenant, n'était pas la solution. Pas de cette manière. S'il devait mourir, alors que ce fût en luttant contre Antoine. Succomber aux mains du monstre, directement, dans un combat, cela, il pouvait l'affronter. Mais se soumettre comme il avait tenté de le faire, et apercevoir son ennemi juré qui le regardait rendre l'âme en savourant sa victoire… Karl n'avait pas le caractère qu'il fallait pour jouer le rôle de la victime dans ce genre de conquête.

Ce qu'il avait essayé de s'infliger le traumatisait tout en lui faisant recouvrer tous ses sens. Les pompiers étaient arrivés juste à temps pour sauver Karl. L'idée que seul Antoine pouvait les avoir appelés, non sans s'assurer d'abord que Karl apercevait sa figure hideuse qui le lorgnait… Antoine avait agi ainsi dans ce seul but : augmenter sa souffrance. Karl en était certain. Le sadique l'avait poussé au suicide, puis l'avait arraché des griffes de la mort simplement pour le voir se jeter de nouveau entre les bras de celle-ci. Antoine pouvait répéter ce stratagème pendant les siècles des siècles, ne laissant jamais Karl mourir, sans pour autant lui permettre de revivre pleinement, car il garderait Gerlinde juste un peu hors de portée. Le jeu du chat et de la souris, avec Gerlinde en guise d'appât.

Karl refusait de se prêter à ce jeu. Il devait y avoir un autre moyen. Et dans ce cas, il le trouverait. Il réserva une place sur le premier vol pour Montréal le lendemain soir.

# CHAPITRE 16

« Si elle veut rester avec lui, je ne vois pas ce qu'on peut y changer, dit André. Gerlinde est assez grande pour prendre ses propres décisions. Ce n'est pas comme si elle avait été kidnappée ou hypnotisée.

— Tu ne l'as pas vue, dit Karl. La froideur dans ses yeux. Les choses qu'elle m'a dites. Ça ne lui ressemblait absolument pas.

— Mais David a déjà été victime d'un envoûtement et il paraissait visiblement hypnotisé. Il n'arrivait même pas à parler.

— C'était peut-être différent pour moi, dit David. Ariel et moi avions eu des rapports sexuels… » Il s'interrompit, conscient soudain de ce qu'il était en train de dire.

André compléta sa pensée à sa place : « Regarde la réalité en face, Karl. Antoine saute Gerlinde. C'est là tout le problème. »

Il n'avait pas à leur faire un dessin. Tous trois connaissaient bien le pouvoir de la promiscuité sexuelle avec un des leurs. Cela créait un lien difficile à rompre. Et pourtant, songea Karl, Antoine est parvenu à s'immiscer entre Gerlinde et moi. Il a rompu *notre* lien.

Carol posa une demi-douzaine de verres de sang devant Karl et ce dernier en avala deux d'une traite.

Une heure après son arrivée, il avait déjà consommé trois litres de sang. À ce rythme, son corps serait guéri de ses blessures avant l'aube.

« Nous devons nous employer à te protéger, dit David. Ainsi que Morianna et moi. C'est après nous trois qu'il en a. Gerlinde n'est qu'un pion.

— Pion ou non », dit Karl, agacé, « je ne vais pas l'abandonner. Je veux l'éloigner de lui. Ensuite elle pourra prendre une décision qui ne soit pas biaisée. Et je veux qu'il meure. Est-ce que vous avez l'intention de m'aider ou non ? Ou bien est-ce que vos promesses étaient des paroles en l'air ?

— Calme-toi, dit André. Nous ne faisons que discuter. Nous devons passer tous les éléments en revue avant d'envisager une solution. Antoine n'est pas un adversaire facile.

— C'est un adversaire exceptionnel, confirma Morianna. Un adversaire que nous avons peu d'espoir de vaincre. »

Ce sombre pronostic, surtout venant de l'énigmatique mais généralement optimiste Morianna, sema la morosité dans toute la pièce.

Julien était assis dans un coin, les jambes allongées sur un repose-pieds. Diabella, sa chatte noire, monopolisait une bonne partie du petit meuble. À la droite de Julien, occupant le peu de place qui restait dans l'ottomane, se trouvait Jeanette. Claude et Susan se tenaient avec Michel près de la fenêtre.

Carol, Kathy, David et André s'alignaient dans le canapé. Morianna et Wing occupaient chacun un fauteuil. Plusieurs autres, dont Gertig, étaient dispersés dans la pièce, la mine en deuil.

En l'absence de Chloé et de Gerlinde, Karl avait l'impression que le groupe était comme démembré. Il avait durement conscience que leurs rangs s'étaient clairsemés. Collectivement, ils battaient Antoine presque 20 à 1. Pourtant, il le savait, chacun avait le sentiment que, même en unissant leurs forces, ils ne faisaient pas le poids devant lui. Antoine détenait un affreux pouvoir sur autrui, et Karl fulminait intérieurement rien que d'y penser.

« Écoutez. Son plan va au-delà de notre extermination.

— Qu'est-ce qui te fait penser ça ?

— Une chose que Gerlinde m'a dite. Le pouvoir qu'elle rêve d'obtenir. Ce n'est pas seulement de fréquenter Antoine. Il lui a promis ce que je ne peux lui offrir.

— Qui est ?…

— La mortalité.

— La mort ? demanda Carol.

— Non. Il souhaite redevenir mortel. Ou, plutôt, d'avoir la possibilité d'être mortel quand il le désire. C'est ce qu'il a toujours voulu. Julien, tu l'as dit toi-même.

— C'est bel et bien ce qu'Antoine désire, oui, dit Julien après un moment de silence. Je ne sais pas s'il le souhaite aussi fort que jadis, toutefois. Ses projets ont certainement changé après la disparition d'Ariel.

— Ses projets, dit David, ont changé en ce que, à présent, il agit seul.

— Non, il a Gerlinde, lui rappela Karl.

— Oui, mais elle n'a pas d'aussi grands pouvoirs que la majorité d'entre nous dans cette pièce. Il s'est servi d'elle pour t'attirer…

— Je le sais bien ! Cela semble évident et nous en avons déjà parlé. Mais je sens qu'il veut plus. Je crois qu'il veut toujours Michel.

— S'il voulait mon fils, dit Carol d'une voix serrée, alors il aurait pu l'enlever au cimetière, plutôt que de tuer Chloé.

— Il aurait pu, oui. Mais Antoine sait que Michel peut être pisté par toi, par André, par les autres ici, parce que beaucoup d'entre nous avons goûté à son sang pour cette raison précise – pour suivre sa trace afin de le protéger après ce qui lui est arrivé. Et Antoine sait aussi par expérience que s'il kidnappe Michel maintenant, personne d'entre nous ne sera en paix avant de l'avoir récupéré. Nous le pourchasserions tous et le trouverions par l'entremise de Michel.

— Parce que c'est un *kid* et qu'on l'aime bien », dit Kathy, plus comme une évidence qu'en guise de question. Avec la vie qu'elle avait eue, elle était devenue experte en la matière.

Karl hocha la tête et vida le troisième verre.

« Il y a un autre aspect à considérer », dit-il en se resservant.

« Continue, l'encouragea André.

— Chloé était en phase morbide. Je crois qu'elle avait plusieurs raisons d'agir comme elle l'a fait. Une des raisons, c'est qu'elle était paralysée par la présence d'Antoine, qui l'a prise au dépourvu en masquant son odeur afin de déjouer ses capacités olfactives. De plus, elle avait déjà été sa victime, dans une situation à peu près semblable – le précédent dont nous avons parlé. Mais je crois également que Chloé essayait de protéger Michel. Je crois qu'elle pensait que, si elle détournait l'attention d'Antoine, Michel s'en irait. Je ne crois pas qu'elle avait une bonne vue d'ensemble, mais elle savait que Michel se trouvait en danger. À cet égard, elle avait raison. »

Tous réfléchirent un moment aux paroles de Karl. Ce fut André qui parla le premier : « Merci », dit-il simplement.

Karl hocha la tête. Il comprenait. André avait besoin de donner un sens plus transcendant à la mort de Chloé.

Ils en avaient tous besoin, tout comme elle-même en avait eu besoin.

Enfin, Julien parla, et Wing hocha la tête : « Je crois que j'adhère à ta logique. Antoine ne veut pas d'un autre affrontement majeur. Il a l'intention de nous ronger de l'intérieur jusqu'à ce que nos forces soient trop affaiblies pour que nous opposions une quelconque résistance.

— Nous avons discuté de cette possibilité, dit Morianna.

— Alors, demanda Karl, pourquoi ne nous en avez-vous pas parlé ?

— Nous devions en être certains. D'après l'information additionnelle que tu nous as fournie, cela tombe sous le sens, dit Julien.

— Eh bien, je ne suis pas d'accord. »

André se leva brusquement et Karl vit que sa tension avait monté d'un cran. La perte de Chloé, l'idée qu'Antoine voulait Michel… C'était plus qu'André ne pouvait en supporter.

« Ce que je crois, dit Karl en s'efforçant de décrire les choses simplement, c'est qu'Antoine veut se débarrasser de nous, un à un, autant qu'il le peut. Il a commencé par ceux qu'il a créés, ceux dont il peut suivre la trace et à qui il lui était plus aisé de régler leur compte. En effet, nous sommes automatiquement intimidés par lui et nous devenons alors des proies faciles, peut-être aussi faciles que nous l'avons été lorsqu'il nous a transformés. Une fois que nous sommes en phase morbide, c'en est fait ! »

David hocha la tête. « Tu marques un point. Tu serais mis hors circuit, suivi sans doute de Morianna et de moi-même, ce qui laisserait Kathy en deuil et André encore plus dévasté de nous avoir perdus toi et moi. Julien et Wing s'en trouveraient intimidés, car une autre ancienne ne serait plus… et ainsi de suite.

Bref, tout cela aurait pour conséquence qu'il resterait moins de membres forts à affronter dans notre communauté, qui serait alors complètement ravagée. Apeurée. Désarmée.

— Ce qui signifie que Michel serait encore plus vulnérable, souligna Carol, et que nous serions moins nombreux à pouvoir le protéger. » Elle avait une voix alarmée.

André alla immédiatement s'asseoir près d'elle et lui prit la main. Il regarda Karl : « Je crois que je suis d'accord avec toi, maintenant que j'ai réentendu tes arguments. C'est ce que n'importe qui d'entre nous ferait s'il désirait suffisamment une chose et si une communauté se mettait en travers de son chemin. »

— Diviser pour régner, résuma Julien. C'est une ancienne stratégie militaire. Antoine a lu Machiavel. Il l'a peut-être même connu – moi, je l'ai connu. Une fois qu'Antoine aurait décimé notre communauté, il lui serait très facile d'arracher Michel à notre emprise. Il nous faudrait déployer plus d'efforts pour le sauver. Nos troupes seraient moins nombreuses et déjà vaincues psychologiquement.

— D'accord, lança André. Nous connaissons son plan. Michel, croit-il, est un laissez-passer pour la mortalité. Nous devons lui enlever cette idée ridicule de la tête.

— Nous ne le pouvons pas, dit Wing. Et pour une simple et bonne raison.

— Ah bon ?

— C'est que c'est la vérité. »

L'affirmation de Wing pétrifia tout le monde, surtout Michel, qui jusque-là avait écouté sans mot dire. L'adolescent se leva d'un bond. « Qu'est-ce que ça veut dire ? Dis-le ! »

Wing se tourna vers Julien, qui hocha la tête, puis vers Morianna, qui ne manifesta en rien qu'elle était liée à ce qui allait se dire. Pourtant, Wing dut percevoir quelque chose. Il alla vers Michel et posa une main sur son épaule en un geste paternel. « Michel, tu dois être courageux maintenant. Ce que j'ai à te dire est fondé sur d'anciennes légendes, non de l'Occident, mais de l'Orient. Antoine a passé beaucoup de temps en Orient. Julien le sait. » Julien hocha de nouveau la tête.

« L'histoire que je m'apprête à te raconter n'est pas issue de ma propre culture mais d'un peuple qui vivait dans le Pacifique Sud, sur une île de la Polynésie, au nord-est de la Nouvelle-Zélande. Un petit monde oublié par le temps. Un monde qui a évolué très lentement. Si lentement que, n'eût été d'une explosion atomique subreptice au milieu du XX$^e$ siècle, ces gens existeraient sans doute encore. Mais ils se sont éteints.

— On dirait la disparition de l'Atlantide, dit Michel.

— Peut-être que, d'une certaine manière, leur civilisation ressemblait à celle des Atlantes. On appelait ce peuple *Anga-ma'a*. Comme n'importe quelle culture, actuelle ou passée, ils avaient leurs légendes de vampires. La leur s'inspirait d'une chauve-souris vampire qui nichait dans leur région. Cette chauve-souris était beaucoup plus grosse que l'espèce sud-américaine. Tu peux t'imaginer ce que cela signifiait pour eux. Sur leur petite île isolée de huit kilomètres carrés, une chauve-souris de la taille d'un gros rat planait dans le ciel pendant la nuit et ne cessait d'attaquer non seulement les animaux, mais aussi les indigènes. D'après ce que nous en savons, le vampire existe dans les écrits depuis 2500 av. J.-C. ; *L'Épopée de Gilgamesh* en parle comme d'un "semeur de mort". Tant de variations au fil des siècles, en tant d'endroits sur Terre. En vérité, l'imagination est l'atout le plus sûr de l'humanité !

« Les *Anga-ma'a* menaient une vie simple et communiaient avec la nature d'une manière qui nous paraîtrait idyllique : levés avec le soleil, couchés à la tombée de la nuit, puisant le poisson dans l'océan, cueillant les fruits dans les arbres, peuplant et repeuplant leur petit monde. La chauve-souris vampire représentait un monstre effrayant, qui semait la maladie et la mort. Et, pourtant, cette créature faisait partie de leur monde, et ils l'acceptaient comme telle.

— Nous savons déjà, l'interrompit Morianna, que plus une société intègre la mort à sa culture, l'affronte sans ambages, plus elle accorde de valeur à la vie et plus elle lutte pour sa survie.

— Nous assistons actuellement à tout le contraire, surtout en Occident. Ici, la mort est cachée. Les morts sont oubliés avant même leur agonie. On laisse les plus vieux vivre ce passage auprès d'étrangers qui se soucient bien peu de leur âme. On n'a pas de sentiment de continuité. Et une fois que le corps rend l'âme, il est incinéré ou enterré par des gens qui, plutôt que de suivre leur instinct naturel, de pleurer le disparu et de lui souhaiter "Bon voyage !", organisent une célébration de la vie, comme si c'était la seule chose qui comptait. Et, bien sûr, c'est là une façon d'éviter l'investissement affectif. Cela accroît l'isolement. Nous, plus qu'aucune créature vivante, comprenons bien les dangers de l'isolement. »

Elle s'interrompit un moment, regarda Wing et ajouta : « Je ne voulais pas te faire digresser.

— Au contraire, dit-il. Tu as apporté une précision dont mon discours se trouve enrichi. » Il inclina légèrement la tête. « Je t'en suis reconnaissant. »

Wing alla s'asseoir près du feu et se tourna vers eux tous. Il prit son sac, qu'il avait posé là, et en tira un écrin étroit et plat qui aurait pu accueillir une mince pile de feuilles. La petite boîte, comme tout ce qu'il transportait dans son sac, était d'un matériau de qualité, un cuir souple mais assez ferme pour garder sa forme. D'une couleur rouge sang, la couverture en cuir était retenue par un ruban argent et noir. Il ouvrit la petite mallette pour révéler ce que Karl reconnut comme étant un parchemin. Wing plaça délicatement ses mains sous l'écrin où le parchemin reposait. Le document paraissait très ancien. Avec précaution, Wing le déposa sur la table sans le retirer de son étui.

Les autres s'approchèrent pour mieux voir, tous sauf Julien et Morianna qui semblaient l'avoir déjà vu auparavant.

« Ce dessin a été fait il y a près de deux cents ans par une insulaire. Il représente le démon vampire qui, selon ce que croyaient ces gens, avait engendré les effroyables chauves-souris. Un démon susceptible de revenir d'entre les morts pour se nourrir du sang des vivants. Elle l'a dessiné avec la pointe effilée d'un bambou trempée dans son propre sang. »

Le dessin avait été réalisé sur une feuille sèche et brunâtre que Karl crut reconnaître comme provenant de l'arbre à pain. La surface n'avait pas plus de quinze centimètres sur quinze, mais la feuille n'était en réalité ni carrée ni régulière. Le dessin d'un brun rougeâtre était pâli par le temps, mais même après toutes ces années, il avait indubitablement, aux yeux et à l'odorat exercé des personnes présentes, la couleur et l'odeur du sang..

Le démon ressemblait un peu à une gargouille, à la fois poisson, arbre et humain. Il avait surtout l'air d'un gros rat ailé arborant deux dents affûtées à chaque mâchoire. Karl lui trouva une parenté avec les masques de démons qu'il avait vus au Sri Lanka. C'était une œuvre simple, primitive, issue de l'imagination d'une indigène qui l'avait exécutée en s'inspirant de ce qui l'entourait. Le style rappelait à Karl certaines peintures qu'il avait observées à Lascaux. Cependant, ce qui rendait l'œuvre exceptionnelle, c'était la façon dont l'artiste avait peint les yeux du démon. Ils étaient rivés sur le spectateur, et Karl sentit presque une rumeur gronder en lui, comme si la terre s'était mise à trembler. Le plus ahurissant, c'était qu'elle avait capturé à la perfection l'essence des yeux de Wing.

« Puissant, réussit à articuler Carol. Absolument fascinant. »

Karl leva les yeux et vit le même air ébahi chez toutes les personnes réunies dans la pièce. L'odeur du sang utilisé pour le dessin était intense, plus qu'elle n'aurait dû l'être après deux cents ans.

Comme s'il avait saisi la question informulée, Wing expliqua : « Son sang était exceptionnel. Elle appartenait à une lignée pure et possédait des facultés psychiques particulières. On pourrait dire que c'était une sorcière ou une magicienne. Ces gens n'avaient pas d'autre mot pour la décrire hormis son nom, qui était celui de sa mère, et celui de la mère de sa mère, et ainsi de suite jusqu'à la nuit des temps. Son nom était *Fefine taula-fa'ahikehe*. Elle connaissait le passé et l'avenir, et avait prédit l'extinction de sa race. Elle a immédiatement deviné ce que j'étais lorsque je suis arrivé dans l'île.

— Est-ce que tu… l'as prise ? demanda doucement David.

— Oui. Bien sûr. À l'époque, je jugeais que c'était là mon droit. Il s'agissait d'un équilibre qu'elle et moi comprenions très bien. J'avais besoin de sa vie pour survivre, et elle avait besoin de donner la sienne en échange de la survie de son peuple.

— Mais son peuple n'a pas survécu, dit Michel

— Non, c'est exact.

— Alors c'est injuste. Tu lui avais promis quelque chose…

— Je ne lui ai promis que son destin. Je ne pouvais sauver les siens, et pourtant son essence à elle est toujours en moi. Elle n'est pas morte en vain. En fait, elle n'est pas morte du tout, puisqu'elle parle par moi. Tous ceux qui sont venus après elle et m'ont rencontré ont entendu sa voix. »

Cette information les laissa muets. Karl regarda autour de lui. La plupart des êtres présents avaient été créés au cours des deux derniers siècles. La plupart d'entre eux n'avaient jamais tué, ou n'avaient pas tué depuis qu'ils avaient trouvé une autre approche auprès des mortels. Les anciens, cependant – Wing, Julien, Morianna… peut-être Gertig –, avaient vécu à une autre époque et avaient eu d'autres desseins. Karl n'y avait jamais vraiment songé, mais chacun d'entre eux devait avoir ravi plusieurs vies. Il n'avait qu'une vague idée de ce à quoi cela ressemblait, de la façon dont cela vous transformait physiquement, mentalement, affectivement, spirituellement. Le sang que Karl ingérait était comme la viande que les mortels achetaient au supermarché, coupé de sa source – la carcasse d'un animal de boucherie dont une portion avait été prélevée. Karl et les autres tiraient leur sang de mortels chaque nuit à raison d'un litre ou deux, pas en quantité suffisante pour leur causer du tort. Et, à quelques rares occasions, ils l'obtenaient de la réserve contaminée d'une banque de sang, qu'une compagnie à numéro qu'ils possédaient achetait prétendument à des fins de recherche. Les contaminants étaient sans danger pour leur organisme. C'était là une source essentielle – ils ne savaient jamais à quel moment une urgence se présenterait. C'était de ce sang que Karl buvait en ce moment même et il ne lui restait que deux verres à vider.

Il regarda Morianna, si calme, si sophistiquée, puis Julien, le patriarche intègre dont la clarté de pensée suscitait leur confiance, et enfin Wing, qui assurait à la communauté un lien avec une partie de leur esprit dont ils avaient été coupés. Ces trois-là, plus que tous les autres, pouvaient cerner la personnalité d'Antoine parce qu'ils étaient dans une large mesure semblables à lui.

«La fille, reprit Wing, a réalisé ce dessin le soir de sa mort. C'est une représentation du *fa'ahinga peka 'oku misi toto*. L'image d'un vampire. Un portrait de moi.»

— La ressemblance est frappante», fit Julien avec un petit sourire, et Wing lui rendit ce sourire de conspiration.

« Elle l'a tracé après que je l'eus vidée de son sang.»

Un silence tomba dans la pièce. Enfin, Kathy dit ce à quoi ils songeaient tous : «Comment?

— Une fois que je l'eus absorbée, elle se mit à vivre en moi. Et à cause d'elle, j'ai changé. Je suis redevenu humain.

— Mais comment est-ce possible? demanda David. Même si elle était une sorcière, cela n'aurait pas dû te transformer en mortel.

— Son peuple les avait protégées, elle et les femmes de sa lignée. Tu vois, dans son ascendance, dans un passé lointain, une de ces femmes s'était liée à un immortel. Peut-être mi-mortel, mi-démon.

— Il y en a déjà eu un autre comme moi?» s'ébahit Michel. «Wow!»

— Comme toi, je ne saurais dire. Je ne sais pas si son union s'était scellée avec un de nos semblables. D'après cette description, je ne le croirais pas, mais je ne peux en être sûr. Tout ce que je sais, c'est que son sang m'a transformé, momentanément. Et pendant une brève période, je suis revenu à mon état mortel. Pour que cela se produise, elle devait mourir. »

La pièce resta silencieuse un long moment. Puis Wing ajouta : « Je l'ai fait parce qu'il le fallait. Nous nous nourrissons, et ainsi nous survivons. Nous avons acquis une vision des choses qui nous permet d'être sélectifs, de contrôler en apparence nos pulsions. Mais tout ça, c'est une façade. Sous le vernis, nous demeurons des prédateurs. N'importe quelle proie susceptible d'enrichir notre être nous paraît désirable. Et personne ici, à ma place, n'aurait pu agir autrement.

— Pourquoi est-ce que nous n'avons pas su ça plus tôt ? dit doucement André. Comment pouvons-nous assurer la sécurité de Michel si nous ne savons pas tout ?

— Nous nous sommes efforcés de protéger Michel, dit Morianna. Et à présent vous connaissez la vérité. Tu ne dois jamais oublier, André, que nous sommes tous des prédateurs, y compris toi.

— Si tu veux dire qu'André ou moi-même pourrions considérer notre fils comme une proie… » dit Carol en se levant soudain, le corps tendu, secouant inconsciemment la tête, « eh bien, c'est tout simplement inconcevable.

— Peut-être, concéda Morianna. Mais peut-être pas. Lorsque la phase morbide surgit, la personne n'est pas… comment dire… ce n'est pas une question de bien ou de mal…

— La personne n'est plus vraiment elle-même, suggéra Wing.

— Exactement. La personne n'est plus elle-même. L'univers prend un sens nouveau, selon des paramètres différents, une autre logique. L'impensable devient désirable, pour des raisons qui nous apparaissent soudain évidentes. Le possible devient probable. »

Tout le monde se mit à parler à la fois et le bruit dans la pièce devint assourdissant.

David dit à Wing : « Comment peux-tu savoir si un tel changement aura lieu quand le sang de Michel aura été bu ? Tu n'as pas vécu la même chose. Cette sorcière était d'une lignée depuis longtemps pure et nous ne savons pas avec quel genre d'entité s'est unie son ancêtre. Michel a un pied dans notre monde et il est possible que son sang ne pèse pas assez lourd dans la balance.

— Nous l'ignorons, dit Wing. Je vous ai raconté une légende, par laquelle une centaine de mortels ont tenté d'expliquer l'inexplicable. Il y a d'autres légendes qui relatent comment un vampire peut devenir mortel. »

Karl songea aux histoires de vampires. Les Gitans de confession musulmane, et certains Serbes et Albanais, croyaient que, si un vampire survivait pendant trente ans, il redevenait humain. Une histoire venue d'Ukraine racontait l'histoire d'un garçon qui avait retrouvé une icône de saint Michel, puis avait voyagé avec ses oncles marchands. Pendant ce temps, dans un autre empire, la fille du tsar était allée se baigner dans la rivière et ne s'était pas signée avant d'entrer dans l'eau. Cela avait permis à un esprit malin de prendre possession d'elle. Elle était tombée malade et en était morte. Le tsar avait imposé à chacun de lire des prières pour elle, et celui qui la délivrerait obtiendrait en récompense la moitié du royaume. Chaque soir, un des villageois allait à l'église du village pour lire des prières et chaque matin le gardien de l'église balayait leurs ossements sur le seuil. Le tsar décréta alors que tous les étrangers devaient aussi lire des prières, de sorte que les gens de la place ne seraient pas tous anéantis. Chacun à leur tour, les oncles du jeune garçon le convainquirent d'aller lire pour eux des prières, et chaque fois saint Michel lui dit comment empêcher la jeune vampire de le mordre : la première nuit, il répandit sans arrêt le contenu d'un panier de fruits, alors la vampire s'affaira à les ramasser; la deuxième nuit, il se servit d'un panier de noix; la troisième nuit, il la rejoignit dans son cercueil avant qu'elle pût en émerger, et saint Michel l'y suivit. Elle se réveilla et le garçon refusa de la laisser se lever tant qu'elle ne l'aurait pas appelé « mon consort ». Elle résista, le supplia, mais lorsque le coq chanta à l'aube, elle l'appela enfin son consort. On les retrouva tous les deux priant au soleil, après quoi la princesse fut rebaptisée, car l'esprit malin l'avait quittée.

Cette histoire et les autres mythes semblaient bien enfantins. Manifestement, ils ne représentaient qu'une version métaphorique des espoirs et des craintes des gens de l'époque. Cependant, Karl avait le sentiment que la légende venue du Pacifique Sud n'était pas pareille aux autres. Il n'aurait su dire en quoi, jusqu'à ce que Michel lançât : « Eh bien, j'imagine que je fais mieux de ne pas me couper. On ne sait jamais quand quelqu'un sera dans sa phase morbide et voudra lécher mon sang pour se changer en chauve-souris ou quelque chose du genre. » Tout alors se mit en place dans l'esprit de Karl. C'était comme si toutes les pièces métalliques s'assemblaient parfaitement et lui laissaient voir la machine dans son ensemble.

« J'ai trouvé ! » clama-t-il.

Les autres, qui étaient encore en train de discuter, entre autres, de l'histoire que Wing avait racontée, se turent et le regardèrent.

Il se sentit soudain transporté, plus léger, rempli d'espoir face à l'avenir. La réponse était simple et ils l'avaient sous les yeux depuis un bon moment.

« C'est dans les cellules !

— Peux-tu être plus précis ? dit David.

— D'accord. Écoutez. » Karl vida les deux derniers verres de sang. « Les mortels portent en eux des cellules déjà programmées, des cellules qui ont une certaine durée de vie, après quoi elles meurent. Mais nous sommes immortels, ou du moins nous le sommes jusqu'à ce que la phase morbide nous frappe. Elle le fait dès qu'elle en a la chance, et ensuite, il y a beaucoup de risques que nous en mourions. Ce qui signifie que, nous aussi, nous avons des cellules préprogrammées.

— C'est tiré par les cheveux, fit remarquer David.

— Non, pas du tout. Rappelle-toi quand j'ai analysé le sang de Chloé et de Kaellie. Les deux échantillons contenaient un globule rouge comportant un noyau. Comme je l'ai déjà dit, chez un mortel, les globules rouges adultes expulsent le noyau, et s'ils ne le font pas, cela montre qu'ils sont malades. Une maladie causée par des cellules aberrantes de ce genre est grave et peut conduire à la mort. De telles cellules chez Chloé et Kaellie étaient une aberration susceptible de les tuer, tout comme une cellule chez les mortels qui comporterait un noyau. Seulement, chez notre espèce, c'est moins évident…

— Parce que nos cellules sont déjà bizarres, dit Michel. Alors nous ne savons pas ce qui doit et ne doit pas se trouver là.

— C'est en plein ça! Nous sommes déjà, par nature, le fruit d'une mutation, une aberration. Nous sommes un non-sens. Et parce que nous présentons déjà un mélange si bizarre de cellules – humaines, animales, végétales, et même certaines autres que nous ne pouvons identifier – la mutation de l'une de nos cellules n'est peut-être pas stable, du fait précisément que les molécules qui la constituent peuvent aussi s'unir à d'autres molécules qui modifieront de nouveau la cellule.

— Est-ce que tu peux dire les choses plus simplement? demanda Kathy.

— D'accord. Michel est de sang pur. Il n'a jamais chassé, jamais percé une veine ni prélevé du sang directement d'un mortel, il en a seulement consommé indirectement. Son sang est si pur qu'il risque de modifier un globule rouge mutant en s'unissant à lui, en lui faisant expulser son noyau. Autrement dit, son sang est capable de revigorer la structure cellulaire et de forcer l'élimination du noyau propre à la phase morbide. Et c'est ce qu'est véritablement la cellule munie d'un noyau. C'est une cellule destinée à mourir – une cellule de phase morbide.

— Es-tu en train de nous dire que c'est la cellule elle-même qui cause la phase morbide ? demanda David.

— Je ne crois pas que nous soyons en mesure de déterminer si c'est la cellule qui cause la phase ou l'inverse. C'est comme l'œuf et la poule, on ne sait pas ce qui vient en premier. Mais au bout du compte, ça importe peu.

— Alors son sang peut soigner, si l'on peut dire, la cellule en phase morbide ?

— Je soupçonne que son sang a d'autres propriétés. Je crois qu'il accomplira ce qu'a fait le sang de la sorcière pour Wing. Il renversera le processus menant à la mort qui s'est enclenché lors de notre transformation. Et je crois que ce résultat sera permanent.

— Mais sur quoi fondes-tu ton hypothèse ? demanda David.

— Sur Mendel. Et ses pois. La génétique de base. Des traits dominants et récessifs dans les gènes déterminent l'hérédité. Mon Dieu, mais Mendel était en train de mener ces recherches l'année où Antoine m'a transformé, en 1845 ! J'ai même lu son article "Recherche sur les hybrides végétaux", vingt ans plus tard.

— Tout cela est très intéressant, Karl, interrompit André, mais ce n'est pas pertinent.

— Au contraire. Écoute. Si je trouve un moyen de redevenir mortel, je pourrai combattre Antoine !»

Après une seconde de silence, André ne put se retenir : «Si tu *peux* redevenir mortel ! As-tu complètement perdu la tête ?

— Je suis désolé, mon pauvre Karl, ajouta David, mais personne ici ne sait comment redevenir mortel, même si nous le voulions.

— C'est pourtant clair. L'histoire de Wing prend tout son sens, dit Karl. La réponse est là. Le sang de Michel est spécial. Lui-même peut se promener entre les deux mondes, mortel ou immortel, et quiconque boit son sang le peut aussi. Mais ses globules de mortel sont dominants lorsqu'ils rencontrent nos cellules d'immortels, y compris toute cellule aberrante comportant un noyau – celles qui ont rapport avec la phase morbide. Antoine a dû s'organiser pour le savoir. Et à n'en pas douter, il a entendu parler des légendes, et probablement qu'il a réuni les pièces du puzzle. Tout ce temps, il était sur la bonne piste. Michel est la clé d'une transformation en sens inverse, vers l'état de mortel, durant la phase morbide. »

David soupira bruyamment. « Karl, ce sont des légendes. Au mieux, ce sont des symboles ; au pire, du simple folklore. Comment peux-tu, toi, un scientifique, croire de telles sornettes ?

— J'y crois parce que cela a du sens.

— Nous tous, nous avons goûté au sang de Michel. Et moi, en tout cas, je ne m'en sens pas plus mortel.

— Nous n'avions probablement aucune cellule nucléée lorsque nous en avons bu, car il semble bien qu'aucun d'entre nous n'était en phase morbide.

— J'*étais* en phase morbide, si tu te souviens bien.

— Oui, mais tu as seulement *goûté* au sang de Michel, dans le but de le pister. Quelques gouttes n'auront pas suffi. Ce n'est pas comme en prendre une quantité égale au nombre de globules que nous avons dans le corps, afin que son sang remplace ou domine nos cellules. Rappelle-toi, dans un seul échantillon du sang de Chloé et de Kaellie il y avait déjà un globule rouge comportant un noyau. Chaque échantillon contenait peut-être au total deux cents globules rouges. Cela signifie qu'un organisme peut contenir jusqu'à vingt-cinq mille globules rouges aberrants, sinon plus, chacun devant être contrôlé par une cellule biophile. Il faudrait *tout* le sang de Michel pour accomplir cela. Par exemple, moi qui suis en phase morbide…

— Comment le sais-tu?

— J'ai scruté mon sang au microscope et j'ai trouvé une cellule comportant un noyau.»

Cela laissa tout le monde sans voix. Karl savait qu'ils se sentaient comme un mortel qui apprend qu'une ou un de ses amis a le VIH.

«Quoi qu'il en soit, je peux prélever un échantillon du sang de Michel et le mêler à une quantité équivalente de mon sang. Cela nous montrera concrètement ce qui arriverait si je remplaçais le sang dans mes veines par celui de Michel…

— Quelle preuve empirique aurons-nous que cela changera quoi que ce soit à ton état et non seulement à la chimie de ton corps?» demanda David.

Karl savait qu'il voyait la lumière et tentait de l'expliquer à des aveugles plongés dans les ténèbres. La vérité le rendait humble et bienveillant. Il sourit un peu, ce qui sembla exaspérer David, mais il ne se sentait pas supérieur aux autres. «Écoute, ne te mets pas sur la défensive. J'essaie juste de te montrer que cela est plein de bon sens. J'ingère d'abord le sang de Michel. Mieux encore, son sang doit remplacer le mien par intraveineuse plutôt que par l'estomac – s'il coule directement dans mes veines, ce sera sûrement plus efficace. Ensuite, je subis la transformation qui me rend mortel, temporairement ou de manière permanente, nous l'ignorons. Si je m'approche d'Antoine en tant que mortel, il sera incapable de m'identifier – c'est du moins ce que je prévois, car alors je ne serai plus une de ses créations. Ainsi donc, il ne sera pas alerté par mon arrivée. Il réagira exactement comme nous réagissons aux mortels, qui représentent de la nourriture potentielle, mais certainement pas une menace. Il sera pris au dépourvu et je serai capable de le tuer grâce à une des méthodes indiquées dans pareil cas. La preuve empirique, ce sera le résultat de tout ce processus.

— Ce ne sera pas le résultat de ce processus, parce qu'il n'y aura pas de processus, point », dit André d'une voix furieuse en se levant d'un bond. « Michel ne sacrifiera pas son sang dominant à quelque cause que ce soit !

— Papa, risqua le garçon, Karl a raison. Je le sais. Vous êtes toujours en train de me répéter combien je suis spécial et combien j'ai de l'intuition, et je crois, moi, que tu comprends tout ça… enfin, comme l'aurait dit Chloé… à un niveau cellulaire. Tu sais qu'il a raison. Je veux dire, si je peux lui donner mon sang, il pourra s'approcher d'Antoine, le tuer, et récupérer Gerlinde…

— Nous savons combien tu étais proche de Gerlinde », dit Carol, la gorge nouée. « Nous l'aimons tous et nous voulons qu'elle revienne saine et sauve auprès de nous. Mais pas comme ça, Michel. C'est dangereux pour toi. »

Karl, perdu dans ses pensées, n'avait pratiquement pas conscience du drame qui se jouait devant lui. « J'imagine que le meilleur moyen serait de siphonner d'abord tout mon sang, pour éviter la contamination. Puis de transférer celui de Michel dans mes veines. Une fois qu'il sera vidé, du nouveau sang pourra lui être injecté…

— Ainsi, je ne mourrai pas. Du moins, pas pour toujours, dit Michel. Mais je vais connaître la mort, comme vous tous. »

André traversa la pièce à grands pas et agrippa le bras de Michel. « Tu ne mourras pas parce que tu ne te prêteras pas à cette expérience. »

Le garçon se dégagea d'un haussement d'épaules. « J'ai le droit de prendre mes propres décisions.

— Pas tant que tu es un enfant.

— Je suis pas un enfant. Je vais avoir seize ans dans quatre mois. Je suis un adulte.

— Tu te *crois* un adulte. Je dispose d'une sagesse plus grande que celle qu'on peut acquérir au cours de toute une existence humaine, et je te dis, moi, que c'est un projet insensé et dangereux pour toi, même si tu n'en vois pas tous les risques.

— C'est pas dangereux. Karl a dit…

— Michel, je ne veux plus en entendre parler. C'est déjà décidé. *Tu ne feras pas ça*[16] ! »

Ils discutèrent encore, et soudain Michel cria : « Arrête de me dire ce que je suis et ce que je suis pas ! T'es pas dans ma peau, alors laisse-moi tranquille ! » Il sortit de la pièce en courant et claqua la porte derrière lui. André et Carol se jetèrent un regard et sortirent derrière lui, sans doute pour aller essayer de le calmer.

Les autres restèrent sans mot dire. Karl recouvra ses sens. Enfin, il murmura comme pour lui-même : « Je n'avais pas l'intention de bouleverser qui que ce soit. »

David dit doucement : « À ta place, je ne me ferais pas trop de souci. Ça leur passera.

— Je crois que j'ai raison », dit Karl.

Personne ne répondit.

Il était soudain démoralisé. L'espoir était à portée de main et lui avait été arraché. Était-il en train de

---

[16] NDT : En français dans le texte.

devenir fou ? Comment pouvait-il même songer à exposer Michel à un quelconque danger ? Même si les deux échantillons montraient qu'il avait raison, ils ne savaient pas quelles seraient les conséquences de prélever tout le sang de l'adolescent. Pas étonnant qu'André et Carol fussent furieux – n'importe quel être sain d'esprit qui se souciait du sort de l'adolescent aurait été en colère. Son raisonnement était juste, mais cela devait demeurer une vue de l'esprit. Pourtant, il regarda Julien, puis Wing et enfin Morianna : « Et vous trois, qu'en pensez-vous ? Est-ce qu'il y a quelque chose dans ce que j'ai dit qui a du sens ou est-ce que je deviens cinglé ? »

Julien parla pour le triumvirat. « Ton hypothèse a une certaine résonance. Si tu pouvais devenir mortel – et, selon toute vraisemblance, le sang de Michel permettrait une telle transformation –, Antoine serait pris au dépourvu. Peut-être, avec un peu de chance, pourrais-tu tourner la situation à ton avantage. » Il regarda Wing, puis Morianna. « C'est peut-être notre seul espoir.

— Y a-t-il d'autres façons de devenir mortel ? » s'enquit Karl. Il posait la question, mais connaissait déjà la réponse. C'était Michel ou rien, et il savait aussi que ce ne serait rien. André et Carol, sans compter les autres membres de leur communauté, ne permettraient jamais une telle chose. Dans ses moments de lucidité, il savait qu'ils avaient raison.

Pourtant, en dépit de cela, il savait aussi que chacun d'eux réalisait quelle boîte de Pandore venait d'être ouverte ce soir. Le statut de Michel avait pris soudain une importance capitale. Comme l'avait souligné Wing, ils étaient tous des prédateurs et, si les circonstances s'y prêtaient, aucun d'entre eux n'hésiterait à prendre le sang du jeune garçon. Karl venait tout juste de l'illustrer.

Il se leva. « Je m'en vais en Allemagne récupérer Gerlinde. Je sais que ce n'est pas la meilleure façon, mais je ne vois pas d'autres solutions. Et s'il y en a, je voudrais qu'on m'en fasse part dès à présent. »

Un ange passa dans la pièce. Karl se retourna et se dirigea vers la porte. « Rappelle-toi, dit doucement Morianna. Pendant la phase morbide, la logique fatale paraît toujours sensée. »

Toujours leur tournant le dos, Karl répondit : « Je n'y peux rien.

— Nous comprenons », l'assura Julien.

# TROISIÈME PARTIE

*La descente aux Enfers est facile ;*
*la porte du noir empire est ouverte nuit et jour.*
*Mais revenir sur ses pas*
*et s'échapper vers les brises d'en haut,*
*voilà l'épreuve, voilà la difficulté.*

Virgile

# CHAPITRE 17

Karl prit un vol de nuit pour Londres et, le soir suivant, il s'envolait pour Hanovre. Il avait fait un peu de repérage avant de quitter Montréal : Gerlinde était toujours là-bas et, présumait-il, Antoine devait se trouver avec elle.

Son plan était un peu étriqué, mais il ne blâmait pas ses amis. Ils avaient tous les droits de protéger Michel. Le garçon était singulier – le seul du genre. Que Karl considérât même la possibilité de lui faire subir un processus dont l'issue paraissait douteuse montrait à quel point il était devenu irrationnel. Cependant, irrationnel ou non, il avait une certitude : il aimait Gerlinde, l'avait aimée dès la minute où il l'avait connue. Il en était venu à se fier à elle, à dépendre d'elle, et il ne pouvait, ne pourrait jamais exister sans elle. Par ailleurs, il se refusait à la laisser exister sous l'emprise d'Antoine sans tout au moins essayer encore une fois de lui faire prendre conscience des rouages de cette alliance. Elle était peut-être sous l'influence d'Antoine, peut-être aussi ne l'était-elle pas. Il se pouvait que, malgré tout, elle choisît Antoine au détriment de Karl. Néanmoins, il savait qu'il devait tout tenter pour la récupérer. Et s'il en était incapable, il trouverait une manière plus raisonnable de se donner la mort, un moyen qui découlerait moins de ses émotions instables. Une façon bien à lui, et non celle d'une marionnette jouant dans un drame qu'Antoine avait écrit et mis en scène. Il ne mourrait pas en entendant le rire de ce vil personnage à ses oreilles !

Hanovre était une ville ancienne, qui avait été dévastée au cours de deux guerres mondiales, mais qui tenait toujours debout. Ses habitants, un demi-million ou à peu près, étaient typiquement germaniques – sérieux, travailleurs et littéralement épris de leur bière. Les éléments de la vieille ville restés intacts après les bombardements dataient du Moyen Âge.

Karl était déjà venu ici, juste après sa transformation. À cette époque, une certitude lui était tombée dessus comme une masse : il ne pourrait jamais rentrer chez lui. Il avait aussi réalisé qu'il n'avait nulle part non plus où aller. Le Nord valait bien le Sud. Pourquoi pas Hanovre ?

Cependant, la ville ne lui avait pas plu, et il n'y était demeuré qu'une semaine. Le climat n'était pas aussi agréable que dans le Bas-Rhin. Les gens lui semblaient plus tendus, en général. Par la suite, il n'avait pas été étonné de constater que Hanovre s'était si fortement industrialisée – l'industrie seyait mieux que l'agriculture aux inclinations naturelles de la population.

Karl tirait un amusement macabre de ce que Hanovre, tout comme Düsseldorf, eût abrité elle aussi son vampire. Durant les années qui avaient suivi la Première Guerre mondiale, alors que les réfugiés pullulaient dans la ville, Fritz Haarmann, un pédéraste, traquait de jeunes garçons dans la gare de la ville. Puis, de concert avec un prostitué nommé Hans Grans qui était devenu son amant, il assassinait ses victimes. Haarmann et Grans avaient de l'ambition. Ils vendaient les vêtements au noir et écoulaient la chair en prétendant que c'était de la « viande chevaline ». Ils jetaient les os dans la Leine, la rivière qui coulait dans la ville.

Haarmann avait finalement été traduit en justice et reconnu coupable de vingt-sept meurtres, même si le total de ses victimes était estimé à cinquante. À sa demande, il avait été décapité sur la place du marché. L'Université de Göttingen avait obtenu son cerveau pour l'étudier et Karl s'était souvent dit qu'il aimerait un jour l'examiner.

Haarmann était considéré comme un vampire en raison de la façon dont il agressait ses victimes. Il immobilisait les garçons, leur lacérait le cou avec ses dents et mâchouillait jusqu'à ce que la tête se séparât presque complètement du corps. Il clamait qu'il aimait le sang.

À présent, minuit avait sonné depuis longtemps et Karl errait le long de la Leine, foulant des pavés que des millions de pieds avaient rendus lisses. Les pieds de Haarmann et de Grans avaient aussi rôdé par ici : les assassins y transportaient les carcasses dépecées pour les jeter dans l'eau glacée.

Dans ce lieu macabre, Karl sentait les vibrations de Gerlinde telles des ondes sur la surface intérieure de son corps, entre les muscles et la peau. Elle était tout près. Antoine aussi, probablement. Karl ne fut pas du tout étonné lorsqu'ils jaillirent de l'ombre comme des spectres noirs.

Antoine avait passé un bras possessif autour des épaules de Gerlinde – geste inutile, sembla-t-il à Karl. Primitif. Flagrant. Pourtant, il ressentit un pincement de jalousie, même s'il savait que c'était ce qu'Antoine espérait. Il fut également horrifié. Antoine portait l'amulette de Chloé autour du cou.

« Alors, *Liebkin*, te revoilà, dit Gerlinde. Eh bien, rien n'a changé. Je reste avec Tony, comme tu peux le voir. Je suis étonnée que tu sois toujours en vie. »

Cela le blessa. Elle savait qu'il avait failli mourir et cela ne semblait pas la troubler. Il essaya de garder la maîtrise de ses émotions, qui menaçaient de lui faire perdre ses esprits. « Je suis revenu parce qu'il y a des choses que vous devez savoir. »

Antoine se mit à rire. Le bruit jaillit dans l'air tel le cri d'un démon hideux et trancha la nuit aussi facilement qu'un fendoir détachant l'os du muscle. Karl se demanda brièvement ce que les mortels entendaient. Sans doute les plus sensibles vérifieraient-ils ce soir que le verrou de leur porte était bien tiré pour la nuit.

« Antoine est fou », dit Karl. Il ignorait son créateur, le traitait comme une non-personne en parlant de lui au *il*. Il rendait à Antoine la monnaie de sa pièce. « Il caresse l'idée de dominer le monde, mais c'est irréalisable. Je ne sais pas ce qu'il t'a promis, mais c'est impossible.

— Tu veux dire Michel ? » dit Gerlinde.

C'était une question si évidente qu'il en resta sonné. C'est pourquoi, peut-être, il parut hésitant lorsqu'il dit : « Le sang du garçon est incapable de modifier qui que ce soit.

— Tu as toujours été un très mauvais menteur, Karl. Tu n'as fait aucun examen du sang de Michel. Tu dis ça pour m'impressionner, mais c'est peine perdue. Tout est déjà réfléchi.

— Peut-être bien que oui, peut-être bien que non. Mais je te jure que Michel, même si tu étais capable d'arriver jusqu'à lui, n'est pas la solution. D'ailleurs, il me semble que tu avais coutume de te soucier de son bien-être. »

Pendant un instant, il crut apercevoir une émotion vaciller dans ses yeux, mais c'était peut-être juste la lueur du réverbère.

— Je m'intéresse à son sang, rien de plus. Il est la réponse à nos prières. Il peut devenir notre ticket aller-retour pour la mortalité. C'est pour cette raison qu'il a été créé, pour nous servir. Il représente l'accomplissement en matière d'évolution et nous serions stupides de nous en priver par simple sensiblerie.»

Il savait qu'elle avait entendu ces mots de la bouche d'Antoine. Elle-même ne pensait pas ainsi. Gerlinde n'avait jamais été sentimentale outre mesure et ne s'était jamais souciée d'évolution. Ses sentiments étaient cependant profonds. Et elle avait été aussi protectrice envers Michel qu'une mère envers son petit.

«Qu'est-ce qui t'a rendue si insensible? demanda Karl. Tu étais tendre, affectueuse. Michel était comme un fils pour toi. Un fils que tu aurais été prête à défendre au péril de ta vie. Et maintenant, tu parles de l'utiliser comme s'il était un rat de laboratoire.

— Tu devrais être capable de comprendre, Karl. C'est toi le scientifique ici. Tu as fait ta part d'expériences. À présent, je fais les miennes.

— J'ai fait des expériences, oui. Mais pas sur mes amis.

— Parce que t'as pas de colonne vertébrale. Eh bien, Antoine, si. Il a une vue d'ensemble et sait comment intervenir. Et j'en ai assez de vivre une existence confinée. Je veux essayer de nouvelles choses. Je veux avoir accès aux plaisirs de la mortalité.

— Par exemple?

— La maternité. Je veux un enfant.

Karl en resta bouche bée. Tout ce qu'il trouva à dire, ce fut quelque chose de si glacial qu'il eut peine à se reconnaître: «Tu rêves.

— Et tu m'ennuies. Pourquoi tu n'es pas mort à Paris? Fous le camp!»

Il s'attendait à ce qu'elle en vînt là, et ses paroles ne l'atteignirent que modérément. Il était inutile de discuter avec elle. Peu importe ce qui lui était arrivé, il ne comprenait pas comment elle avait pu changer à ce point. Mais il savait qu'il était ridicule de poursuivre cette discussion qui tournait en rond.

«Antoine, dit-il, en essayant de surmonter sa répugnance à s'adresser à son créateur, tu as une idée derrière la tête. Cela me semble évident. Tu as tué ceux que tu as créés et tu es en train de ravager notre communauté pour arriver jusqu'à Michel. Les autres connaissent ton plan. Ils sont sur leurs gardes.»

Antoine se remit à rire. Un bruit de tonnerre noir fendant la stratosphère, un rire qui signifiait que Karl n'était qu'un grain de sable dans l'univers et que lui, Antoine, était le nouveau Thor, dieu du Ciel et de la Terre.

«Tu aurais pu faire partie de notre monde, risqua Karl. Ne pas être seul…

— Qu'est-ce qui te laisse croire que j'ai jamais voulu faire partie de votre petit monde ridicule? Vous êtes comme des fourmis à mes yeux, des créatures inférieures que j'observe quand je veux m'amuser et que je piétine quand j'en ai envie. Tu n'as rien à m'offrir sinon le plaisir de vous regarder dépérir, languissants de connaître une mort qui pourtant vous échappera toujours parce que je vous en tiendrai à l'écart. Et crois-moi, je ne te laisserai pas mourir. Pas *toi*.»

Karl ignora la petite voix dans sa tête qui lui disait d'être prudent, qui lui hurlait de s'enfuir à toutes jambes. «Chloé, Kaellie et les autres étaient en phase morbide. Tu en as profité.

— Qu'est-ce que tu veux dire par "phase morbide"?» demanda Gerlinde.

Elle regarda Antoine, mais il feignit de ne pas avoir entendu. «Elles ont capitulé, dit-il, parce qu'elles étaient faibles et que j'étais le plus fort, tout comme tu es faible et facile à écraser.

— Je suis étonné qu'Antoine ne t'ait pas parlé de la phase morbide», dit Karl à Gerlinde, sentant qu'il avait gagné un peu de terrain. « Nous la traversons tous à un moment ou à un autre, peut-être plus d'une fois. C'est un peu comme un intense fantasme suicidaire qui nous fait passer à l'acte, nous pousse à affronter la mort. Lorsque les autres sont dans cet état, Antoine l'utilise à son avantage. Il transforme le suicide potentiel en meurtre. »

Gerlinde jeta un nouveau coup d'œil à Antoine. La peur se lisait dans son visage.

« C'est une phase naturelle chez nous, continuait Karl. Tu en traverses une en ce moment, Gerlinde. C'est pourquoi tu t'es enfuie loin de moi, loin des autres. Tu regardes une superproduction sur ton magnétoscope personnel, et c'est toi la star. Ne me dis pas que tu ne t'es pas vue dans le rôle d'une sorte de vierge à l'enfant dont le sacrifice nous redonnerait la mortalité et nous sauverait de cette morne existence nocturne ! »

Il sut à son expression qu'il avait touché une corde sensible. C'était si évident. « Antoine, ajouta-t-il, utilise la phase morbide. Lorsqu'il veut détruire l'un de nous, il n'a qu'à attendre que le processus soit enclenché. Dans mon cas, il s'est plutôt saisi de toi au moment où tu étais dans cette phase, afin de m'attirer. Pour m'anéantir. Tu n'es qu'un pion. »

Antoine laissa tomber le simulacre de réponses divines et se contenta de grogner comme un animal enragé. « Tu crois que tu en sais long, mais j'ai un demi-millénaire d'avance sur toi. Tu es pathétique. À peine un ver de terre rampant sur le ventre.

— Je suis peut-être un ver de terre, mais je n'ai jamais semé la destruction. Tu n'as jamais rien créé.

— Imbécile ! Je t'ai créé !

— Seulement parce que je l'ai accepté. C'est ma propre force qui m'a permis de survivre à ma mort, et de même pour Chloé, Kaellie, David et tous les autres que tu as créés dans la violence. Il y a deux côtés à chaque création, celui du créateur et celui du créé. Mais tu es incapable de comprendre, bien sûr. »

Gerlinde paraissait stupéfaite, comme si la lumière avait jailli en elle. Elle affichait une expression de vulnérabilité et d'impuissance.

«Laisse-la partir, dit Karl. Tu ne l'aimes pas… »

À ces mots, Antoine eut un autre rire et parut reprendre contenance. Karl réalisa qu'il avait fait fausse route. Le ricanement diabolique trancha l'air avec quelque chose d'encore plus ténébreux, plus dense, plus permanent. C'était toute l'obscurité de l'univers, une entropie pareille à un trou noir qui tourbillonnait vers un oubli inaccessible, dans une spirale sans fin.

Un frisson parcourut l'échine de Karl. Cette entité démente croyait vraiment qu'elle était un dieu omnipotent, disposant des pouvoirs du Tout-Puissant. Karl se sentait désarmé devant lui. Antoine ne changerait jamais. Il était irrécupérable. Il semblait évident qu'il ne laisserait jamais partir Gerlinde, même si elle le voulait, et à voir l'expression sur la figure de celle-ci, Karl sut que la même pensée l'avait traversée. Ce que Karl savait déjà se confirmait : Antoine brandirait toujours devant lui la mort comme une carotte, mais en la gardant hors de portée. Il n'y avait rien d'autre à faire que réagir.

La fureur de Karl éclata en lui et le propulsa vers l'avant, plus vite qu'il ne s'était jamais déplacé. Il fut sur Antoine en une fraction de seconde, son corps se transformant déjà pour le combat : ses muscles étaient de fer, ses ongles se muaient en griffes, ses dents devenaient crocs. Cependant, ceux-ci claquèrent vers la chair mais mordirent l'air. À la vitesse de l'éclair, Karl fut ballotté dans tous les sens, dans la nuit, joujou secoué par un géant. Un jouet qui aboutit sans grâce dans l'eau de la Leine en émettant un plouf !

Il coula à pic dans l'eau sombre. Une eau qui gardait le souvenir d'ossements humains, le secret d'ossements qu'on n'avait pas encore retrouvés. Des os qui chantaient aux siens : « Bienvenue dans l'ossuaire aquatique ! »

Karl se débattit pour ne pas couler, incapable de freiner sa descente. Enfin, il ralentit. S'arrêta. Puis commença à remonter. Il montait plus lentement qu'il n'était descendu, mais sa tête émergea enfin de l'eau. Et lorsqu'il recouvra ses esprits et regarda autour de lui, Antoine et Gerlinde avaient disparu. Même les vibrations de Gerlinde avaient faibli, comme si tous deux s'étaient transformés en oiseaux de nuit qui avaient pris leur envol instantanément et se trouvaient maintenant à des kilomètres de là.

Karl grimpa sur la berge en tremblant, sentant l'adrénaline pulser dans son organisme. L'eau n'aurait pu le tuer. Son corps aurait plutôt eu tendance à flotter. Les cellules végétales dans son sang étaient en mesure d'absorber le liquide. La mort par noyade n'était pas pour lui. Antoine ne l'avait jeté dans l'eau que pour afficher sa force et pour rien d'autre. Rampant vers un banc, Karl, défait, sentit ce pouvoir qui l'oppressait tel le poids des âges.

Il était complètement impuissant. Il n'avait jamais cru se sentir un jour ainsi, mais à présent il le ressentait au plus profond de lui-même. Que faire pour récupérer Gerlinde, pour détruire Antoine ? Rien. Et il semblait ne pas être en mesure non plus d'en finir avec lui-même, jusqu'au jour où Antoine lui permettrait de mourir, si jamais ce jour venait. Il était perdant sur toute la ligne. Comment vais-je pouvoir continuer tout en sachant cela ? se demanda-t-il.

L'aube approchait. Le ciel pâlissait déjà à l'est même s'il était toujours sombre à l'ouest. Karl demeurait assis sur son banc au bord de l'eau, regardant vers le levant. Il ne savait pas s'il parviendrait à rester là à attendre que la lumière émergeât et le consumât. Une lumière qui ne le détruirait pas instantanément, mais lui infligerait de graves blessures.

C'était un plan stupide, il le savait. Pas même un plan. En réalité, il se sentait tout bonnement incapable de bouger, ne fût-ce que pour retourner à son hôtel. Il imaginait bien qu'Antoine ne lèverait pas le petit doigt pour le secourir, puisque Karl ne mourrait pas d'avoir été exposé au soleil. Il ne ferait que frire. Il ne savait pas à quel point le soleil le brûlerait, mais il s'imaginait que ses blessures seraient graves, au troisième degré. Bien sûr, des mortels le trouveraient. Et l'emmèneraient à l'hôpital. Son geste serait d'autant plus stupide, et en laissant une telle chose se produire, il ne pensait certainement pas à ses amis qu'il mettrait en danger. Dès lors, les mortels auraient en effet la preuve qu'il existait une autre espèce dominante sur Terre. Des êtres avec des organes singuliers et une formule sanguine comme les humains n'en avaient jamais vus.

On l'hospitaliserait, et là, il serait traité dans une unité pour grands brûlés. Sottise! Il serait entouré de mortels, et dès qu'il en aurait la force, il s'en prendrait probablement à un ou à plusieurs d'entre eux pour obtenir leur sang, parce qu'il mourrait de faim. Et pour quoi faire? Afin de renaître? Afin de se rétablir et de continuer à jouer le jeu dément d'Antoine?

Même s'il connaissait l'issue de cette histoire, il n'arrivait pas à se relever. Il se sentait vidé de sa volonté et cela le rivait sur son banc, à contempler l'horizon, à guetter l'arrivée du soleil. Espérant contre toute attente qu'il en mourrait, sachant que cela ne se produirait pas.

«T'es en mission suicide ou quoi?»

Il se retourna en entendant cette voix familière. Donata se dirigeait vers lui. Apparition en velours noir, avec une peau pâle comme la mort et un trait de rouge sur la bouche. La femme-enfant glissait sur le sol comme le spectre auquel elle ressemblait, comme si elle avait déjà pénétré dans un royaume plus spirituel. Peut-être, songea-t-il, n'est-elle même pas ici. Peut-être est-elle déjà morte et est-ce son fantôme.

Comme si elle avait lu dans ses pensées, elle dit : « Je suis encore en vie. Plus ou moins. Assez pour être venue jusqu'ici. »

Rien ne l'étonnait plus. Son esprit vide de toute émotion complexe, toutes ses questions relevaient de la simple curiosité. « Comment as-tu su que j'étais là ?

— Je t'ai suivi.

— Depuis quand ?

— Depuis que tu as quitté le temple souterrain à Paris. Depuis que tu m'as quittée. »

Il n'avait pas envie d'entendre ce genre d'anxiété amoureuse typique des mortels. Si c'était à cela qu'elle voulait jouer, il devrait se traîner loin de ce banc et, maintenant qu'il savait qu'elle était sur sa piste, trouver un moyen pour disparaître dans la nature. Avec un incommensurable effort, il se leva avec l'intention de se tirer. À quoi bon se perdre en palabres ?

« T'en vas pas, dit-elle en lui touchant le bras. Ce n'est pas ce que j'ai voulu dire. C'est juste qu'il y a quelque chose entre nous. Je le sens. Je sais que toi aussi tu le sens. Ou que tu l'as senti. Je sais que je peux t'aider. Comme je l'ai fait à Roissy. »

Il comprit soudain. « C'est *toi* qui as appelé l'ambulance et les pompiers.

— Oui. »

Il soupira bruyamment, agacé, irrité. Antoine pouvait dormir tranquille, avec tous ces assistants involontaires dans les parages. « Tu n'aurais pas dû. J'essayais de mourir, ce qui n'est pas facile pour moi. Tu m'as juste mis dans une mauvaise situation face à mon ennemi.

— Je sais. J'étais là, sur place. Je l'ai vu. Il est comme Satan. Ou un autre démon. Il te déteste et raffole du pouvoir qu'il a sur toi…

— Écoute, tu ne me dis rien que je ne sache déjà. En fait, tu m'embêtes. Qu'est-ce que tu veux ?

— Je suis là pour t'aider.

— Cesse de m'aider. Tu me fais du mal. Retourne à ton petit temple dans les égouts de Paris et vénère les anciens dieux. Vous le faites si bien, toi et ton groupe. »

Il était cruel avec elle. C'était cela ou sucer tout le sang qu'elle avait dans les veines. Il considéra cette possibilité, mais c'était probablement ce qu'elle désirait. De plus, cela ne lui donnerait que plus de vigueur et une plus grande conscience de sa souffrance. Peut-être devait-il simplement la jeter à l'eau et la noyer en mémoire de Fritz Haarmann. Qu'il fût traversé par une telle pensée montrait bien que le monstre, Antoine, avait infiltré ses défenses. Tout le portrait de mon père ! songea-t-il avec horreur. Mais que pouvait-il contre cela et contre tout le reste ?

« Karl, je ne sais pas comment t'aider, mais je sais que je dois le faire. On me l'a ordonné. Un pouvoir supérieur me l'a dit. »

Il secoua la tête et commença à s'éloigner. Il n'avait pas la patience nécessaire pour supporter ces bêtises nouvel âge.

« Michel est avec moi. »

Karl stoppa net.

« Lorsque je t'ai suivi à Montréal, je l'ai rencontré. Nous sommes partis juste après toi. Nous avons pris un vol de jour. Je sais ce qu'il est, bien sûr.

— Je suppose que tu as fait un voyage astral jusqu'à la résidence de Montréal ? dit-il d'un ton caustique.

— Je n'en ai pas eu besoin. J'étais de l'autre côté de la rue lorsque Michel est sorti dehors en courant. Je l'ai rattrapé, je lui ai dit qui j'étais, comment j'avais fait ta connaissance, et il a voulu m'aider. Nous avons décidé de te suivre jusqu'ici. Je crois que tu as besoin de nous deux.

— Viens, dit Karl exaspéré. Amène-moi jusqu'à Michel. »

Ils arrivèrent à l'hôtel peu avant l'aube. Elle le conduisit à la chambre 23, et il resta là à contempler le numéro, sachant que cela aurait dû lui dire quelque chose, mais sans parvenir à trouver quoi.

Donata interpréta son état ahuri comme un intérêt pour les sciences occultes. « Deux et trois font cinq, dit-elle en sortant sa carte-clé de plastique. Très positif. Beaucoup de pentagrammes. »

La moitié du temps, il la trouvait fêlée. L'autre moitié, il se disait qu'elle avait de l'avenir dans la sorcellerie.

Il était à plat. Le sommeil écrasait son corps comme un poids. Il ne pourrait rester éveillé bien longtemps. Il espérait que ce ne fût pas un subterfuge, parce qu'il n'était pas d'humeur à se faire raconter des salades et n'avait pas non plus assez de volonté pour affronter quelque autre situation.

Michel était assis sur le lit et lisait *Hex Files – The Goth Bible*. Les draperies avaient été tirées.

« Michel, qu'est-ce que tu fais ici ? Tes parents doivent être fous d'inquiétude. Amène-toi, je te mets dans un avion pour Montréal.

— Je ne retournerai pas à la maison. Je veux détruire Antoine. Et sauver Gerlinde.

— Il n'en est pas question !

— Je t'ai dit que je ne retourne pas à la maison.

— Oh oui, tu y retournes. » Karl prit le téléphone et entreprit de composer le numéro de la maison de Montréal.

« Si tu appelles mes parents, ils vont venir me chercher. Il est minuit à Montréal. Ils ne vont pas arriver ce soir. Tu dois bientôt dormir, mais pas moi. Alors, je vais m'enfuir avec Donata. Et si je m'enfuis, Antoine va me trouver et prendre mon sang, et je serai mort, et puis tout ça ne rimera plus à rien, finalement. »

Karl raccrocha bruyamment. « Depuis quand as-tu l'esprit si rebelle ?

— Je suis un adolescent. Je dois me rebeller, dit Michel en souriant de manière faussement candide.

— Écoute, Michel, je suis touché que tu y aies songé, je t'assure. Et je sais que Gerlinde penserait la même chose si elle était ici. Mais je ne peux te laisser faire ça. Et elle ne le voudrait pas non plus. Nous ne savons pas si ça marchera, et c'est beaucoup trop dangereux pour toi.

— Qu'est-ce qu'il y a de dangereux là-dedans ? Tu prends mon sang, tu deviens mortel, puis tu me donnes le sang de Donata et je reviens d'entre les morts. Est-ce que c'est pas comme ça que ça marche ? »

Karl soupira. « D'abord, si tu prends tout le sang de Donata, elle va mourir.

— Je me meurs de toute façon. Je suis tout à fait prête à me sacrifier pour une bonne cause.

— Tout le monde est prêt à donner sa vie pour la bonne cause, dit Karl d'un ton cinglant. Nous devrions former une association pro-euthanasie pour martyrs en devenir.

— Je ne suis pas une martyre. Ma mission sur Terre est de porter secours, de trouver une noble cause, pour le continuum…

— Stop ! » Karl leva la main. Il était épuisé. Le soleil se pressait contre les murs de l'édifice et il le sentait pratiquement s'infiltrer à travers les cloisons et le plaquer au sol. « S'il te plaît. »

Michel dit : « Eh bien, tu peux la transformer avant qu'on le fasse. Comme ça, elle reviendra et sera des nôtres. »

Irrité, Karl secoua la tête. Tout était si simple et si facile pour la jeunesse. « Je doute de pouvoir le faire. Je n'ai pas de sentiments suffisamment intenses pour accomplir une telle chose avec elle. »

La jeune fille parut blessée.

« Bon, dit Michel, alors peut-être que quelqu'un d'autre le pourrait.

— Écoute, Michel, n'oublions pas que tout ça est pure spéculation. Nous ne savons pas si ton sang contient les propriétés mutagènes que nous avons décrites. Je ne deviendrai peut-être pas mortel. Et nous ne savons pas comment tu vas réagir à un drainage. Tu n'es pas tout à fait comme nous. Peut-être que tu ne peux survivre à une déplétion complète. La partie mortelle en toi risque d'être gravement affectée. »

Karl avait l'impression de se répéter. Son esprit était sur le point de s'éteindre. Son corps pesait une tonne, il le sentait de métal plutôt que de chair, de sang et d'os.

« Est-ce que ça va ? s'enquit Donata.

— Il a besoin de dormir, dit Michel. Prends la salle de bain. Nous allons rester ici. »

Karl voulut protester, du moins son esprit le voulait, mais son corps était incapable de suivre et d'exprimer sa pensée.

Il se tourna vers la porte de la salle de bain et la longue baignoire qui lui servirait de lit pour la journée. « Mettez l'écriteau "Ne pas déranger" sur la porte », recommanda-t-il, mâchant ses mots tant il était épuisé. « Et, Michel, tu dois me jurer que tu seras encore ici à mon réveil. »

Le garçon hésita. « Je vais te donner ma parole si tu me donnes la tienne – n'appelle pas mes parents. Pas pour le moment. »

Karl se sentait acculé au pied du mur. Il n'avait d'autre choix que d'obtempérer.

Il verrouilla la porte de la salle de bain et pressa une serviette sur le seuil afin de bloquer la lumière. Son visage dans le miroir l'horrifia. Il avait l'air sauvage, les cheveux en bataille, la peau blafarde, les paupières lourdes, les iris ternes. Bref, il avait l'air d'un homme dépressif qui a pris une cuite durant une semaine.

Il éteignit la lumière, grimpa dans la baignoire et s'enroula dans le rideau de douche, par mesure de précaution.

Le sommeil s'ouvrit comme une trappe sous lui. Presque à la seconde où son corps s'allongea contre l'émail de la baignoire, il tomba par cette ouverture dans un total oubli.

# CHAPITRE 18

Donata se laissa choir sur le lit à côté de Michel. Il n'avait jamais été aussi près d'une fille dans un contexte aussi intime. Bon, d'accord, ils étaient assis l'un près de l'autre dans l'avion, mais il était alors pas mal sonné.

Elle s'était matérialisée devant ses yeux lorsque, après être sorti en courant de la maison, il venait de sauter dans la Fiat pour fuir ses parents – il avait un de ces besoins de prendre l'air ! Tout ce qu'il voulait, c'était trouver un endroit tranquille afin de s'éclaircir les esprits. Et voilà qu'elle était apparue. « Salut ! », qu'elle disait en frappant sur la vitre du côté passager. Quelque chose dans son visage l'avait incité à tourner la manivelle, à descendre la vitre. Dire que, selon les mythes et tous les trucs du genre, c'était lui qui devait apparaître aux fenêtres et demander à entrer !

Une fois assise à côté de lui, elle s'était présentée. Puis elle avait tendu la main et l'avait effleuré. C'en était trop. Il avait démarré en trombe. Et tout en conduisant et en songeant à sa main posée sur lui, il avait écouté son histoire insensée.

Du moins, c'était ce qu'il lui avait d'abord semblé. Cependant, elle en savait trop sur Karl et Gerlinde et sur les tenants et aboutissants de cette affaire, et elle était là quand Karl avait essayé de se tuer – toutes des choses que Karl leur avait dites avant de repartir. Elle savait tout.

« Comment je peux savoir que c'est pas Antoine qui t'a envoyée ? lui avait-il demandé.

— Eh bien, c'est vrai, tu ne peux pas vraiment le savoir. Mais tu peux goûter à mon sang, si tu veux. Je veux dire, est-ce que ça ne t'aiderait pas à savoir si je dis la vérité ? »

Il avait été tenté, mais c'était un acte beaucoup trop intime – après tout, ils ne se connaissaient que depuis cinq minutes. Sans compter qu'il n'avait jamais bu directement à une veine auparavant. De plus, dans l'espace confiné de la voiture, il humait son sang et savait qu'elle était malade.

Il écouta tout ce qu'elle avait à dire. Et pendant qu'elle parlait, il songeait à Karl et à Gerlinde, à la mort de Chloé et de Kaellie, de même qu'à toute la désolation qu'Antoine avait semée – en grande partie à cause de lui, Michel. Il avait le sentiment que, en dépit de ce qu'avaient dit ses parents et du mal que cela risquait de leur causer, il devait faire quelque chose pour réparer tous ces dégâts. Lui seul était en mesure d'agir. Cependant, il ne se racontait pas d'histoires. Il reconnaissait qu'il espérait lui aussi en retirer quelque chose. Quelque chose de très personnel. Il voulait être comme tout le monde, comme tout organisme sur Terre. Il voulait goûter à la mort. Et en revenir. Il s'en ouvrit à Donata.

« J'aimerais bien, moi aussi, avait-elle dit. Je n'ai pas peur de mourir – je veux dire, je suis déjà morte, en un certain sens, tout comme toi.

— Qu'est-ce que tu veux dire ?

— Bien… nos corps sont morts de l'extérieur. Notre peau est morte, nos cellules, nos cheveux sont morts, et nos cils. »

Il n'avait jamais vu les choses ainsi. Il l'avait regardée autrement. « Mais mourir, tu sais, je ne veux pas que ça soit la fin.

— Il y a peut-être un moyen », lui avait-elle confié.

Ensemble, ils avaient tramé ce plan. Il avait repéré Karl à Hanovre et ils s'étaient envolés pour l'Allemagne.

Auparavant, Michel n'avait pris l'avion durant le jour qu'à deux reprises. Cette fois, ses lunettes fumées l'aidaient un peu à supporter la lumière vive. Il se réjouissait d'avoir eu la présence d'esprit de réserver des sièges au milieu de l'avion, loin des hublots, et avait grandement apprécié que la femme assise à sa gauche près de la fenêtre, juste de l'autre côté de l'allée, laissât le store baissé durant presque tout le vol. Heureusement, Donata avait deux paires d'écouteurs pour son lecteur de CD portatif. S'il en avait eu le temps, il en aurait apporté quelques-uns des siens. Toutefois, elle en avait de bons – Terror Against Terror, Qntal et Trisome 21.

Antoine sentirait sa présence s'il l'approchait de trop près. Alors Michel avait suggéré à Donata d'aller chercher Karl, une fois qu'il l'aurait pisté dans une rue précise. Mais il lui avait conseillé de rester en retrait : « Antoine est un vrai tueur, lui avait-il dit. S'il flaire ton sang, il va te pourchasser. Je veux dire, il est minuit. Il n'y aura pas grand monde dans les environs. Il faudra que tu fasses bien attention. »

Finalement, elle était arrivée jusqu'à Karl sans encombres et ils avaient réussi à rentrer sans se faire repérer. Du moins le croyait-il. Il avait pisté Gerlinde et elle ne se trouvait pas à proximité de l'hôtel. Antoine ne devait donc pas y être non plus. Enfin, il l'espérait.

À présent, Gerlinde et Antoine dormaient. Tout comme Karl. Quant à lui et à Donata, ils étaient assis côte à côte dans un lit d'hôtel et il avait extrêmement conscience de son corps, de son parfum, de tout son être. Il sentait son propre corps réagir, et ce n'était pas la proximité du sang qui produisait cet effet, mais bien elle-même, en tant que femme. La réaction était puissante, presque incontrôlable, et pourtant merveilleuse. Il ne savait que faire. Il ignorait si elle ressentait la même chose. Elle avait deux ans de plus que lui – enfin, un an et demi, puisqu'il aurait seize ans dans quelques mois et lorsqu'il lui avait demandé son âge, elle avait dit qu'elle en aurait dix-huit en juin, ce qui voulait dire qu'elle avait dix-sept ans en ce moment et qu'elle était née sous le signe du Cancer. Il ne savait si les Capricorne et les Cancer étaient des signes compatibles, mais elle avait elle-même abordé la question et affirmé que oui. Bon, ce problème était réglé. Peut-être avaient-ils autre chose en commun. Peut-être que cela importait peu.

« À quoi ça ressemble, la mort, tu penses ? demanda-t-elle.

— J'sais pas. Je t'avoue que je n'y ai pas beaucoup pensé. Mon idée, c'était plutôt de l'apprendre par l'expérience.

— Moi, je crois que c'est comme entrer dans une pièce liquide, et tu te mélanges avec les meubles, alors tu finis par faire partie de tout.

— Je pense que c'est plus comme si on passait à travers quelque chose d'invisible et qu'on ressortait de l'autre côté pour se retrouver ailleurs.

— Peut-être, concéda-t-elle. Je pense surtout que c'est un endroit où on finit par rester et qui est pas trop mal. Au moins on se sent protégé. »

Il lui vint soudain à l'esprit qu'elle ne se sentait pas en sécurité. « Protégé de quoi ? demanda-t-il en espérant ne pas l'effaroucher par une question aussi directe.

— Eh bien, personne ne peut te faire de mal.

— Tu veux dire, physiquement ?

— Non, plus du côté des sentiments. Personne ne peut te dire qu'il t'aime, pour ensuite te dire qu'il ne t'aime plus. »

Il resta silencieux. « Est-ce que quelqu'un t'a fait ça ? » demanda-t-il enfin.

Elle se raidit un peu et tripota la carte du service à l'étage. « Veux-tu manger quelque chose ?

— Hum, plus tard, peut-être. Mais tu peux commander quelque chose tout de suite, si tu veux.

— Je vais attendre. »

Elle déposa la carte sur la table de chevet. Puis, elle passa sans crier gare de la position assise à la position couchée. La vitesse à laquelle elle s'était exécutée le stupéfia. Du coup, il se sentit vraiment gauche. Il avait à côté de lui, allongée dans un lit, une fille vraiment mignonne, et lui, il restait assis comme un grand dadais, sans savoir s'il devait s'étendre aussi – peut-être prendrait-elle peur, ou peut-être rirait-elle de lui en lui disant combien il était stupide de seulement s'imaginer qu'elle s'intéressait à lui, ou peut-être encore se lèverait-elle en l'abandonnant là, écœurée.

Toutes ces appréhensions, c'était une perte de temps. Il décida de se coucher à moitié. Il appuya donc sa tête sur ses mains, les coudes plantés dans l'oreiller, une jambe repliée de manière à ne pas avoir vraiment l'air d'être couché contre elle, tout en l'étant.

Elle tourna la tête et le regarda avec ses sombres yeux en amande. Des yeux si foncés qu'il ne vit d'abord aucune lueur s'y refléter – elle tournait le dos à la fenêtre et seules quelques parcelles de lumière filtraient par les lourdes tentures. Ses lèvres étaient adorables, si charnues, si bien dessinées. Leurs bouches n'avaient jamais été si proches et il avait vraiment envie de l'embrasser. Mais était-ce ce qu'elle désirait ?

Dieu qu'il détestait cela ! Comment les gens finissaient-ils par être ensemble ? De toute évidence, elle

le trouvait séduisant – il le lisait dans ses yeux. Mais
tous les mortels trouvaient les siens attirants, alors ce
n'était peut-être que cela. Elle ne s'intéressait peut-être
pas du tout à *lui*, mais seulement à la part immortelle
en lui. Et d'après ce qu'elle avait dit, elle avait presque
couché avec Karl ! Wow, c'était bizarre. Mais à ce
moment-là, elle ignorait que Karl avait plus de cent
cinquante ans.

Peut-être cela n'avait-il aucune importance, qu'elle
connût Karl et qu'elle eût voulu coucher avec lui. Peut-
être pouvaient-ils d'abord apprendre à se connaître.
Ouais, cela tombait sous le sens. Ils pouvaient passer
un peu de temps ensemble, peut-être aller voir quelques
concerts et…

Donata tendit la main, attira sa tête vers la sienne et
l'embrassa à pleine bouche. Il resta un instant stupéfait,
mais juste un instant.

Les yeux de Donata étaient fermés, mais elle les
rouvrit, à deux doigts des siens. Les mains de Michel
partirent à la rencontre du corps de la jeune fille, ses
lèvres cherchèrent les siennes, et rien de ce qu'il pensait
la minute d'avant n'eut plus d'importance. Plus rien
du tout.

# CHAPITRE 19

Karl ouvrit les yeux dans l'obscurité. L'odeur de javellisant assaillit ses narines, de même que celle de déjections humaines, en quantités infimes mais suffisantes pour l'incommoder. Il savait précisément où il était et l'heure qu'il était. Le soleil venait juste de disparaître à l'horizon – il le ressentait dans chacune de ses cellules, à l'échelle moléculaire, comme si sa masse liquide avait été sous pression et que cette pression s'était finalement relâchée.

Il sortit de la baignoire, déverrouilla la porte et perçut une énergie particulière dès qu'il pénétra dans la chambre.

Donata et Michel étaient assis ensemble sur le lit avec, entre eux, un plateau de service jonché de restes de frites, de saucisses, de choucroute et de canettes de Coca-Cola. Masochistic Religion hurlait dans le lecteur de CD portatif une chanson qui parlait d'absinthe et de désirs mortels. Ils étaient complètement habillés, mais ils auraient pu tout aussi bien être nus.

Tous deux levèrent les yeux lorsqu'il s'approcha. Ils avaient le regard brillant. Donata parut embarrassée. Michel rougit instantanément et s'affaira à ranger le plateau. Ils paraissaient tous les deux plus heureux que jamais. Il n'avait pas besoin d'aborder la question – de toute évidence, ils avaient fait l'amour, ou quelque chose de foutument approchant. Ses sens aiguisés détectaient dans l'air des odeurs de sécrétions.

Étrangement, cela le troubla pour deux raisons successives. D'abord, il trouva cela un tantinet répugnant. Cependant, lorsqu'il décortiqua ce sentiment, il réalisa que c'était sa façon à lui de masquer la tristesse qui l'envahissait à l'idée d'avoir perdu Gerlinde. Il ignorait s'il serait jamais à ses côtés désormais, s'il la prendrait de nouveau dans ses bras, goûterait encore sa chair, la sentirait venir vers lui et s'ouvrir.

« Il y a quelque chose qui ne va pas ? demanda Michel. Tu as l'air fâché.

— Ce n'est rien, répondit-il au garçon. Ça n'a rien à voir avec vous deux. Écoute, il faut que je sorte me nourrir…

— Prends ce que tu veux », offrit Donata en déboutonnant son col de dentelle pour exposer sa jugulaire. « Ça va pour moi. »

C'était peut-être une tactique, car ainsi il serait en contact avec elle et accepterait de la transformer. Toutefois, quelque chose dans son ton contredisait cette hypothèse. Le geste ressemblait davantage à celui d'une personne qui vous invite à partager un plat, par pure générosité et sans autre idée derrière la tête.

Michel, dans un réflexe à la fois de possession et de gratification instantanée propres à son âge, l'encouragea : « Vas-y. Je veux dire, ça ne veut rien dire de toute façon, et il faut que nous nous mettions au travail. » Il prit la main de Donata, afin de s'assurer d'être bien compris.

Karl eut envie de rire devant la scène qui se déroulait sous ses yeux. « Je crois que je vais aller faire un petit tour dehors, dit-il. J'ai besoin de prendre un peu l'air de toute façon. Je ne serai pas longtemps parti. »

Il avait plu ce jour-là et même si la pluie avait cessé de tomber, les pavés étaient trempés et le ciel demeurait menaçant. Il découvrit un petit parc derrière l'hôtel et s'assit quelques minutes sur un banc de fer encore humide. Le parc était désert, bien sûr. Les rues n'étaient pas très achalandées. Les quelques passants se dépêchaient afin de se mettre à l'abri, chez eux ou ailleurs, avant la prochaine averse.

Gerlinde se trouvait toujours en ville. Il n'avait pas besoin de la pister pour le savoir. Ses vibrations étaient partout, mais pas tout près, c'était clair. Karl ignorait où elle et Antoine se réfugiaient, mais ce n'était pas au cœur de Hanovre. Si Antoine était toujours avec elle, bien sûr. Karl avait appris à ne présumer de rien avec ce monstre.

Il vit un vendeur itinérant poussant un chariot. Comme les choses avaient peu changé en cent cinquante ans, songea-t-il. À l'époque, le vieux square était la place du marché. La plupart des squares avaient été traditionnellement utilisés à cette fin. La taille des villes des siècles passés n'avait rien de comparable, en effet, avec les dimensions des villes d'aujourd'hui. Il y avait généralement l'église, la mairie, quelques boutiques, et les vendeurs qui trimbalaient un peu de tout dans leurs chariots, des vêtements aux aliments en passant par les œillères pour chevaux – remplacées désormais par des lunettes fumées dans une gamme infinie de formes et de coloris.

Le vendeur immobilisa son chariot et le laissa à l'entrée d'une ruelle étroite. Puis il s'engagea dans l'allée, vraisemblablement pour uriner. C'est maintenant ou jamais, songea Karl. Ce n'était pas le repas parfait, mais cela avait le mérite d'être rapide.

Il surprit l'homme par-derrière. Celui-ci se retourna, interloqué, puis s'effondra sous la pression qu'on appliquait sur sa gorge. Karl le transperça rapidement, se servant du chariot plein à craquer pour faire écran entre lui et la rue. Il laissa l'homme étendu sur une grille de canalisation. Il en aurait ainsi pour une heure. Karl espérait que ses marchandises seraient toujours là à son réveil.

Karl passa devant le chariot en sortant de la ruelle. Il était fermé, mais un panneau indiquait que l'homme vendait des montres. Des copies à bon marché de montres griffées. Karl ouvrit le panneau. La Rolex à son bras ressemblait à s'y méprendre à celle qui se trouvait dans le présentoir, ce qui lui confirma qu'on ne devait accorder aucune valeur au temps. Il échangea sa montre exclusive pour une contrefaçon. Quelqu'un, quelque part, achèterait bientôt une montre très chère à très bon prix.

Karl retourna vite à l'hôtel. En arrivant près de la chambre, il vit dans le couloir le plateau qui attendait d'être ramassé. Donata était dans la salle de bain et Michel, devant le bureau avec un papier et un stylo, occupé à concocter ce qui ressemblait à programme. Il leva les yeux.

« J'imagine que nous pouvons retrouver tous les deux la trace de Gerlinde, et ainsi déterminer ses coordonnées précises. Ensuite, tu pourras prendre mon sang – nous avons déjà apporté les intraveineuses et tout ce dont tu auras besoin. Juste avant d'être vidé de mon sang, je boirai celui de Donata et la transformerai. Tu vas pouvoir sortir durant le jour. Antoine sera pas capable de retrouver ta piste. »

Karl s'assit et regarda le garçon. « Michel, je me suis creusé la tête pour trouver une autre solution, mais je n'en vois pas. La seule tactique qui ait une chance de fonctionner, c'est en effet de m'attaquer à lui durant le jour. Le seul moyen que j'entrevois de devenir mortel, c'est de passer par toi. Mais nous ne savons pas ce qui peut t'arriver et je ne peux courir ce risque.

— Tout est décidé, Karl. Je veux dire, je ne peux plus reculer maintenant. Je dois le faire. Pas juste pour toi. Il faut que je sache ce que c'est, mourir et revenir. J'en peux plus d'être unique en mon genre. Je me sens trop seul. »

Karl n'avait jamais vraiment pris le temps de considérer la vie du point de vue de Michel, mais il imaginait aisément ce que cela devait représenter pour l'adolescent. Se sentir perpétuellement coupé des mortels comme des immortels. Il était trop différent. Trop seul.

« Et ce que j'ai dit avant, c'était vrai aussi. Antoine veut mon sang. Et je le déteste. Pour ce qu'il a fait à Chloé, à Kaellie et aux autres. D'avoir pris Gerlinde. Pour la façon dont il vous a transformés. Et simplement d'être si malfaisant. Tu l'as dit toi-même, et tout le monde l'a dit aussi. Je n'ai aucune envie qu'il prenne mon sang, et il va le faire si on ne l'empêche pas. Vous ne serez jamais capables de me protéger vingt-quatre heures sur vingt-quatre, et lui, il ne va pas renoncer. Ça, nous le savons tous. Si je dois mourir et jamais revivre, je préfère te donner mon sang pour que tu puisses tuer cette ordure. Au moins, je ne serai pas mort pour rien. »

Karl n'avait rien à répondre à cela. Tout ce qu'avait exprimé Michel se tenait. Et cela le laissait un peu pantois. Il dit enfin : « Il y a une chose que tu dois faire, cependant, et c'est téléphoner à tes parents. Je ne peux garantir l'issue de cette affaire. Personne ne le peut. Ni toi, ni moi, ni Gerlinde. Déjà que je me sens coupable que tu sois ici, ce serait cruel de ne pas les mettre au courant.

— Ouais, j'y ai pensé moi aussi. En fait, j'ai déjà appelé. J'ai laissé un message sur le répondeur – tu sais qu'on peut parler directement à la messagerie sans qu'il y ait de sonnerie ? Je n'ai pas laissé de numéro où me joindre, tout de même. Ils vont certainement réussir à savoir d'où provenait l'appel, et ils vont rappliquer ici. Mais le temps qu'ils arrivent, deux nuits vont passer et les choses auront changé. »

Bel euphémisme, songea Karl. Seulement, il ignorait dans quel *sens* les choses changeraient. Et au point où il en était, il n'avait pas vraiment le loisir de spéculer. Il y avait tant d'éléments critiques, à commencer par la certitude que, si Antoine le tuait, il prendrait son sang. Et alors, il serait sur la piste de Michel. Si Michel survivait au transfert, évidemment. Diantre ! Si Antoine prenait son sang, il aurait du coup le sang de Michel !

Par bonheur, Michel choisit ce moment pour lui tendre la pompe sanguine et l'équipement à perfusion, que Karl installa aussitôt afin de pouvoir se concentrer sur autre chose que le sombre pronostic.

« Cette procédure durera quelques heures, expliqua Karl tout en s'affairant. Tu as environ cinq litres de sang dans le corps. Nous pourrions le prélever en une demi-heure, mais je crois que la part humaine en toi se retrouverait en état de choc. Alors, nous allons procéder de la manière la plus sûre. Je vais transférer ton sang dans mes veines. Je pense que, pour mettre toutes les chances de notre côté, je devrai me vider le plus possible. Toutefois, je ne crois pas qu'il serait judicieux que tu boives mon sang. Le tien sera plus pur s'il n'est pas mélangé au mien ou à tout autre. » Il s'interrompit pour éviter d'avoir à formuler l'évidence. « Nous allons commencer dès que nous aurons pisté Gerlinde. »

Donata était de retour dans la pièce. Elle s'assit dans un coin, portant au cou non seulement la croix qu'elle arborait toujours, mais une pierre qui ressemblait à du quartz rose. Ce qu'elle confirma lorsque Karl lui posa la question, ajoutant : « Cela a rapport avec l'amour. C'est Michel qui me l'a offerte. »

Karl ne dit rien. Ce n'était pas son affaire. À bien y songer, moins il en savait sur leur relation, mieux il s'en portait. Et moins il se sentirait coupable, parce que rien ne garantissait que Michel pourrait changer Donata. Rien du tout. Il ne l'avait pas révélé à Michel et s'en sentait un peu coupable. Mais il savait que *lui* était incapable de la changer – il n'était pas assez motivé affectivement et la transformation nécessitait de fortes émotions. À défaut d'amour, la haine convenait toujours. Mais il fallait un sentiment particulier pour inciter un individu de leur espèce à accepter que son sang fût siphonné par un autre être. Michel ne devait se prêter à cette opération que de son plein gré, il ne devait donner son sang que de lui-même. Et il le ferait, Karl le comprenait mieux à présent, parce qu'il avait un désir intense, éperdu, de faire l'expérience de la mort, de s'y frotter comme ses parents et toutes les créatures de la nuit qu'il connaissait. Et parce qu'il détestait Antoine.

Lui et Michel s'assirent chacun dans un coin devant un plan détaillé de la ville et de ses environs. Puis, en se concentrant sur la Gerlinde qu'ils portaient toujours en eux, ils progressèrent en cercles concentriques afin de la localiser en un point précis. Ils comparèrent ensuite leurs notes. Les facultés de Michel paraissaient plus aiguisées que celles de tous les autres membres de leur espèce. Peut-être était-ce en raison de son jeune âge ou parce qu'il était pur, non contaminé par la présence de tous ces mortels que les autres accueillaient sous forme liquide dans leurs veines. Ou bien parce qu'il lui fallait encore faire sa première vraie chasse et boire le sang d'un mortel directement à ses veines. Ou peut-être encore était-il spécial – on pouvait mettre tant de choses sur le compte de sa différence. Karl se demanda comment serait Michel après ce bouleversement. Serait-il ou non heureux des changements survenus ? Bien sûr, une pensée lui traversa l'esprit plus d'une fois : Michel ne survivrait peut-être pas. Mais il chassa cette idée.

Gerlinde semblait se trouver à la périphérie de Hanovre. C'était dans cette direction qu'il avait senti les restes de son énergie lorsqu'il se tenait prostré près de l'eau, après leur départ abrupt, à Antoine et à elle. Michel était en mesure de cibler une rue en particulier, et Karl, encore une fois, s'émerveilla de l'acuité du jeune garçon. Par les yeux de Gerlinde, Michel voyait ce que Karl percevait aussi, et mieux : elle se trouvait dans l'obscurité, sous terre, sans doute dans un sous-sol. Ce qu'aucun des deux ne dit à l'autre, et ce qui apparut douloureusement à Karl, c'était que Gerlinde n'était pas seule. Elle était plongée dans une activité qui l'absorbait et faisait affluer ses émotions. Karl se dit qu'elle était en train d'avoir des rapports sexuels avec Antoine. Il considéra Michel d'un autre œil et lui fut reconnaissant de ne pas aborder la question.

Lorsqu'ils eurent bien repéré où se trouvait Gerlinde, Michel mit Donata au parfum quant à la suite des événements.

« Mais pourquoi tu ne me transformes pas d'abord ? lui demanda-t-elle.

— Son sang doit être le plus pur possible, dit Karl. Nous ne pouvons risquer de le contaminer avec quoi que ce soit, et surtout pas avec le VIH. Son sang pur, espérons-le, va réussir à faire de moi un mortel. Si je suis infecté par un virus à un stade avancé, cela réduira ma capacité d'affronter Antoine. Je serai trop faible pour ce que ma tâche exige.

— Alors, tu pourrais me transformer d'abord, dit-elle à Karl. Tu as dit que ton corps expulserait rapidement la partie contaminée de mon sang.

— Rapidement, oui, mais pas instantanément. Ça prendrait des heures. Et nous n'avons pas des heures devant nous pour laisser le temps faire son œuvre et compléter ensuite la transfusion. Tu vas devoir attendre que le transfert soit terminé. » Il ne voulait pas lui en dire davantage. À cette étape, cela ne le regardait plus.

« Bon, alors je vais tenter ma chance », dit-elle en adressant un sourire à Michel. Mais Karl lisait dans ses pensées – ses perceptions extrasensorielles restaient intactes. Elle savait que sa transformation n'irait pas de soi, si même elle se réalisait.

Lui et Michel s'étendirent, le garçon sur le lit double, Karl sur le sol à côté du lit, chacun avec une aiguille plantée dans une veine à la pliure du coude. Une petite pompe sanguine extrayait le sang de Michel à un rythme régulier, tel un métronome ajusté sur son cœur. Un anticoagulant gardait le sang liquide et l'aidait à descendre le long d'un tube jusqu'à un régulateur de débit triangulaire qui s'ouvrait et se fermait avec régularité. Le sang suivait son parcours dans le tube et entrait ensuite directement dans la veine de Karl.

Il sentait le garçon entrer en lui. Il le sentait couler dans ses veines et se répandre, il sentait le sang s'écouler jusqu'à son cœur, l'inonder, puis continuer vers ses artères, remplir ses moindres capillaires, se propager dans tout son corps, se ruer en lui comme jamais le sang d'un mortel n'aurait pu le faire. Michel était effectivement pur. Son essence était simple, naturelle.

Karl sentait aussi son propre sang couler de lui par un tube inséré dans une veine de son autre bras, maintenue ouverte par de petits clamps chirurgicaux. Le sang de Michel remplaçait lentement le sien, mais il y avait d'inconfortables vides, des endroits où il n'y avait momentanément plus rien. Cela lui était douloureux, comme une sorte de déperdition physique.

Il croyait ressentir au plus profond de ses cellules la transformation qui s'opérait dans son corps. Certains mortels parlaient ainsi du soleil, disant combien, en raison de l'amincissement progressif de la couche d'ozone, ils sentaient ses rayons pénétrer sous leur épiderme, au-delà du derme, jusque dans leurs muscles. Il éprouvait un peu la même chose. On aurait dit que les cellules de son corps étaient en train de… se remodeler… C'était ainsi qu'il comprenait le phénomène. Le sang de Michel, que Karl avait examiné plusieurs fois au microscope, contenait surtout des cellules humaines, peu de cellules animales et aucune cellule végétale, ce qui le rangeait à part au sein de leur espèce. L'absence de cellules végétales à membrane résistante et remplies de chlorophylle, preuve du lien étroit de Michel avec l'état mortel, empêchait en partie la régénération.

Les globules et le plasma de Michel saturaient maintenant le corps de Karl et il sentit un changement s'opérer en lui, un changement qui le laissa épuisé comme il ne l'avait pas été depuis près de deux cents ans. Comme n'importe quel mortel à qui on prélevait tout son sang et en qui on infusait le sang d'un autre. Il songea trop tard que le groupe sanguin qui était le sien du temps où il était mortel n'était peut-être pas compatible avec celui de Michel. Il savait que jadis il avait été O positif, du type le plus commun, mais il n'avait même pas pensé à vérifier le groupe sanguin de Michel. Si cela avait de l'importance, il était trop tard à présent.

Donata était assise près de Michel et lui tenait la main. Elle lui lut à haute voix une histoire tirée d'un livre de vampires intitulé *Endorphins*. Ils écoutèrent de la musique sur son lecteur de CD portatif – cette fois, c'était un groupe gothique allemand nommé Umbra et Imago. Ensuite ils parlèrent un peu.

Karl prenait volontairement ses distances. L'opération lui était douloureuse. Même s'il recevait du sang neuf, il ne lui était pas facile d'ignorer la sensation de se faire retirer le sien. Il était incapable de simplement bavarder ou d'écouter de la musique.

Et il était évident que Michel perdait des forces. Durant les heures que dura cette procédure, sa voix enjouée et forte devint neutre et ténue. De temps à autre, Karl lui demandait : « Veux-tu toujours continuer ? »

Michel, et cela était tout à son honneur, répondit chaque fois : « Bien sûr ! »

Enfin, vers quatre heures du matin, le transfert fut achevé. Karl ignorait s'il était mortel, mais il savait que son corps était différent.

Donata dormait sur la chaise qu'elle avait tirée près du lit. La main de Michel avait glissé de la sienne et pendait mollement dans le vide. Karl retira l'aiguille intraveineuse de son bras et de la forme inerte de Michel.

Le garçon paraissait mort. Pas un centimètre de son corps ne bougeait, pas un de ses doigts ne tressaillait, ses paupières ne battaient pas.

Donata ouvrit les yeux. Elle regarda Michel et son visage traduisit son inquiétude. « Est-ce qu'il est… est-ce qu'il va bien ? » Elle paraissait tendue.

Karl n'en avait aucune idée. Il souleva une paupière de Michel. Sa pupille était dilatée. Il essaya de trouver son pouls sans succès. Sa peau était froide, pas très souple et présentait une coloration bleuâtre.

La panique s'empara de lui. À quoi avait-il pensé ? Il avait tué ce garçon, il avait commis ce que ceux de son espèce perpétraient depuis des siècles, il avait drainé un mortel de son sang, laissant son corps derrière telle une coquille vide. Mais Michel n'était pas mortel. C'était une créature unique qui aurait pu représenter le salut de son espèce.

« Je… je dois partir », dit Karl, terrifié à l'idée d'y méditer davantage. Car alors il resterait là à tenter de ressusciter Michel, à perdre de précieuses heures diurnes. Pour le moment, il n'y avait rien à faire pour

Michel. Si Michel était encore en vie, il vivrait encore un peu plus tard. S'il était mort, Karl ne saurait le ramener à la vie. Il n'était pas le D$^r$ Frankenstein pour savoir ressusciter un cadavre.

« Je dois me rendre là où nous avons retrouvé leur piste afin d'y être juste après l'aube. Je ne sais pas encore si je serai capable ou non de tolérer le soleil, mais je n'aurai pas beaucoup de temps pour les repérer. De plus, lorsque j'entrerai dans la cache où ils se terrent, je devrai faire vite. »

Il bavardait pour éviter de songer aux choses sérieuses, tout comme un mortel ! Et ce qu'il ne disait pas, c'était qu'il ignorait à quel point Antoine tolérait la lumière du jour. En principe, il en avait la faculté, s'il restait à l'intérieur. Julien y arrivait. Cela, en particulier, représentait un écueil de taille.

« Mais qu'est-ce qu'on fait de Michel ? »

Elle soulevait une question qu'il essayait d'oublier pour le moment. Il ne savait pas dans quel état se trouvait Michel. Peut-être, lorsque tout cela serait terminé, pourrait-il réfléchir en toute lucidité. Mais pas maintenant. La fin justifiait peut-être les moyens, ou peut-être pas. Cependant, il n'y avait rien à faire pour l'instant ! Et il perdait des minutes précieuses.

« Reste avec lui », dit-il à Donata, car il savait qu'elle avait besoin de se sentir utile. « Il ne se réveillera probablement pas durant le jour, parce qu'il est complètement vidé. Garde la chambre plongée dans le noir autant que possible. Parle-lui. Touche-lui. Mais avant le lever du soleil, de temps à autre, humecte-lui les lèvres avec un peu de sang. » Il n'avait pas besoin de lui faire un dessin – le sang allait provenir de ses veines à elle. Et si Michel s'en remettait, Karl savait qu'il était tout probable qu'il l'attaquerait. Mais il ne pouvait penser à cela non plus. Il en était incapable.

Il partit alors que le ciel était encore sombre. Il s'éloigna du centre-ville, filant vers les banlieues. Lorsque le firmament commença à pâlir, il se rendit compte qu'il ne ressentait pas la pression qui normalement le terrassait au lever du soleil et se dissipait avec les ténèbres. Étrangement, quelque chose en lui accueillit le soleil avec gratitude. Il n'était pas habitué à une telle sensation.

Le soleil était sur le point de surgir à l'horizon lorsqu'il atteignit la zone où Michel et lui avaient repéré Gerlinde. C'était un quartier principalement industriel, peuplé d'énormes édifices métalliques, de hangars affichant les logos des produits de diverses entreprises et d'une multitude de cheminées vomissant dans l'air une quantité variable de fumée empoisonnée. Une des usines fonctionnait de jour comme de nuit – il aperçut des travailleurs qui, assis sur le bord des fenêtres, mangeaient des sandwiches à la saucisse et buvaient du café dans des Thermos.

Karl se planta au milieu de la Eisenbergstrasse, entre les rangées de bâtiments. La rue s'étirait d'est en ouest et lui-même faisait face à l'est. S'il était destiné à se consumer, autant le savoir tout de suite. Son plan ne fonctionnerait peut-être pas. Pourtant, il se *sentait* différent.

Puis le soleil, le glorieux astre qu'il apercevait pour la première fois depuis 1845, se leva tel un personnage royal, drapé dans sa majesté rouge et or. Cette boule de feu, qui montait toujours plus haut dans le ciel à mesure que la Terre tournait, était une divinité. Il le vit tel que les anciens l'avaient perçu et ne put que reconnaître cette vérité : le soleil était la source de toute vie.

Karl contempla cette image et réalisa bientôt que son visage était humide de larmes. Pas étonnant que parmi son espèce on se languît parfois de retrouver la mortalité ! Pas étonnant qu'Antoine fût prêt à tuer pour l'obtenir. Comment pouvaient-ils survivre en ne vivant que la nuit ? Des demi-vies. Distordues. Fragmentées. Et là, devant lui, il avait le symbole de l'autre moitié. La face éclairée. La part des jours, la part de la vie qui soutenait la croissance et l'épanouissement.

La peau lui picotait, mais pas de manière menaçante. La lumière du soleil se répandait en lui, le nourrissait, le réchauffait, l'encourageait, et tout ce qui était mortel en lui ouvrait grand les bras à ce rayonnement, fondement de la vie sur cette planète.

Mais le temps, il le savait, était la clé de sa réussite. Il aurait pu rester planté là toute la journée, et le désirait, mais il ne le devait pas. Il consulta sa montre, qu'il n'utilisait de coutume qu'en présence de mortels, pour les berner – puisque son instinct lui indiquait le passage du temps. Aujourd'hui, cependant, il avait besoin de voir les chiffres. Il était 6 heures Gerlinde était là, quelque part dans l'une de ces usines. Sous terre, se rappela-t-il. Puis, il pensa à Michel et un sanglot le secoua, provoquant un léger spasme dans sa poitrine. À peu près là où se trouvait son cœur. L'adolescent avait peut-être donné sa vie en échange de ceci. Pour sauver Gerlinde. Pour tuer Antoine. Karl savait que c'était la part mortelle en Michel qui l'avait incité à un tel sacrifice, et non la phase morbide de son âme immortelle.

Une fois encore, il fut touché au plus profond de son être. C'est fou ce dont les mortels peuvent être capables, songea-t-il. De quoi *nous*, mortels, pouvons être capables, se reprit-il. D'éthique. D'amour. D'actes héroïques.

# CHAPITRE 20

La Eisenbergstrasse comptait une douzaine de bâtiments industriels, à raison de six de chaque côté. Le tout bien ordonné. Authentiquement allemand.

Karl n'avait plus ses perceptions extrasensorielles pour le guider. Il était mortel à présent et ne pouvait compter que sur ses cinq sens, dont aucun ne lui indiquerait dans quel édifice Gerlinde et, espérait-il, Antoine se tenaient à l'abri du soleil. S'il possédait un sixième sens, celui-ci n'était pas en activité. Il devrait inspecter chaque bâtiment avec soin, surtout les étages sous le niveau du sol. Ils pouvaient se terrer n'importe où, pour autant que ce fût un endroit sûr et assez large pour un corps ou deux.

Il ne savait par où commencer. L'édifice à sa gauche était une usine de un étage. Une fois entré, il accéda à un vaste sous-sol qui abritait, tout comme le rez-de-chaussée, plusieurs machines. Karl reconnut qu'il s'agissait d'une filature et s'émerveilla devant les nouveaux procédés de production. On était loin des méthodes employées à son époque, alors que des femmes cardaient la laine à la main, puis la filaient sur un rouet muni d'une pédale. Bien sûr, on transformait aussi dans cette usine des matériaux synthétiques, mieux adaptés à la production industrielle.

L'immense fileuse était au repos. Apparemment, l'industrie moderne du filage n'exigeait plus un effort vingt-quatre heures sur vingt-quatre. Tant mieux si la chance était de son côté à cet égard.

Il dénicha un bleu de travail arborant sur le devant le logo de la compagnie et l'enfila. Il lui fallut un bon moment pour fouiller les lieux. Le sous-sol contenait plusieurs entrepôts et armoires. Décidément, les sens surnaturels avaient du bon – un odorat plus aiguisé, en particulier, lui aurait été utile. Mais s'il avait possédé un tel sens, il n'aurait pu être là à se promener en plein jour.

Les travailleurs commencèrent à entrer dans l'édifice vers huit heures et Karl s'efforça de se fondre avec les murs. Cependant, des gens s'arrêtaient pour lui parler. Il répondait alors qu'il était nouveau et qu'un contremaître lui avait dit de faire le tour de l'édifice pour se familiariser avec le fonctionnement de l'usine. Chacun tenta de lui indiquer quels étaient les centres névralgiques – la salle de repos, les toilettes, la pointeuse – et on le redirigea vers les bureaux, où il promit de se rendre.

Karl était stupéfié par sa nouvelle conscience : il ne voyait plus du tout ces mortels du même œil que la veille. Ils n'étaient plus cette source de nourriture dans laquelle palpitait encore la vie. Et le reflet de lui-même qu'il voyait dans leur regard était sensiblement différent. À leurs yeux, il était un homme jeune, un nouveau venu. Ils se montraient la fois accueillants et méfiants à son endroit. Aucun d'entre eux ne semblait le trouver particulièrement attirant. Pas plus qu'ils n'avaient peur de lui. Il était juste un étranger de plus qui allait peut-être ou non devenir leur ami.

Il se débarrassa du bleu de travail en sortant de l'édifice et traversa la rue en direction d'un autre bâtiment relativement petit par rapport aux autres et qui ne comportait qu'un rez-de-chaussée – l'endroit abritait non pas une usine mais des bureaux. La journée de travail ne semblait pas avoir commencé, mais Karl se prépara à tomber sur quelques employés matinaux.

En franchissant la porte, il se trouva face à un petit comptoir de réception ; il emprunta le premier couloir et découvrit une salle de bain doublée d'un vestiaire. Il ouvrit un des casiers. Rien d'intéressant. Rien d'autre que le miroir en pied où il se contemplait. Karl vit un homme d'assez belle apparence, âgé tout au plus de trente-cinq ans, plutôt mince et aux traits relativement banals, qui portait un costume et une cravate très quelconques. C'était là ce que voyaient les mortels – un autre mortel. Non seulement avait-il perdu son magnétisme personnel et les sens aiguisés de sa condition de naguère, mais il ne possédait plus la force hors du commun dont il jouissait en tant qu'immortel. Il avait simplement une force normale pour quelqu'un de son âge et de sa corpulence, et il était peut-être même un peu plus faible en raison de l'exsanguino-transfusion qu'il avait subie.

Un peu horrifié, Karl réalisa que les facultés sur lesquelles il s'était habitué à compter avaient disparu et qu'il devrait dorénavant se fier à sa seule intuition.

Il parcourut sans peine l'édifice, qui ne faisait pas plus de cinquante mètres sur cinquante. Il traversa rapidement le rez-de-chaussée, divisé en bureaux par de basses cloisons mobiles. Chaque espace avait sa chaise, son bureau de travail, son petit classeur, son ordinateur et son téléphone. En passant devant ces *pièces*, il jeta machinalement un regard aux corbeilles « Arrivée » et « Sortie » : factures, lettres, formulaires gouvernementaux non encore remplis… Quelle horrible façon de gaspiller un temps précieux, songea-t-il.

Il trouva enfin une porte menant au sous-sol.

Sous le niveau du sol, il y avait un seul grand espace – les murs, le plancher, les plafonds, tout était en béton. À en juger par la quantité de boîtes empilées, c'était un lieu d'entreposage. Il fouilla leur contenu : des épinglettes en plastique destinées à recevoir des insignes d'identification, certaines aux couleurs de l'entreprise, d'autres complètement blanches, ainsi que des rouleaux de plastique servant au pelliculage des cartes – bref, du matériel utilisé dans les congrès ou pour l'identification des personnes autorisées à circuler dans des édifices à accès restreint.

Il parcourut d'abord le sous-sol dans sa périphérie. Il n'y avait pas d'armoires, seulement des portes menant à des salles de bain. Une incursion rapide dans le dédale des boîtes lui suffit pour déterminer qu'il n'y avait là aucun recoin décent où se cacher, aucune boîte assez grosse pour accueillir un corps à moins qu'il ne fût replié en position fœtale. Il s'imaginait mal Gerlinde ou Antoine choisissant délibérément ce genre de couche. Antoine, devinait-il, n'était pas du type à s'infliger le moindre inconfort.

Deux de moins ! se dit-il. Et dix encore à visiter…

En passant devant une fenêtre, il regarda sa montre. Il n'avait plus, en effet, la notion du temps. Neuf heures. Il avait mis deux heures à visiter deux édifices, et l'un d'entre eux était tout petit. Du moins à son arrivée, l'un et l'autre étaient en outre relativement vides. À en juger par le nombre de personnes qui circulaient maintenant dans la rue, les usines venaient d'ouvrir leurs portes. À cette vitesse, il lui faudrait dix heures pour inspecter dix édifices. Il ne disposait pas de dix heures avant le coucher du soleil. Il ne voulait pas rencontrer Antoine quand l'obscurité serait tombée.

Tout ce qu'il lui restait à faire, c'était d'accélérer ses recherches. Ce qu'il regrettait le plus, c'était son incapacité à percevoir la moindre présence vampirique. Mais ce n'était que l'un des nombreux désavantages d'être mortel. Il en était venu à oublier ces limites, mais maintenant elles lui paraissaient évidentes.

Karl avait soigné tout spécialement sa tenue et il était heureux d'avoir choisi un complet et une cravate – c'était toujours la meilleure défense. Cédant à une soudaine impulsion, il gravit l'escalier et pénétra dans un des bureaux du rez-de-chaussée, tout au fond, le plus loin possible de l'entrée – tout autour, il entendait des téléphones sonner, des gens répondre, et il humait aussi une odeur de café frais.

Prestement, il fourragea dans la paperasse qui se trouvait dans la corbeille et en sortit une feuille. Le numériseur, l'imprimante et l'ordinateur étaient allumés. Heureusement, l'équipement informatique, même des plus sophistiqués, n'avait plus de secret pour lui. Il lui fut facile de numériser l'en-tête du gouvernement et de prendre un instantané de lui en utilisant la petite caméra qui surmontait l'écran. Il y avait probablement déjà dans l'ordinateur un modèle de la carte qu'il s'apprêtait à concevoir, mais il n'avait pas le temps de chercher. Se servant d'un logiciel de dessin, il créa le fac-similé crédible d'une carte d'identité, y transféra le logo de l'organisme gouvernemental et sa photo, puis imprima le tout.

Une machine à pelliculage se trouvait dans l'entrée. La carte plastifiée indiquait qu'il était Karl Sterblich, un inspecteur des bâtiments pour la ville de Hanovre. S'il l'exhibait assez rapidement et prenait le ton autoritaire d'un fonctionnaire, il réussirait probablement, grâce à cette ruse, à se faufiler dans chacun des édifices restants et à obtenir de l'aide de la part des employés. Il espérait que les dix minutes qu'il avait perdues ici se solderaient au bout du compte par une économie de temps considérable.

Il quitta l'édifice à bureaux pendant que la réceptionniste était allée se verser un café. Dehors, le soleil brillait encore plus fort et, heureusement, il n'en ressentit pas d'effets négatifs. Quelque chose gargouillait dans son estomac, cependant, et il se demanda ce qui se passait. Peut-être était-ce un contrecoup de la transfusion. Il espéra que cela n'empirerait pas.

Dans l'édifice suivant, où l'on travaillait vingt-quatre heures sur vingt-quatre, il montra sa carte d'identité et fut conduit auprès d'un superviseur. Karl annonça qu'il devait inspecter le sous-sol pour vérifier que des bombes n'y étaient pas dissimulées. Le superviseur eut l'air affolé, alors Karl lui décocha un sourire rassurant. «C'est confidentiel, dit-il. Il n'y a pas eu d'appels à la bombe contre cette usine, bien sûr, mais vous connaissez la Ville et savez combien elle se préoccupe de la prévention.» Il ajouta que, oui, c'était un gaspillage éhonté des ressources et de l'argent des contribuables, mais ne valait-il pas mieux prévenir que guérir? Et ainsi de suite à la manière allemande, caractérisée par l'engagement des deux parties dans une conversation circulaire remplie de banalités vides de sens, mais s'avérant un incontournable prélude à toute initiative. Karl était irrité de devoir perdre tout ce temps en tergiversations. Jusqu'à la nuit précédente, il se serait simplement contenté de regarder cet homme dans les yeux et le tour aurait été joué!

Le superviseur, un homme qui mettait du temps à saisir le message le plus simple, dit enfin: «*Vorsicht ist besser alf Nachsicht*», répétant le cliché comme s'il venait de l'inventer. Il conduisit Karl vers le vaste sous-sol. De la taille d'un demi-pâté de maisons, l'endroit était rempli de machines bruyantes autour desquelles s'affairaient des hommes et des femmes vêtus de bleus de travail.

«Je dois inspecter les moindres recoins susceptibles de loger un corps», dit Karl d'un ton officiel, en haussant les épaules en signe de résignation.

Le superviseur secoua la tête pour lui témoigner sa sympathie eu égard au sale boulot que Karl devait accomplir, mais dit néanmoins « *Ja, natürlich* » en lui montrant des armoires, quelques conteneurs servant à l'entreposage, une salle qui abritait une génératrice et une autre, plus petite, où se trouvaient les coupe-circuit de l'édifice.

Karl remercia l'homme, refusa le café qu'il lui offrait et se rendit à l'édifice suivant. Son estomac le tenaillait toujours. Pour se changer les idées, il regarda sa montre en chemin – quarante-cinq minutes avaient passé. Ce n'était pas beaucoup plus vite, mais quelques minutes pouvaient faire toute la différence. Si seulement il avait quelque intuition de l'endroit où se trouvaient Antoine et Gerlinde ! Mais aucun indice ne lui venait.

Le temps passa. Ce fut bientôt l'après-midi et le soleil descendit à l'ouest. En sortant du neuvième édifice, il consulta sa montre pour se rendre compte qu'il était près de quatre heures. Il lui restait encore trois édifices !

Il inspecta rapidement la dixième usine, spécialisée en outillage-ajustage. L'usine en question était de plain-pied et ne comportait pas de zones secrètes. Il en ressortit au bout de trente minutes. Son estomac le mettait au supplice. Par moments, il trébuchait presque sous la douleur. Pourquoi c'était son ventre qui était touché, il l'ignorait.

L'édifice numéro 11, au contraire du précédent, était truffé d'armoires et de petites pièces sous le niveau du sol. « *Was ist das ?* » demanda Karl en apercevant une planche sur le sol d'où dépassait une barre en métal ressemblant à une poignée.

L'homme aux cheveux blancs qui paraissait avoir depuis longtemps dépassé l'âge de la retraite l'informa qu'il s'agissait d'un entrepôt. « *Einen Utergeschoss.*

— Un souterrain ?

— *Ja.* »

Karl lui demanda d'ouvrir la porte et, tandis qu'ils descendaient les marches, il se mit à s'inquiéter. Pourquoi n'avait-il pas demandé partout s'il y avait un souterrain ? Il restait qu'il n'avait remarqué ni poignée ni porte horizontale dans le plancher des autres édifices. Bien sûr, il devait se convaincre qu'il n'avait rien négligé d'important.

Au bas des marches, il y avait une aire ouverte. Il ne savait pourquoi l'air y était si frais et si sec, mais la réponse semblait résider dans la brique dont étaient constitués les murs, le sol et le plafond voûté. Cet espace plus large se rétrécissait en un tunnel qui s'étirait sur une bonne distance, mais la puissante lampe de poche du superviseur projetait un faisceau de lumière devant eux. Enfin, Karl constata que le tunnel s'élargissait au loin pour devenir une pièce. Le réseau souterrain ressemblait un peu à celui qu'il avait parcouru sous Paris, mais aucun habitant de la Rome ancienne n'avait certainement construit d'égouts ici ! De toute évidence, il s'agissait ici du plus élémentaire sous-sol.

Cette pensée s'envola abruptement en fumée lorsqu'ils atteignirent l'endroit où le tunnel s'évasait. Horrifié, Karl constata que c'était comme le corps d'un poulpe de maçonnerie dont les tentacules se seraient déployés dans tous les sens. Il se tourna vers le superviseur et lui demanda où menait cette multitude de corridors.

«*Hier und dort*», lui répondit évasivement l'homme.

Karl lui soutira plus d'information et apprit que le « ici et là » correspondait au sous-sol des onze autres édifices de cette rue ! Comment avait-il pu être si insouciant ? Son esprit mortel emmagasinait activement moins de données que son cerveau immortel.

« Pourquoi est-ce que les autres superviseurs ne m'ont pas parlé de ces tunnels ? demanda-t-il en allemand.

— Parce que ce sont des culs-de-sac. Ils s'étendent peut-être sur une cinquantaine de mètres sous chaque bâtiment, puis sont murés. Venez voir ! »

Brandissant sa lampe de poche, il s'engagea dans un des corridors. Karl le suivit. Ils parvinrent à un mur de briques. « Ils sont tous comme ça, le corridor est muré à environ quinze mètres de l'entrée. »

Ces tunnels étaient étranges. Karl réfléchit et se dit que les infrastructures au-dessus avaient été érigées après la Deuxième Guerre mondiale. Pourquoi aurait-on eu besoin de construire ces tunnels ? Ils semblaient conçus pour résister à un assaut de l'extérieur.

« Qu'est-ce qui se trouvait ici avant la construction de ces usines ? demanda Karl.

« *Ich weiss es nicht.* »

Mais Karl avait le sentiment que cet homme âgé, ou bien le savait très bien, ou bien se doutait de quelque chose. Lui-même avait sa propre interprétation. Cette zone abritait sans doute des fabriques de munitions, et les Nazis devaient entreposer les armes dans les souterrains afin qu'elles ne fussent pas détruites si les usines en venaient à être bombardées par les forces alliées.

« Pourquoi ce tunnel sous votre édifice est-il le seul à ne pas être muré ?

— Ce n'est pas le seul. Il y en a un autre, connecté à celui-ci.

— Il part de quel édifice ?

— Celui d'à côté.

— Au bout de la rue ?

— *Ja.* »

L'homme restait évasif et ne répondait qu'aux questions qui lui étaient posées, sans un mot de plus. « Pourquoi ces deux-là ? demanda Karl.

— Pourquoi ? Parce qu'ils appartiennent à la même entreprise et que les propriétaires trouvaient qu'il était plus sûr d'y entreposer la marchandise. »

Plus sûr? médita Karl un moment, puis il se rappela l'enseigne près de l'édifice – *FEUERWERKS*. Cette usine fabriquait du matériel pyrotechnique.

«Que produit l'autre usine?»

Le superviseur hésita. Sa voix se durcit et trahit sa suspicion croissante. «*Sprengstoffs.*»

Des explosifs.

«Vous êtes inspecteur des bâtiments et vous ne savez pas ça? Si vous avez comme il se doit examiné le plan des deux édifices, vous devriez connaître l'existence de ces tunnels. J'aimerais revoir vos papiers d'identité.»

Karl paniqua. Il saisit l'homme à gorge. Celui-ci se débattit. La lampe de poche tomba sur le sol en briques. «Quel tunnel mène à l'autre édifice?»

L'homme opposa de la résistance, mais Karl n'eut pas besoin d'une force physique surnaturelle pour l'étendre au plancher. La pression qu'il exerça sur sa gorge produisit le même effet qu'antérieurement: le gros homme sombra dans l'inconscience et rejoignit bientôt la lampe de poche sur le sol.

Karl ramassa la lampe. L'homme s'était évanoui avant d'avoir pu lui révéler lequel des tunnels n'était pas muré et, sous terre, il était plus difficile de s'y retrouver que là-haut. Karl regarda sa montre – il était déjà 17 h 30. Il ne savait pas à quelle heure le soleil se couchait, mais comme il s'était levé vers 6 heures, la nuit devait tomber vers 18 heures. Comment réussirait-il à trouver en si peu de temps lequel des tunnels menait à l'usine d'à côté? Calme-toi, s'enjoignit-il, chose qu'il n'aurait pas eu à se dire dans son état de naguère, alors qu'il était de toute manière presque invincible.

Il y avait douze tunnels, un pour chaque édifice. Celui où il se trouvait était muré et il avait déjà été dans celui qui menait à l'usine de feux d'artifice. Il en restait donc dix à inspecter, et au plus vite.

Il remonta dans le ventre de la bête et parcourut le tunnel de droite au pas de course. Aussitôt que le faisceau se posa sur un mur de briques, il tourna les talons et rebroussa chemin.

Un tunnel après l'autre il répéta son manège, se heurtant invariablement à un mur de briques. Enfin, comme il s'engageait dans l'avant-dernier couloir, il découvrit ce qui ressemblait à une étroite voix ferrée. S'y trouvait un wagon à fond plat dans lequel des caisses étaient empilées.

Les quinze mètres se transformèrent en trente mètres, et en les parcourant il éclaira avec sa lampe de poche des caisses en bois avec l'indication *Feuerwerks* écrite au pochoir sur les côtés. Des caisses étaient amoncelées le long de la voie ferrée d'un bout à l'autre du tunnel. Il atteignit enfin l'autre extrémité et aboutit à une autre aire ouverte – il n'y avait pas cette fois un nouveau tronçon, plus court, mais la pièce était remplie de caisses. Quelques marches menaient toutefois à une porte qui donnait, à n'en pas douter, sur le dernier bâtiment de la rue.

Où étaient-ils ? Ils auraient dû être là, non ? Pouvaient-ils se trouver quelque part dans le sous-sol de l'édifice qui s'étendait au-dessus de lui ? Peut-être ferait-il mieux de vérifier d'abord le dernier corridor qui partait de l'édifice précédent.

Un coup d'œil rapide à sa montre lui indiqua qu'il était 18 h 10. Si le soleil n'était pas encore couché, il le serait d'une minute à l'autre.

Karl poussa la lourde porte, mais elle refusa de bouger. Malgré l'air frais et sec, son corps était couvert de sueur. Mentalement, il devenait frénétique. Que faire ? Même s'il arrivait à sortir de cet endroit et à remonter vers le sous-sol de l'édifice, il serait peut-être trop tard.

Puis il le sentit. Son sixième sens de mortel se mit en branle et fit se hérisser tous les poils de sa nuque.

Une peur froide et viscérale monta de ses jambes et s'insinua dans sa colonne vertébrale. Il y avait quelque chose dans le tunnel, pas très loin de lui. Quelque chose qui risquait de porter atteinte à son intégrité physique. Sans savoir pourquoi, sans se poser plus de questions, il comprit que cela se dirigeait vers lui et progressait à grands pas.

Chaque molécule de son corps, chaque atome formant ces molécules, la moindre particule de ces atomes, tout en lui savait reconnaître le danger qui le menaçait : Antoine. Son corps avait déjà été soumis au carnage de cette créature maléfique. Il tremblerait toujours de toutes ses fibres en présence de ce monstre.

Karl tambourina sur la porte en criant. Il entendit un hurlement et il crut que c'était le sien, puis il réalisa que c'était celui de l'homme qu'il avait laissé dans le tunnel. Un homme mort à présent, vidé de son sang. Aussi mort que le serait Karl s'il ne trouvait pas immédiatement une issue !

Il frappa dans la porte comme si sa vie dépendait de ce qu'elle s'ouvrît – c'était d'ailleurs le cas. Un ange devait veiller sur lui, songea-t-il brièvement tout en réalisant qu'il était en train de penser en mortel, car la porte s'ouvrit comme par magie.

« Vite ! Évacuez l'édifice ! » ordonna Karl à l'ouvrier ébahi. Il exhiba sa carte d'identité. « Je suis inspecteur des bâtiments. Il y a une bombe dans le tunnel ! »

L'homme à qui Karl s'était adressé sonna immédiatement l'alerte et, quelques secondes plus tard, les ouvriers surgissaient de partout dans le sous-sol et montaient l'échelle menant au rez-de-chaussée.

Karl héla l'un d'eux. « Faites aussi évacuer l'autre édifice. L'usine de feux d'artifice. Et l'usine d'à côté. »

L'homme hocha la tête et allait s'éloigner, mais Karl lui prit le bras : « Donnez-moi votre briquet. » L'homme le lui tendit sans poser plus de questions.

La peur qui se lisait sur sa figure obnubilait tout sauf le besoin d'agir.

Dès que l'homme eut rejoint ses compagnons de travail qui se dirigeaient en courant vers une sortie, Karl enflamma tout ce qu'il put trouver – tissu, papier, tout ce qu'on utilisait pour emballer les pétards. Une sirène d'alarme retentissait, insistante et inlassable. Karl n'y prêta pas attention. Lorsqu'il eut allumé un feu de joie d'ampleur raisonnable – environ deux mètres sur deux de flammes qui seraient bientôt incontrôlables –, il réussit à surmonter sa peur et ouvrit la porte.

Il ne rencontra que des ténèbres, des ténèbres que le feu illumina. C'était une obscurité insondable, quelque chose de noir et d'abject. Tout en essayant de pousser le feu vers le bas des marches, il eut le temps de songer : est-ce ainsi que les mortels m'ont toujours perçu ?

Le feu débloula en bas de l'escalier. Du pied, Karl envoya promener plus loin les débris brûlants. Rendu plus prudent en raison de son traumatisme encore récent, il s'aida ensuite d'un tube métallique. Il n'essayait pas de faire brûler l'édifice ni de faire exploser les tunnels – Gerlinde, tout comme Antoine, pouvaient tolérer la fumée et supporteraient sans doute une explosion de petite ampleur. Ce qu'il espérait, c'était mettre le feu à quelques-uns des pétards. Il ne se souciait pas du magnésium, mais de la poudre à fusil. S'il réussissait à provoquer une réaction en chaîne, cela ferait émerger Antoine et Gerlinde à la surface. Cependant, il n'avait pas la moindre idée de ce qu'il ferait une fois qu'ils seraient remontés. Tout ce qu'il savait, c'était qu'il ne les laisserait pas demeurer dans leur cache.

Depuis que la porte était ouverte, la présence malveillante paraissait anxieuse, intransigeante. De seconde en seconde, elle se rapprochait, gagnant en influence.

Une fois que l'incendie eut atteint l'escalier et que quelques caisses eurent pris feu, Karl claqua la porte et fit coulisser le frêle verrou. Cela n'arrêterait pas Antoine. Jamais de la vie.

Il tourna les talons et, au pas de course, regagna la rue, où une foule nombreuse formait déjà un véritable bourbier.

Un ciel sombre. Le soleil, sans équivoque, était couché. Heureusement, la plupart des travailleurs étaient rentrés chez eux à cette heure, quoique dans certaines usines on fît des heures supplémentaires.

Ceux qui le reconnurent pour l'avoir vu déambuler dans les autres édifices, de même que l'homme dont il avait emprunté le briquet, s'approchèrent pour se renseigner. « Éloignez-vous, cria-t-il. Reculez jusqu'aux terrains vagues. Il va y avoir une explosion. *Ein Bombe*! »

À cette évocation, ils se dispersèrent. Quelques instants plus tard, des sifflements et des pétarades remplirent l'air, les éclats devenant de plus en plus puissants à mesure que se produisait la réaction en chaîne qu'il avait espéré obtenir.

La réaction en chaîne dura près d'une heure. Quand les pompiers et la police se furent pointés, quand ils eurent œuvré pour mater l'incendie, quand au bout d'un bon moment il ne resta plus que les débris d'une partie de l'usine qui continuaient à fumer, Antoine et Gerlinde n'avaient toujours pas émergé.

Durant tout ce temps, Karl avait songé à une chose : ils avaient probablement démoli un des murs de briques bloquant un des tunnels et étaient sortis par un autre édifice. Il se demandait pourquoi il n'y avait pas pensé plus tôt. Son manque de perspective l'inquiétait et le rendait vulnérable à ses yeux. C'était ainsi que les mortels se sentaient.

Maintenant, bien sûr, il avait un autre problème sur les bras. Il se trouva une excuse et, à la première occasion, réussit à s'extirper de la foule. Les autorités souhaiteraient lui poser des questions, auxquelles il ne pouvait ni ne voulait répondre. La meilleure parade qu'il trouva fut de fuir les lieux du crime. La rue était bloquée, il dut partir à pied.

Sa longue marche vers le centre-ville fut en fait une longue méditation. Karl se sentait anéanti. Il avait échoué lamentablement. Non seulement Antoine et Gerlinde s'étaient-ils échappés, mais il se dirigeait droit vers l'hôtel où il trouverait peut-être un cadavre. Le corps de Michel. Le seul qui fût en mesure de pister Gerlinde hormis lui-même. Et redevenu mortel, ce « lui-même » avait perdu cette habileté. Et même encore en vie, Michel serait vraisemblablement dans un état second et donc incapable à son tour de la pister. Cela signifiait qu'il ne retrouverait pas Gerlinde. Jamais.

À six pâtés de maisons de l'hôtel, Karl fourra son veston et sa cravate dans une poubelle, sous des emballages de restauration rapide et de vieux paquets de cigarettes. Il entendait les éboueurs venir au loin. L'aube approchait.

La mort dans l'âme, il rentra à l'hôtel, espérant que tout irait pour le mieux. S'attendant au pire.

# CHAPITRE 21

« *Willkommen, alt Liebhaber!* On croyait que tu n'arriverais jamais. »

La scène qui attendait Karl le remplit d'horreur. Gerlinde avait ouvert la porte et souriait en dévoilant ses crocs. Même de là où il se trouvait, ses vêtements puaient la poudre à fusil et le magnésium, assez pour qu'un mortel comme lui le sentît. Depuis le seuil, Karl aperçut Michel étendu là où il l'avait laissé, pâle, cadavérique, mais peut-être toujours vivant. Ses lèvres étaient tachées de sang, et il ne s'agissait pas de quelques gouttes. Donata devait l'avoir nourri toute la nuit.

Antoine se tenait près de la fenêtre. Il avait agrippé la jeune fille par les épaules et la tenait devant lui telle une poupée. Il avait empoigné les longs cheveux de Donata, lui tirant la tête vers l'arrière, et c'était d'un effet dramatique qui devait bien lui plaire. Sans doute se disait-il que Karl verrait facilement les deux blessures fraîches qu'elle avait à la gorge. Du sang, en assez grande quantité, avait coulé dans son cou et taché le devant de sa robe. Sa jugulaire battait farouchement, et son visage – encore plus pâle qu'à l'habitude – était sans expression. Karl évalua la situation rapidement : c'était Michel qui l'avait mordue, cela semblait évident ;

le sang était sec et, d'ailleurs, Antoine n'en avait pas sur les lèvres.

«Karl», sanglota la jeune fille, trahissant la peur que ses traits immobiles cherchaient à dissimuler. «Aide-moi!»

Bien sûr, il n'en avait pas la faculté. Pas en tant que mortel. Même s'il avait encore été immortel, il n'aurait pu l'aider. L'humain en lui voulait, dégoûté, crier à la face d'Antoine: «Chose impure!» Est-ce qu'ils n'auraient pas alors tous eu l'air de se donner la réplique dans un film de Werner Herzog? Mais on n'était pas au cinéma. Et à quoi les grands élans théâtraux le mèneraient-ils?

Karl ferma la porte et entra dans la pièce, sans quitter Antoine des yeux.

«Alors, dit Gerlinde, te revoilà mortel. Avec son sang.» Du menton, elle désigna la forme inerte de Michel. «N'avais-tu pas dit que ça ne marcherait jamais?

— Personne ne savait si ça marcherait.

— Eh bien, on dirait que oui, hein, et maintenant, tu es vulnérable.»

Il lui jeta un coup d'œil. Et il en resta estomaqué. La femme qu'il avait aimée n'était plus. Que lui était-il arrivé? Il n'avait pas besoin de se poser trop de questions, cela semblait évident. Le changement s'était amorcé longtemps avant qu'Antoine ne l'éloignât de lui. C'était Karl qui l'avait muée en une séduisante traîtresse. Il plongea le regard dans ses yeux hypnotiques et dit simplement: «Gerlinde, je suis sincèrement désolé.»

Elle cligna des yeux une fois. Dans son regard, il lut qu'elle avait compris. Elle parut stupéfaite. Puis touchée.

Le rire glacial d'Antoine remplit soudain la pièce, détruisant sur son passage toute chose vivante. «Oui, tu en as fait un monstre, j'ai fait un monstre de toi, et à présent, vous allez tous les deux me rendre la liberté. Mais d'abord, un petit en-cas. »

Sans crier gare, il déchira la robe de Donata. La jeune fille commença à crier, mais il coupa court à ses hurlements en appuyant sur la veine qui battait dans son cou. Donata n'eut pas besoin qu'on lui expliquât davantage. À la mine qu'elle afficha, Karl sut qu'elle réalisait que sa vie ne tenait qu'à un fil. Manifestement, elle ne caressait plus aucune idée de suicide.

« Je vais faire un arrangement avec toi, dit Karl. Prends mon sang. C'est celui de Michel. C'est ce que tu as toujours désiré. Laisse partir Gerlinde, et aussi la fille, et fais ce que tu veux de moi.

— J'aurai ton sang de toute façon, grogna Antoine. Comme je l'ai déjà eu. De mon plein droit.

— T'inquiète pas pour moi, dit Donata. Ça ne me fait rien de mourir et de revenir. Je te l'ai déjà dit.

— Qui a parlé de revenir ? » se moqua Antoine. Il eut un nouveau rire. Karl était fasciné qu'un tel son existât dans l'univers, ailleurs qu'en enfer. Soudain, Antoine rejeta sa tête vers l'arrière comme un serpent puis projeta Donata vers l'avant pour lui mordre sournoisement le cou.

Elle hurla, mais il avait la main plaquée sur sa bouche, ce qui étouffa ses cris.

Il ne serait occupé qu'une minute ou deux, ou peut-être trois, à boire le sang de Donata, selon la vitesse à laquelle il l'ingurgiterait. Karl essaya de réfléchir. Ses idées partaient dans tous les sens, comme s'il souffrait d'un déficit de l'attention.

« Tu as l'air savoureux », dit Gerlinde en se pourléchant. Il voyait bien, cependant, qu'elle n'y mettait pas tout son cœur et il considéra cette offrande comme un heureux présage.

Il regarda autour de lui, à la recherche d'une arme, et saisit une chaise. Gerlinde la lui arracha des mains. Tu parles d'un présage !

« Prends-moi », émit une petite voix, faible mais familière. Une voix qui atteignit les oreilles d'Antoine.

Antoine lâcha Donata et elle tomba sur le sol comme une poupée de chiffon. Michel s'assit avec peine, la peau pâle, le regard vitreux. « Bois mon sang. Tu en meurs d'envie. Tu veux être mortel.

— Tant de soumission », dit Antoine, manifestement enchanté de la tournure que prenaient les événements.

« Michel, ne fais pas ça, protesta Karl. Ça ne sert à rien. Sauve ta peau. »

Mais l'adolescent secoua légèrement la tête, ce qui parut l'étourdir. Lorsqu'il se redressa, il dit : « Maintenant, j'ai fait l'expérience de ce que tout le monde connaît déjà. Je sais à quoi ça ressemble d'aimer quelqu'un. De perdre cette personne. De mourir. » Il se tourna vers Antoine. « Tu es incapable de te souvenir de tout ça, hein ? Je te plains. »

Au calme qui régna dans la pièce durant quelques secondes, Karl se sentit dans l'œil de l'ouragan. En un éclair, tout se remit en marche et Antoine fut sur Michel, aspirant goulûment son sang telle une bête démente.

Karl esquissa quelques pas vers la fenêtre, espérant arriver à ouvrir les tentures. Le soleil, peut-être, serait déjà levé. Il était à mi-chemin lorsque Gerlinde l'aperçut. L'expression malsaine dans ses yeux avait quelque chose de diabolique, et pour peu, Karl aurait cru qu'un crucifix pourrait avoir raison d'elle.

« Tu as pris le mien, et maintenant je vais prendre le tien », dit-elle.

Elle le saisit fermement pour l'immobiliser.

« Ne t'en fais pas, mon amour, c'est donnant, donnant. Je serai douce. Après tout, je veux faire durer le plaisir. »

Il vit ses incisives luisantes de salive, puis elle approcha la tête et les crocs disparurent. C'est à ce moment qu'il les sentit, une douleur qui rayonnait dans sa gorge. La coupure se changea en une brûlure gagnant en intensité. Les dents traversèrent sa chair et pénétrèrent le muscle. Elle lui tenait solidement la tête de manière à garder la veine bien en place et à ne pas la rater.

Ces dents étaient de vrais couteaux-scies. En dépit de la poigne de fer de Gerlinde, il se débattit et la veine finit par lui échapper. Mais elle la reprit. C'était un jeu de cache-cache qui lui était familier parce qu'il avait tour à tour joué les deux rôles. Mais il ne pouvait différer pour toujours sa morsure, et la pointe de ses dents finit par déchirer suffisamment de muscle pour s'y agripper. Il se mit à gémir. Et avec la douleur vint l'engourdissement, et bientôt il ne sentit plus suffisamment ses muscles pour les remuer. Il la sentait, cependant, qui fourrageait dans sa veine. Le sang quittait son cœur et coulait de lui – il était étonné de cette sensation si physique. C'était la première fois ; lorsque Antoine l'avait agressé, tout s'était passé si vite qu'il n'avait rien ressenti. Il savait maintenant ce qui se passait chez ses victimes. Elles n'étaient pas simplement endormies, ahuries ou engourdies. Il frissonna.

Cependant qu'elle aspirait son sang, Karl écouta le bruit de succion de ses lèvres et aussi les sons gutturaux qui provenaient d'Antoine. Si seulement je pouvais ouvrir les rideaux ! se dit-il vainement. C'était en effet impossible. Il était incapable de bouger. Ils étaient tous perdus. Il s'était affaibli au cours des dernières secondes. Si las, si fatigué. Comme si l'énergie de son corps avait été une créature solide extirpée de lui, laissant derrière des vapeurs éphémères. Michel, tout au moins, en raison de la rapidité de cette exsanguination, tom-

berait en état de choc. Il ne souffrirait pas beaucoup.
Il était peut-être même déjà inconscient.

Gerlinde prenait son temps, mais alternait entre
des moments de succion rapide et des phases plus
lentes. Ses forces diminuaient à mesure que l'aube
devenait imminente, mais elle était encore plus forte
que Karl. Elle et Antoine savaient que le soleil affleu-
rerait bientôt à l'horizon. Peu importe l'effet qu'aurait
sur eux le sang de Michel – prélevé directement sur
le garçon et indirectement sur Karl –, cela ne serait
pas instantané. Il en aurait été de même pour Karl s'il
s'était contenté, le jour précédent, de boire le sang de
Michel.

Karl perdit la conscience de son corps. Toutes ses
sensations humaines nouvellement retrouvées disparurent. Il semblait aller et venir entre son corps et
l'oubli pour préserver ce qui lui restait de raison et il
se vit flotter près du plafond sous la forme d'une
lumière blanche. Il devint cette forme, s'observant lui-
même dans les bras de Gerlinde, apercevant Antoine
penché sur Michel dans le lit et Donata luttant pour
se relever. Tout semblait calme et paisible. Dans l'ordre
des choses. Il était sur le point de défaillir, il le savait.

Brusquement, la scène s'illumina. Une lumière se
déversa dans la pièce et en gomma tous les détails,
l'inondant lui et tout le reste. Cette lueur était si intense qu'elle pénétra dans sa peau. Il sentit à nouveau
ses bras, ses jambes, son visage…

Gerlinde hurla. Antoine rugit comme un démon.
Karl recouvra ses esprits en un éclair. La lumière n'était
plus dans son esprit mais à l'extérieur, éclairant la
pièce.

Donata était étendue sur le sol, les tentures empilées sur elle, sa main toujours agrippée au tissu. La
lumière du soleil jaillissait à l'horizon et pénétrait par
les grandes vitres panoramiques.

Antoine se rua vers la salle de bain. Karl vit au passage des plaques de peau noircie là où les rayons du soleil l'avaient brûlé. Son visage était crispé dans une expression de terreur furieuse. Une fois qu'il se considéra à l'abri, il claqua la porte et la verrouilla de l'intérieur.

Gerlinde, qui avait eu la même idée, tituba vers la porte. Elle frappa. Elle hurla. Cependant, Antoine ne voulut jamais la laisser entrer.

Elle criait de manière hystérique, griffant et égratignant la porte. De la fumée montait de sa chair. «Par ici», dit Karl. Mais elle était incapable de réagir. La paralysie qui venait avec l'aube s'était abattue sur elle.

«Ne l'aide pas! cria Donata. Laisse-la mourir!»

Karl agrippa Gerlinde par la taille et la repoussa vers la porte de la penderie, non loin derrière elle. Durant tout ce temps, elle essayait de le griffer et réussit à lui égratigner la figure. «Viens par ici, dit-il. Tu seras en sécurité.» Elle semblait ne rien entendre.

L'adrénaline déferlait en lui et Karl savait que, n'eût été des glandes humaines capables de générer à l'occasion une force surhumaine, il n'aurait jamais été capable de pousser Gerlinde dans la penderie et de refermer la porte.

Il s'y adossa.

«Pourquoi t'as fait ça?» haleta Donata toujours sur le sol.

Karl secoua la tête. Comment faire abstraction de quarante années de vie commune et de la dette qu'il savait avoir envers Gerlinde pour ce qu'il lui avait infligé, même si elle l'avait désiré? Même si elle avait essayé de le tuer. Pas un mortel ne pouvait vraiment souhaiter une telle transformation. Ils n'avaient pas la moindre idée des effets, de ce à quoi ils devaient renoncer, de la façon dont ils allaient être ensuite condamnés à vivre. Et il savait maintenant qu'elle n'avait jamais pu accepter l'idée de ne jamais porter d'enfant. Il n'avait pas le droit…

« Il faut qu'on sorte d'ici, glapit Donata. Michel. Michel ! »

Karl regarda ce qu'elle fixait avec horreur. Michel était étendu en travers du lit et baignait dans son sang répandu sur les draps. Le côté droit du cou du garçon n'était plus qu'une masse déchirée, et du sang giclait toujours de sa carotide.

« Mon Dieu ! » souffla Karl. Il se précipita vers Michel. Tant la jugulaire que la veine avaient été sectionnées. La veine était le dernier de ses soucis. « Donne-moi un clamp chirurgical, dit-il.

— Où ça ?

— Sur la commode. Avec l'équipement à intraveineuse. » Il s'était servi d'un clamp pour garder sa veine ouverte pendant le drainage. Maintenant l'instrument empêcherait le sang de s'écouler. Un clamp de chaque côté de l'artère déchirée stoppa l'hémorragie. Par bonheur, l'artère située de l'autre côté du cou de Michel permettrait au sang de circuler dans son cerveau. « Il faut le conduire à l'hôpital ! »

C'était risqué, mais il ne voyait pas d'autre solution. Contrairement aux autres, Michel n'avait jamais eu de cellules végétales dans son sang. Son corps ne se régénérait donc pas aussi rapidement ni aussi facilement. S'il était possible de lui sauver la vie, il aurait besoin d'un chirurgien humain.

« Il ne faut pas qu'on le trouve ici, dit Karl. Si ce n'était que d'Antoine, je n'hésiterais pas un instant. Mais je ne veux pas qu'on découvre Gerlinde. »

Karl enveloppa Michel dans le couvre-lit. « Fais venir une ambulance. J'espère qu'ils ne peuvent déterminer de quelle chambre l'appel a été fait. »

Donata s'appuya lourdement contre le bureau et composa le numéro. Elle regarda Karl et dit d'une voix faible : « J'aimerais que quelqu'un m'aime comme tu l'aimes. »

Karl se rendait compte qu'elle n'allait pas bien. Mais Michel était dans un état plus critique et devait demeurer sa priorité.

Il transporta Michel hors de la chambre, gravit l'escalier de secours et laissa l'adolescent près de l'ascenseur. Dehors, des sirènes approchaient.

« Viens », dit Karl. Il entraîna Donata à sa suite dans le couloir jusqu'à la cage d'escalier.

La femme de chambre avait laissé plusieurs chambres vides ouvertes au troisième étage. Ils se faufilèrent dans la dernière chambre du couloir et se lavèrent dans la baignoire. Les blessures de Donata étaient assez nettes, puisque c'était Michel qui les lui avait infligées. Cependant, les dents plus grosses d'Antoine les avaient rouvertes et creusées, causant ainsi plus de dégâts. Mais elle survivrait ; elle avait simplement besoin de se reposer. Elle était faible et dut s'asseoir sur le bord de la baignoire tandis qu'il la nettoyait.

Karl se toucha le cou. Les trous béants étaient très douloureux. Dans le miroir, il vit un homme avec deux plaies vives à la gorge. Il aurait aimé avoir à sa disposition de l'équipement médical – tous deux auraient eu grandement besoin de pansements pour stopper l'hémorragie, sinon pour maquiller les blessures, et peut-être d'un antiseptique. Il y avait un anticoagulant dans la salive de ceux de son espèce – l'espèce à laquelle, jusqu'à tout récemment, il appartenait – qui empêchait le sang de figer. En cela, ils étaient pareils aux chauves-souris vampires. L'anticoagulant finirait par se dissoudre et le saignement cesserait. Entre-temps, il tendit à Donata une débarbouillette et en prit une, lui aussi. « Sers-t'en comme d'une compresse et appuie très fort sur ta gorge. » Il l'abandonna ensuite un moment pour inspecter la chambre.

« Est-ce que tu peux les plier pour qu'on puisse les transporter ? » demanda-t-il en décrochant les tentures de leur tringle. Il retira aussi le couvre-lit, puis remplit d'eau un seau à glace et attrapa quelques serviettes, en plus des rideaux. D'un geste, il enjoignit à Donata de faire aussi vite que possible. Il était lourdement chargé. La jeune fille ne transportait que le seau d'eau, mais cela semblait lui peser lourd.

Il ouvrit la porte de l'escalier de secours et fit passer Donata devant lui. Comme la porte se refermait derrière eux, il entendit un cri, signe que quelqu'un avait découvert Michel.

De retour dans leur chambre du deuxième étage, il enleva les draps et le couvre-lit et ramassa les tentures sur le sol – Donata avait laissé sur l'ourlet des empreintes sanglantes, mais il n'y avait rien qu'ils pussent y faire. Lentement, elle retira sa robe noire – elle était épuisée, mais il avait tant à faire qu'il ne pouvait vraiment l'aider. Il retira sa chemise et l'empila avec la robe de Donata et le reste. Pendant que Donata tirait une autre robe de son sac de voyage et l'enfilait – il fut heureux de constater que le col était assez haut pour cacher sa gorge – et tandis que Karl réunissait en un tas bien propre tout ce dont ils devaient se débarrasser, ils entendirent une sirène puissante résonner tout près de l'hôtel.

« Dieu merci », dit Donata en regardant par la fenêtre.

Par bonheur, le frigobar renfermait de l'eau embouteillée, dont ils se servirent, en plus de celle qu'ils avaient apportée dans le seau à glace, pour nettoyer la chambre de leur mieux. Karl jeta les serviettes ensanglantées avec le reste. Il suspendit ensuite les tentures et étendit les couvertures tout en les chiffonnant sur le lit, de manière qu'ils parussent y avoir dormi.

«Il y a des taches sur le sol, mais je crois que nous pouvons déplacer le lit pour les camoufler», dit-il.

Il s'acharna sur la lourde structure jusqu'à ce qu'il réussît à le bouger de quelques centimètres. Malheureusement, on voyait la trace des pattes du lit sur la moquette. Seules les marques au pied du lit importaient. Karl s'efforça de redresser les fibres avec ses doigts, mais sans trop de succès.

«C'est pour que la femme de chambre ou les policiers croient que tout est normal, hein? dit Donata.

— Mieux que ça. Ils vont croire que le tissu ensanglanté provient de l'autre chambre. C'est l'étage où ils trouveront Michel. Tout ce que j'espère, c'est que ça va les garder occupés un certain temps. Est-ce que tu sais si Michel est ressorti après que vous vous êtes enregistrés?

— Euh, non, je ne crois pas.

— Et le service à l'étage?

— C'est moi qui ai pris le plateau. Je ne pense pas que le garçon a vu Michel.

— Bon. Il ne reste plus que l'employé de la réception…

— Pas vraiment. Michel m'attendait dans l'ascenseur pendant que je nous enregistrais.

— Quel nom leur as-tu donné?

— Monsieur et madame Michel Blak.»

Karl leva un sourcil. Cette fille avait un grand sens du théâtre.

Il ouvrit la porte et s'avança précautionneusement dans le couloir, tel un chat. On n'avait pas commencé à faire les chambres de leur étage, mais cela ne tarderait pas. Et peut-être que la police voudrait inspecter tout l'immeuble. Après tout, le deuxième étage était tout près du troisième. Soudain, il se rappela le *Yi-King* et l'hexagramme que Wing avait interprété, le 23. Comment se terminait cet hexagramme ? Le diable s'il se le rappelait !

Il progressait dans le couloir à pas de loup, essayant doucement d'ouvrir la porte des chambres de l'aile ouest, la section opposée à leur chambre, mais elles étaient toutes fermées.

« Je peux entrer », dit une voix derrière lui. Il se retourna pour apercevoir Donata qui se traînait dans le couloir.

« Je t'ai dit de rester dans la chambre », chuchota-t-il.

Donata, s'appuyant à un mur pour ne pas tomber, lui tendit une carte-clé en plastique.

« Comment as-tu obtenu ça ?

— Je l'ai trouvée au troisième étage, là où on a laissé Michel.

— Mais ça n'ouvrira pas cette pièce.

— Et moi, je te dis que oui. »

Elle glissa la carte dans la serrure et la lumière verte s'alluma. Donata leva les yeux vers lui. « La femme de chambre l'avait laissée dans la pièce où on s'est lavés. »

Ils retournèrent prestement à leur chambre. Karl chargea le tas de tissus maculé de sang sur ses épaules. Le moment serait bien choisi pour posséder un soupçon de force d'immortel, songea-t-il. « Cette fois, attends-moi. »

Il transporta la pile d'effets souillés dans la chambre qui était ouverte et lança le tout par la fenêtre. Les divers effets atterrirent dans la cour. On les y découvrirait bientôt, sous la fenêtre de la seule pièce où il n'y avait plus de rideaux, se disait-il.

« Crois-tu que Michel va bien ? demanda Donata lorsqu'il revint dans la chambre.

— Je ne sais pas », dit-il sincèrement. L'issue était impossible à prédire. Et Karl ne supportait pas de trop y penser pour le moment. « Nous devons nous présenter à la réception, dit-il. Est-ce que tu t'en sens capable ? »

Elle hocha la tête et il l'aida à se lever. Il ramassa le foulard de velours qu'elle avait laissé accroché au dossier d'une chaise et se le noua autour du cou. Karl se regarda ensuite dans le miroir en pied. Cet accoutrement lui donnait une allure étrange, mais son visage, avec toutes ces égratignures, paraissait encore plus bizarre.

« Je peux t'arranger ça », dit-elle. Elle sortit son sac à cosmétiques. La perte de tout ce sang avait rendu le visage de Karl si pâle que le fond de teint liquide de Donata s'y fondit.

Ils quittèrent la chambre en accrochant l'écriteau « Ne pas déranger » sur la porte. Il dut presque la porter jusqu'en bas, son bras passé autour de sa taille. Dans ses oreilles, il entendait le souffle court de la jeune fille.

Ils pénétrèrent dans un hall d'entrée en effervescence. La police était déjà sur les lieux. Comme Karl et Donata passaient devant le comptoir de la réception, plusieurs ambulanciers émergèrent d'un ascenseur en poussant une civière où était étendu Michel, livide, l'air comateux.

Donata saisit le bras de Karl et un hoquet s'échappa de ses lèvres.

Ils avaient emmailloté Michel jusqu'au cou avec des couvertures, et des tubes intraveineux avaient été fixés à ses bras laissés dégagés. Il n'avait pas l'air d'aller bien, mais il ne paraissait pas mort. Karl savait que son état était critique et susceptible de se détériorer rapidement. Ce genre de blessures et la perte de sang qu'il avait subie auraient tué n'importe qui.

Ils se mêlèrent aux badauds qui observaient les ambulanciers pousser au pas de course la civière jusqu'à la porte. Une fois que l'ambulance se fut éloignée et que les gens autour d'eux y furent allés de leurs commentaires sur la situation, Karl poussa doucement Donata vers le comptoir. Elle était blême et avait les yeux écarquillés comme si elle était sur le point de fondre en larmes.

« Je suis *Herr Blak*, dit-il en allemand. Avez-vous des messages pour moi ou pour ma femme ?

Le commis regarda dans le pigeonnier. « J'ai bien peur que non.

— Nous sommes… » Karl regarda dans la pochette de papier qui contenait sa clé, quoiqu'il se rappelât très bien le numéro de leur chambre. « … dans la chambre 23. Est-ce que vous voudriez bien nous appeler si quelqu'un essaie de nous joindre ? J'attends un message de ma sœur.

— Bien sûr, monsieur. Cela va de soi.

— Je crois que nous ferions mieux de déjeuner dans notre chambre, dit-il à Donata. Chérie, est-ce que ça te va ?

— Oui, bien sûr.

— Est-ce que nous pouvons commander notre repas ici et demander qu'on nous le monte ?

— Bien sûr », dit de nouveau le commis.

Karl commanda un déjeuner américain et un petit-déjeuner continental, plus un pot de café. « Veuillez s'il vous plaît mettre ça sur notre compte », dit-il.

Ils avaient déjà commencé à rebrousser chemin vers l'ascenseur, mais Karl, cédant à l'impulsion du moment – ou du moins était-ce ce qu'il voulait faire croire –, dit : « Pourriez-vous demander à la femme de chambre de venir faire les lits ? »

L'employé sourit. « Tout de suite, monsieur. »

En entrant dans l'ascenseur, Donata dit : « Je ne pourrai pas manger. Je me sens malade. »

Il regarda la jeune fille. Elle était pâle comme un linge et haletait à chaque pas. Elle semblait atrocement faible. Dans son état, avec son corps occupé à combattre le sida, ce qui lui était arrivé risquait de lui causer beaucoup de tort.

« Tu as besoin de te reposer, lui dit-il lorsqu'ils entrèrent dans la chambre. Nous allons rester ici. Je voulais graver dans l'esprit du commis que je suis monsieur Blak et que tout est normal. Est-ce que c'est lui qui était là quand tu t'es enregistrée ?

— Oui, je crois.

— D'accord. Quand le garçon d'étage va apporter notre repas, je vais le faire entrer pour qu'il nous voie tous les deux. Mais lorsque la femme de chambre va arriver, cache-toi sous le lit.

— Pourquoi ? »

On frappa à la porte. Karl demanda : « *Wer gehen ?*

— *Der Zhimmermadhen.* »

La femme de chambre apparut presque instantanément et Donata eut juste le temps de se glisser sous le lit. La femme fit le lit sous lequel était étendue Donata, remit en place quelques objets, ouvrit les rideaux. Durant tout ce temps, Karl lui parlait, jouant au touriste qui se demandait s'il y avait des endroits intéressants où dîner, ajoutant que sa sœur dont il attendait des nouvelles aurait peut-être quelques bonnes idées. Non, elle n'était pas de Hanovre, mais vivait maintenant à Londres. Son mari musicien allait se joindre à l'orchestre philharmonique. Karl et Donata étaient en vacances au même moment. N'était-ce pas merveilleux ? Ainsi, ils pourraient tous se voir. Lorsque la femme de chambre tenta d'entrer dans la salle de bain, Karl la retint : « Mon épouse prend un bain. Donnez-moi simplement des serviettes propres. »

Le déjeuner arriva une dizaine de minutes après le départ de l'employée. Le garçon apporta le repas dans la chambre, vit Karl, puis Donata, assise à la table où il posa le plateau. Karl lui donna un généreux pourboire et le garçon sortit.

« Est-ce celui qui est déjà venu ? demanda Karl.

— Non. L'autre était plus vieux.

— Bon, ce n'est pas grave. Il n'a pas vu Michel et celui-ci m'a vu, moi. »

L'odeur de nourriture le heurta de plein fouet. Karl réalisa soudain que non seulement il était épuisé et lessivé, mais qu'il était aussi affamé. Maintenant il savait pourquoi son estomac le tenaillait dans la Eisenbergstrasse : il avait absorbé pour la dernière fois une nourriture solide en 1845. Il se mourait de faim ! Il avait oublié que les corps mortels aussi avaient besoin de carburant, et de manière régulière.

Il s'assit et dévora le déjeuner américain. Donata ne voulait que du café, mais il insista pour qu'elle avalât un croissant de son petit-déjeuner continental. Karl enfourna l'autre croissant, plus les deux danoises. Elle but une tasse de café, il ingurgita le reste.

L'odeur et le goût de la nourriture le comblaient. Chaque aliment possédait sa saveur propre. Délicieux. Délectable. Il mangeait certaines choses pour la première fois. Le café eut un effet revigorant instantané et il ressentit une poussée d'énergie.

Donata, à bout de forces, s'étendit sur le lit et se roula en position fœtale. « J'espère que Michel va bien aller. Comment on peut le savoir ?

— Je m'attends à ce qu'on en parle aux nouvelles. » Il alluma la télé et la régla sur le canal des nouvelles allemandes, puis baissa le volume.

La jeune fille était malade et triste à la fois. Il le voyait bien. Il ne savait que faire ni que dire. Il était dans le brouillard. Il consulta le radio-réveil près du lit et vit qu'il était 11 heures.

Un vampire sadique dormait dans leur baignoire et une autre – son ancienne amante – était roulée en boule au fond de la penderie. Tous deux se réveilleraient au crépuscule. Et il n'avait aucun plan en tête.

« Pourquoi on reste ici ? risqua Donata d'une petite voix. On devrait partir. Avant qu'ils se réveillent. »

Karl avait peine à la regarder. Il lui ouvrit grand les bras et elle s'y nicha comme une enfant – l'enfant qu'elle était – cherchant désespérément à se faire rassurer.

« J'y ai réfléchi moi aussi. *Tu* devrais partir. Tu dois te réfugier dans un lieu sûr, et cet endroit est mal choisi. Nous allons dormir quelques heures – je vais régler la sonnerie –, puis je veux que tu partes.

— Et toi ?

— Il faut que je reste. Que j'assume. C'est ici que ça doit finir, d'une façon ou d'une autre.

— C'est quoi ton plan ? »

Il secoua la tête d'un air morne. « J'aimerais bien en avoir un. »

Il régla la sonnerie du radio-réveil à 15 heures. Cela leur laisserait quatre heures de sommeil. Pas assez pour récupérer. Mais c'était mieux que rien.

# CHAPITRE 22

Il se réveilla, désorienté, sans savoir l'heure qu'il était ni où il se trouvait. Il tourna la tête vers la gauche. Les rideaux étaient ouverts. Derrière la vitre, le ciel s'était obscurci.

Puis il regarda le radio-réveil et constata que les chiffres rouges indiquaient 19 heures. Il se souvenait vaguement de l'avoir réglé. N'avait-il donc pas entendu la sonnerie ?

Il tourna la tête vers la droite et vit Donata à ses côtés, complètement immobile. Il se pencha sur elle et la secoua. Son bras était glacé et rigide.

« Elle est morte », lança une voix qui émanait d'un coin sombre de la pièce. Une voix qu'il reconnut.

Gerlinde se leva et se dirigea vers le pied du lit. « J'imagine que c'était trop pour elle, perdre tout ce sang.

— Elle avait le sida. La perte de sang l'a fait basculer. »

Il se sentait différent. D'abord, il ne sut trop ce qui lui arrivait, parce qu'il avait aussi l'impression d'être le même. Puis il réalisa ce qui était en train de se produire : son corps se transformait de nouveau. Il n'était pas encore immortel, mais les signes étaient là, à l'intérieur de lui. Subtils, mais indéniables.

Karl s'assit. Et immédiatement il observa quelque chose de tout à fait inattendu. Gerlinde était là, telle qu'il l'avait vue lors de leur première rencontre. La jeune fille qu'elle avait été. Je rêve, se dit-il. Ce ne peut être vrai.

Mais ce l'était. Le sang qu'elle avait consommé la nuit d'avant, le sang de Michel, l'avait rendue mortelle.

Elle effleura le montant du lit. « Je… je n'arrive pas à y croire, dit-elle. Jamais je n'aurais pensé que ça pouvait arriver. Je suis vivante à nouveau, telle que j'étais… »

Karl entendit un bruit. Il tourna brusquement la tête en direction de la salle de bain. La porte était toujours fermée.

« Il est là-dedans », dit Gerlinde d'un ton amer. Karl se leva. Il contourna le lit et elle lui agrippa le bras lorsqu'il passa devant elle. Il s'arrêta juste assez longtemps pour la regarder, pour écouter une partie de ce qu'elle avait à lui dire. « Je… je ne sais pas ce qui m'est arrivé.

— Tu étais sous son influence », dit-il. C'était ce qu'ils voulaient entendre tous les deux, des mots auxquels ils voulaient croire.

Elle secoua la tête. « Non. C'était moi. J'assume l'entière responsabilité de mes décisions. Karl, je ne sais pas si tu pourras jamais me pardonner. »

Il la toisa comme une étrangère et ce regard la laissa sans voix. Elle *était* une étrangère à ses yeux. Ils le sentaient tous les deux. La femme qu'il avait connue lorsqu'elle était mortelle, celle qu'il avait transformée, celle qui avait passé avec lui tant de nuits pendant tant de décennies, celle avec qui il avait partagé tant de choses, cette femme n'était plus.

Il ressentait de la froideur à son égard. Du moins ne pouvait-il décrire autrement, en lui-même, le sentiment qui l'habitait. Tout ce qu'elle avait signifié pour lui

s'était envolé en fumée. À sa place se tenait une traîtresse. Non seulement un être en qui il ne pouvait plus
avoir confiance, mais une femme qui avait réduit en
miettes sa capacité de faire confiance à quiconque.

Karl se dégagea et alla vers la porte de la salle de
bain. Il essaya de faire tourner la poignée, mais c'était
fermé de l'intérieur. Il poussa avec son pied et, après
une dizaine de tentatives, réussit à faire sortir la porte
de ses gonds.

Le rideau de douche entourait toujours la baignoire.
Karl ignorait ce qu'il allait trouver, mais il se préparait
à une attaque. Il recula légèrement et, d'un geste vif,
retira le rideau de plastique.

Ce qui gisait dans la baignoire le stupéfia et pourtant tout cela tombait sous le sens. Antoine était bel
et bien redevenu mortel – le sang de Michel avait fait
son œuvre. Mais de même, le sang de Donata.

Cet homme plus grand que nature et aux allures
de géant, capable d'accomplir l'impossible, était
étendu, pâle et flétri. De la taille d'un enfant. La peau
sèche et les lèvres exsangues, son corps couvert de
lésions. Le regard vitreux, éteint, infantile, les yeux
enfoncés dans son crâne squelettique. Un trou en guise
de bouche, le reste de sa chair déjà pourrissante. Un
visage défait, ratatiné. Des mains pareilles à celles
d'un mort. Il haletait et sifflait en respirant.

De toute évidence, Antoine avait contracté la maladie de Donata. Le sang de Michel avait la faculté
de rendre mortelles les cellules des membres de leur
espèce. Mais le sang infecté s'était retrouvé au même
moment dans le corps d'Antoine. Le sang de Michel
avait probablement attaqué d'abord les cellules vampiriques aberrantes. Mais le virus du sida devait s'être
mis en branle au même moment afin d'infecter les
nouvelles cellules mortelles d'Antoine. Michel avait
été capable d'ingérer du sang contaminé au VIH sans

en subir les effets. Mais lorsque Antoine avait pris ce sang et que le complexe processus biochimique s'était enclenché afin de transformer son sang d'immortel, le virus du VIH s'était emballé.

Karl contemplait toujours Antoine et en croyait à peine ses yeux. Il craignait presque que ce fût une ruse et qu'Antoine bondît d'un instant à l'autre pour l'anéantir. Il se disait bien que, à l'instar de lui-même, tous les deux allaient retourner à l'état d'immortel au bout d'un jour ou deux. Mais Antoine, il le savait, ne survivrait pas un jour ou deux. Il ne passerait pas la nuit.

Karl entendit des voix, une commotion dans la pièce. Il sortit de la salle de bain. André, David, Morianna et Wing étaient là. Gerlinde, dans un coin, plaquée contre le mur, paraissait terrifiée.

«Vous… vous êtes mortels!» dit André, en regardant tour à tour Karl et Gerlinde. «Qui c'est?» demanda-t-il en désignant du menton le corps de Donata.

«Une pure sang», dit Wing, avant que Karl eût pu répondre.

«Je vous expliquerai tout ça plus tard, dit Karl. Mais nous devons d'abord aller chercher Michel…

— Il est avec nous. Les autres s'occupent de lui, il est en sûreté. Il va s'en remettre.

— Dans… dans quel état?

— Nous ne le savons pas encore. Ils lui donnent du sang.»

Karl fut envahi par un sentiment de culpabilité. Il avait failli tuer le fils d'André. Il ne s'attendait pas à ce que son ami lui pardonnât jamais. André s'avança vers lui, comme s'il avait lu dans ses pensées. Bien sûr qu'il pouvait voir en lui. Au contraire de Karl, il était immortel.

André posa la main sur son bras. «Nous en discuterons plus tard. Quand nous serons revenus en lieu sûr. Partons.»

Karl hocha la tête. Il jeta un coup d'œil vers Gerlinde qui les regardait tous avec une expression horrifiée. Morianna s'était approchée d'elle, mais il voyait bien que Gerlinde se sentait acculée au pied du mur. À présent, ces êtres étaient de son point de vue des prédateurs. Et pire : jusqu'à tout récemment, ils étaient ses amis. Avant qu'elle ne se rangeât du côté de leur ennemi juré.

« Venez d'abord par ici », dit Karl en s'adressant spécifiquement à David et à Morianna. « Il faut que je vous montre quelque chose. »

Il les conduisit à la salle de bain. André et Wing les suivirent et tous s'entassèrent sur le seuil.

« Je n'arrive pas à y croire », dit doucement David.

Morianna ne dit rien, mais Karl ne l'avait jamais vue avec une telle expression sur le visage. Elle ne voulait rien moins que tailler Antoine en pièces, un membre après l'autre.

« Tuons-le, dit André. Détruisons cette ordure.

— Nous n'en avons nul besoin, dit Karl. Il se meurt du sida. Il va sans doute trépasser ce soir. Il est mortel, comme vous pouvez le constater. À en juger par sa respiration, sa couleur, sa peau, je dirais qu'il n'en a que pour quelques heures.

— Nous devrions tous les trois prendre son sang », dit David d'une voix dure. Il regarda Morianna et Karl. « Vidons-le de son sang, comme il nous a vidés du nôtre.

— Je ne peux pas, dit Karl. Le VIH m'infecterait. Et chez toi et Morianna, je ne suis pas sûr de ce qui se produirait – le sang de Michel coule dans les veines d'Antoine, tout comme le sang de Donata – la jeune fille. Vous risquez de finir comme lui – mortels et infectés.

— Il ne mérite pas une mort aussi douce », dit André.

Karl avait observé le visage d'Antoine tout ce temps. En dépit de sa décrépitude, le vil personnage n'avait pas perdu son air complaisant et condescendant. La conscience d'être mourant ne le rendait pas plus humble. Les autres percevaient cela encore mieux que Karl.

«Pourquoi?» jeta Morianna d'un ton cinglant.

Karl la regarda. Elle fixait Antoine droit dans les yeux, sûre d'elle. Elle lui demandait pourquoi il avait été si violent. Pourquoi il leur avait imposé, entre autres, cette transformation. Pourquoi il n'arrivait pas à s'adapter, ne parvenait pas à coopérer. Elle lui demandait pourquoi il était maléfique.

Mais s'il était une chose que Karl avait apprise, c'était ceci : le mal frappe sans raison ni justification, et aucune réponse ne permet de le comprendre. Le mal existe, tout simplement. Par le passé, il ne se serait pas contenté d'une telle explication. Mais à présent, si. Il était passé par trop de souffrances. Il avait connu la phase morbide. Il avait presque tout sacrifié.

Antoine était dans un piteux état et à deux doigts de la mort. Pourtant, il ne daigna pas répondre. Il se contenta de rire. Un rire que Karl avait entendu si souvent en rêve, dans son esprit, dans la réalité. Ce bruit disait tout : « Je n'ai aucun remords ! Jamais je n'en aurai ! » Ce bruit ne voulait rien dire.

Rapide comme l'éclair, Morianna s'accroupit. Ses griffes lui tranchèrent les poignets, la gorge ; partout où elle pouvait trouver une veine, elle frappa. Cependant, elle évita les artères, souhaitant manifestement le vider de son sang, mais dans une lente agonie. « Si ce n'est pour moi, alors ce sera pour David et Karl. Pour Michel. Et pour ceux que tu as assassinés. Mais surtout pour Chloé et pour Kaellie. Meurs ! »

Dans toutes les directions, du sang jaillissait du corps mortel d'Antoine. Bientôt, son corps fut maculé, ses vêtements furent imprégnés de sang, l'émail de la baignoire en fut taché. N'ayant aucune raison de demeurer ouvertes, les veines cherchaient à se refermer.

Mais, chaque fois, Morianna les sectionnait prestement d'un coup de griffe.

Plus que tout, Karl savait que la seule humiliation qu'Antoine risquait d'éprouver, s'il pouvait encore sentir quelque chose, était celle d'avoir à mourir devant eux tous qui se réjouissaient de son trépas. Cette idée ne procura pas à Karl le moindre petit plaisir.

Il fallut une heure aux poumons pour cesser de happer l'air, au cœur pour se lasser de battre, au sang pour cesser de couler des entailles jusqu'à la bonde. Les yeux vides étaient fixes, comme si, ange démoniaque et tordu, il enjoignait aux cieux de se souvenir de lui. Mais les cieux avaient depuis longtemps oublié Antoine.

« Nous devons nous assurer qu'il est mort, dit David.

— Il est mortel. Il est mort. Il ne peut revenir, lui assura Karl.

— Je suis d'accord, acquiesça Morianna. À tous, il nous semble clair que son énergie vitale s'en est allée. »

Ils le laissèrent là et sortirent de la chambre. Dans le couloir, Karl demanda : « Où est Gerlinde ?

— Elle est sortie lorsque nous sommes entrés dans la salle de bain, dit Wing. Je n'ai pas jugé bon de la retenir.

— Non », dit Karl, résigné. « Tu as bien fait de la laisser partir. J'ignore si tel était son souhait. Je sais cependant que le changement n'est pas permanent. Je suis déjà en train de changer de nouveau. Et elle a pris le sang de Michel de manière indirecte, par mon entremise. J'imagine que l'état de mortel ne durera pas aussi longtemps pour elle que pour moi. Dans mon cas, on peut dire que ça n'a pas été très long. »

Elle était partie. Antoine était parti. Cela le touchait si peu. Comment pouvait-il en être ainsi ? Aimer une personne si longtemps et à ce point, et détester un

autre individu au plus profond de son être, puis les
voir tous deux disparaître de son monde… C'était
comme si ni l'un ni l'autre n'avaient jamais existé.
Comme si tous deux n'avaient été que des rêves, des
rêves dont il avait besoin. Des rêves que, de temps à
autre, il ressusciterait dans ses souvenirs. L'un d'entre
eux lui manquerait cruellement.

Wing et Morianna descendirent l'escalier, mais
André et David se dirigèrent vers l'ascenseur avec
Karl. Ce dernier, mû par une inspiration soudaine,
retourna dans la chambre. Lorsqu'il réapparut dans le
couloir, il tenait à la main l'amulette de Chloé, qu'il
venait de dérober au cadavre d'Antoine. C'était à
Michel que ce talisman revenait, et il avait bien l'intention de le remettre au garçon dès qu'il le reverrait.

Tandis qu'ils attendaient l'ascenseur, André se
tourna soudain vers Karl et demanda : « Comment
était-ce ? Ça faisait quoi d'être mortel à nouveau ? »

Cela ressemblait si peu à André de poser une
question, c'était si étrange que, lorsque la porte de
l'ascenseur s'ouvrit, Karl n'esquissa pas un geste pour
y monter. Il regarda André et David, ses frères de sang.
Tout changeait, tout le temps, mais tous les changements n'étaient pas pour le pire.

Karl réfléchit un instant. « Être mortel, c'était…
comment dire… surnaturel. »

# REMERCIEMENTS

Pour leur amour et l'aide diverse qu'ils m'ont apportés, je tiens à remercier Philippe Bourque, Christine Christolakis, Seph Giron, Alison Graham, Stephen Jones, Eric Kauppinen, Mike Kilpatrick, Mitch Krol, Hugues Leblanc, Eric Paradise, Michael Rowe, Mandy Slater, Caro Soles, Mari Anne Werier.

Merci aussi aux personnes suivantes, qui ont généreusement facilité mes recherches : Sonja Barbe et Enrique Novella, Ezio Biasi, Daniel Dvorkin (alias Medic), Peter Kenters, Cathy Krusberg, Julie Leblanc et les chercheurs de l'hôpital Saint-Luc (Marc, Pierre Pannumzio, Allan Hazeth, Julie L. Hildebrand), Caro Soles, Lois Tilton.

Je tiens également à exprimer toute ma gratitude à Rob Brautigam, sans qui je n'aurais jamais visité l'Allemagne, ainsi qu'à Fabrice Dulac pour son poème merveilleusement évocateur. Et je suis particulièrement reconnaissante envers Hugues Leblanc, qui a gracieusement accepté de relire ce manuscrit et m'a aidée à rester saine d'esprit tandis que j'y travaillais. Je tiens par ailleurs à souligner que les abonnés de Genie, mis au courant de mon projet, m'ont apporté beaucoup de soutien affectif et d'encouragement lors de l'écriture de ce roman. Enfin, il y a David Marshall, de Pumpkin Books, qui a tenu la distance et m'a permis de donner forme à une histoire qui, depuis une décennie, était en gestation dans mon imaginaire.

## NANCY KILPATRICK...

... est états-unienne de naissance. Naturalisée canadienne aux cours des années soixante-dix, elle vit à Montréal depuis de nombreuses années. Au fil de ses publications, Nancy Kilpatrick s'est fait une spécialité des histoires de vampire, l'un des thèmes fétiches du fantastique. Récipiendaire en 1993 du prix Arthur Ellis de la meilleure nouvelle («Mantrap»), elle a été deux fois finaliste au prix Bram Stoker (dont en 1995 avec *La Mort tout près*) et cinq fois finaliste au Prix Aurora. Nancy Kilpatrick a publié à ce jour, sous son nom ou celui d'Aramantha Knight, quatorze romans, cinq recueils de nouvelles, plus de cent vingt-cinq nouvelles, sans oublier quatre scénarios de bandes dessinées et huit anthologies de nouvelles fantastiques.

# Extrait du catalogue

**ALIRE**

## Collection «Romans» / Collection «Nouvelles»

## Collection «Essais»

VOUS VOULEZ LIRE DES EXTRAITS
DES LIVRES PUBLIÉS AUX ÉDITIONS ALIRE ?
VENEZ VISITER NOTRE DEMEURE VIRTUELLE !

**www.alire.com**

**RENAISSANCE**
est le soixantième titre publié
par Les Éditions Alire inc.

Il a été achevé d'imprimer
en avril 2002 sur les presses de